TRANEN IN DE WIND

Luanne Rice

Tranen in de wind

the house of books

0 5. 06. 2007

Oorspronkelijke titel
Summer's Child
Uitgave
Bantam Books, published by Bantam Dell, a division of Random House, Inc.,
New York
Copyright © 2005 by Luanne Rice
Copyright voor het Nederlandse taalgebied © 2007 by The House of Books,
Vianen/Antwerpen

Vertaling
Cherie van Gelder
Omslagontwerp
Julie Bergen
Omslagdia's
boven: Tim Pannell/CORBIS
onder: Paul Knight/Trevillion Images
Opmaak
ZetSpiegel, Best

ISBN 978 90 443 1751 0
D/2007/8899/30
NUR 302

Voor Amelia Onorato

Dankbetuiging

Hierbij bedank ik Irwyn Applebaum, Nita Taublib, Tracy Devine, Betsy Hulsebosch, Cynthia Lasky, Barb Burg, Susan Corcoran, Carolyn Schwartz, Jim Plumeri, Kerri Buckley en iedereen bij Bantam Dell voor het feit dat ze samen met mij de zomer hebben willen vieren. Net als Mia en de BDG, Sarah Walker, Paula Breger, Kim Dorfman en Mika en Alek Glogowski. Plus iedereen van de SoundHound-sessies: Jeff Berman, Tom Spackman, Frank Cabanach, James von Buelow, Melissa Lord, Teresa Wakabayashi, Lori McCarthy, Melissa Rivera, Michelle Lewy, en de vrienden die ik in Phoenix heb ontmoet: Jocelyn Schmidt, Mary McGrath, George Fisher, Lane Rider, Phil Canterbury, Greg Bresson en Steve Maddock.

Proloog

Het was destijds het gesprek van de dag. Voorpaginanieuws voor iedere krant. Haar gezicht was even bekend als dat van de gouverneur en een stuk geliefder. De opwinding in haar blauwe ogen, de brede glimlach, dat stralende – want ja, dat was het, ze genoot echt van het leven en straalde alleen maar goedheid uit. Ze zag eruit als de optelsom van je liefste zusje, je beste vriendin en je buurmeisje.

Het feit dat ze zwanger was toen ze verdween, gaf het verhaal nog iets extra's, iets verschrikkelijks. Als je naar haar foto keek, was haar vreugde zo voelbaar dat je het gevoel had dat je naast haar stond. Je wist gewoon dat ze het fantastisch vond om een baby te krijgen en je wist ook dat ze een geweldige moeder zou zijn. Er waren mensen die hun gevoelens verborgen en ze in hun binnenste opgesloten hielden zodat niemand ze kon zien, maar dat gold niet voor Mara. Zij had nooit iets verborgen. Je hoefde alleen maar naar haar foto te kijken om dat te weten. Die glimlach en die stralende ogen lieten geen spoor van twijfel over.

Ze stond daar gewoon naar de camera te lachen met dezelfde hoeveelheid liefde en aandacht die ze voor alles in het leven had. *Ik hou van je... dat weet je toch wel? Neem die foto nou maar, dan kunnen we er samen van genieten en hem in het babyalbum plakken om aan iedereen te laten zien hoe blij we waren dat ons kind onderweg was...* Zou Mara dat echt hebben gezegd of speelde haar geheugen haar nu parten?

Om zo open te kunnen zijn, had je een bepaald soort onschuld nodig. De hoop... nee, meer dan dat... de overtuiging dat de wereld veilig was en alle mensen goed. Dat het leven een geschenk was en dat dingen alleen in beweging konden worden gezet door positieve krachten. Natuurlijk gebeurden er akelige dingen – overvallen, geweld, misdaden – ja, dat was helaas waar. Maar daar was altijd een verklaring voor en dus kon je er uiteindelijk ook begrip voor opbrengen, zodat het niet opnieuw zou gebeuren. Zodat de mensen die er verantwoordelijk voor waren geholpen konden worden en zouden veranderen.

Daar geloofde Mara heilig in. Dat had ze tenminste gedaan vlak voordat haar foto op elke voorpagina van iedere krant in Connecticut verscheen. Ze was een enig kind geweest, haar ouders waren dood. Misschien was dat de reden waarom het hele land haar adopteerde, naar haar op zoek ging en om haar rouwde alsof ze hun eigen dochter, hun eigen zus of hun eigen vriendin was geweest.

De datum waarop ze was verdwenen bracht ieder jaar opnieuw een stortvloed van verhalen. Televisiezenders herhaalden eindeloos oude video-opnamen waarop ze glimlachte, zwaaide en met een gele gieter en bijpassende gele rubberlaarzen in de tuin stond. Op 21 juni, de dag waarop ze was verdwenen en de langste dag van het jaar, kwamen ook de kranten prompt met het verhaal op de proppen, om hun lezers te herinneren aan de gebeurtenissen die het hele land al die jaren geleden in rep en roer hadden gebracht...

Op de eerste avond in de zomer was de schattige, precies een meter vijftig metende en hoogzwangere Mara Jameson naar buiten gegaan om de tuin te sproeien. Of ze ergens naartoe was gelift en een nieuwe identiteit had aangenomen, een kwaadaardige vreemde tegen het lijf was gelopen, of daarvoor al door haar echtgenoot om het leven was gebracht, was nooit aan het licht gekomen. Haar lichaam werd nooit gevonden, niemand had haar ooit weergezien. De baby werd nooit geboren, althans niet met een geboortebewijs waarop de naam Mara Jameson als moeder stond vermeld. De enige aanwijzing vormden de gele regenlaarzen die netjes naast de druppelende tuinslang stonden.

Dingen die je ernstig en somber stemden en tegelijkertijd ook vreemd triest. Ze waren de aanzet voor een leven dat nooit was voltooid, een mysterie dat nooit was opgelost. Wat zou er gebeurd zijn, dat voor haar aanleiding was geweest om op te houden met het sproeien van de tuin en weg te lopen? Wie kon die glimlach ooit vergeten?

De glimlach die nooit meer te zien zou zijn...

Gepensioneerd zijn had zo zijn voordelen. Om te beginnen was het prettig dat je je leven kon indelen aan de hand van getijdentabellen in plaats van de ploegendiensten en de schema's bij de politie. Patrick Murphy had de getijdenkaart uit de kleine *Hartford Courant* vastgeniet op de kaarttafel, maar die had hij tegenwoordig nauwelijks meer nodig. Hij durfde te zweren dat zijn lichaam zich helemaal had aangepast bij de eb en vloed van Silver Bay. Hij werd op de gekste uren automatisch wakker bij laag tij, soms zelfs midden in de nacht, omdat dat de beste tijd was om de riffen en de zandbanken rond de krachtcentrale van Stone Mill te bevissen.

De zeebaars langs de hele kust van Connecticut had geen schijn van kans. Dat was al zo vanaf het moment dat Patrick met pensioen was gegaan, precies twee jaar, zeven maanden, drie weken en veertien dagen geleden. Dit was pas leven. Dit was het echte leven, spiegelde hij zichzelf voor. Hij was zijn huis kwijt, maar hij had zijn boot en zijn truck. Daar werkten mensen een leven lang voor: om met pensioen te gaan en zich terug te trekken op het strand waar je de dag door kon brengen met vissen.

Hij dacht aan Sandra, aan wat zij allemaal miste. Ze hadden een hele lijst gehad met gezamenlijke dromen over wat ze zouden gaan doen als hij weg was bij de staatspolitie van Connecticut: strandwandelingen maken, elk nieuw restaurant in de omgeving uitproberen, naar de bioscoop gaan, naar het casino, en met de boot naar Block Island en Martha's Vineyard. Ze waren nog steeds jong genoeg om echt loos te gaan.

Maar nu deed 'loos gaan' hem niet meer denken aan het plezier dat ze naar zijn idee nog samen konden hebben, maar aan de scheiding die hem zoveel schokken en ellende had bezorgd, aan de advocaten die elke gelegenheid hadden aangegrepen om geen spaan heel te laten van het echtpaar dat ze ooit waren geweest.

Vissen hielp. En dat gold ook voor de Yankees, die hun reeks van nederlagen achter de rug hadden en nu alleen nog maar wonnen. Er waren heel wat avonden waarop Patrick zijn beide hobby's combineerde en rustig ronddobberend een lijntje uitgooide om ondertussen te luisteren naar het radioverslag dat John Sterling en Charlie Steiner van de honkbalwedstrijd gaven. Hij moedigde de Yanks luidkeels aan terwijl hij op zeebaars viste en zijn boot met het getij mee naar het oosten dreef.

Er waren nog meer dingen die hem uit zijn kooi kregen. Dromen met zwarte tentakels. Booswichten die nog steeds op vrije voeten waren, hoewel Patrick zijn uiterste best had gedaan hen in de kraag te vatten, en een verdwenen meisje. De schrik, de overval en de verschrikkelijke angst die spookbeelden en nachtmerries deden verbleken. Patrick werd af en toe met bonzend hart wakker terwijl hem door het hoofd schoot hoe doodsbang ze moest zijn geweest.

Misschien was ze vermoord en al die jaren dood en begraven geweest, of er was iets anders gebeurd dat haar het huis en de rozentuin van haar grootmoeder had uitgejaagd naar een plek ergens zo ver weg dat niemand haar ooit weer had gezien. Hoe dan ook, ze moest echt ontzettend bang zijn geweest.

Dat was iets dat altijd in zijn hoofd was blijven rondspoken.

Waar was Mara Jameson bang voor geweest? Zelfs nu kon zijn fantasie nog volkomen op hol slaan als die vraag bij hem opkwam. De zaak was inmiddels negen jaar oud, het allereerste geval dat hij niet had opgelost. De hele bijbehorende papierwinkel was een molensteen geweest die constant om zijn nek had gehangen. Als Patrick Sisyphus was, dan was die zaak het rotsblok geweest dat hij voortdurend tegen de heuvel op was blijven duwen. Ook toen zijn huwelijk eraan dreigde kapot te gaan, ook toen dat inderdaad gebeurde en ook nu hij allang gepensioneerd was.

Mara's foto stond nog steeds op zijn bureau. Vroeger had die op zijn nachtkastje gestaan, om hem eraan te herinneren wat hij na het opstaan moest doen. Op zoek gaan naar die lieve meid met die hartverscheurende glimlach en die lachende ogen. Nu had hij die foto eigenlijk niet meer nodig. Haar gezicht stond in zijn ziel gegrift. Hij kende alle bijzonderheden ervan, zoals andere mannen hun vrouwen, hun vriendinnetjes of hun minnaressen kenden...

Hij zou haar nooit van zich af kunnen zetten, dacht hij terwijl hij om halfzes 's ochtends uit bed stapte. Hij kon zich maar vaag herinneren wat hij had gedroomd – iets over bloedspatten op de keukenvloer, de spookachtige helderblauwe sporen die tevoorschijn waren getoverd met behulp van luminol, een chemisch middel om bloed op te sporen... straaltjes en druppeltjes die in Patricks droom de naam van de moordenaar hadden gespeld. Maar dat was in het Latijn, zodat Patrick er niets van begreep. En trouwens, hoe moest je bewijzen dat ze was vermoord als haar lichaam nooit was gevonden?

Hij wreef in zijn ogen, zette het koffiezetapparaat aan en trok vervolgens een korte broek en een sweatshirt aan. De ochtendlucht was kil, omdat er gisteravond een depressie was gepasseerd, compleet met stevige onweersbuien die het schip deden schudden, waardoor Flora van schrik onder het bed was gekropen. Nu schurkte de zwarte labrador zich met vriendelijke, stralende ogen tegen hem aan in de wetenschap dat ze zo meteen zouden uitvaren.

Hij ging het dek op en ademde de zilte lucht in. De morgenster stond nog in het oosten aan de hemel te stralen, maar uit de oranje gloed langs de horizon bleek dat de zon ieder moment op kon komen. Zijn bijna tien meter lange vissersboot, de *Probable Cause*, lag op de stroming te deinen. Na de scheiding was hij aan boord gaan wonen en Sandra had het huis aan Mill Lane gehouden. Het was een prima oplossing geweest, maar nu zou het terrein langs de haven volgebouwd worden met koopflats. Het zou niet lang meer duren of heel New England was één grote buitenwijk geworden, vol huizen met ingebouwde aanlegsteigers. En dan zou Patrick vriendelijk worden verzocht om op te rotten en ergens anders een ligplaats te gaan zoeken.

Hij hoorde iemand over het grindpad lopen en keek naar de werf. Er liep een schaduwachtige figuur over de ongeplaveide parkeerplaats en Flora gromde. Patrick klopte op haar kop en ging naar beneden om twee mokken koffie te halen. Toen hij weer aan dek kwam, zag hij dat Flora stond te kwispelen, de blik vast gericht op de man op de steiger. Angelo Nazarena.

'Vertel me nou niet,' zei Patrick, 'dat je de koffie rook.'

'Nee hoor,' zei Angelo. 'Ik ben vroeg opgestaan en toen ik de krant zag, had ik het idee dat ik je maar beter gezelschap kon gaan houden, om te voorkomen dat je dronken zou worden of een of andere stomme streek uit zou halen. Morgen is het de langste dag en de artikelenstroom is weer op gang gekomen...' Hij had de *Hartford Courant* bij zich, maar pakte de zware blauwe mok aan met zijn vrije hand toen hij aan boord stapte.

'Ik drink niet meer,' zei Patrick. Hij wilde het artikel lezen en tegelijkertijd ook weer niet. 'En dat weet je best. Bovendien wil ik eigenlijk helemaal niet met je praten. Jij verkoopt mijn aanlegplaats.'

'En dat levert me ook nog eens ettelijke miljoenen op,' grinnikte Angelo. 'Toen mijn grootvader dit land kocht, werd het als een vuilnisbelt beschouwd. Aan de verkeerde kant van de spoorbrug, vlak naast een moeras en stinkend als oesterbanken. Maar hij was slim genoeg om te weten dat grond langs de kust altijd een goudmijntje is en ik mag de winst opstrijken. Lekkere koffie.'

Patrick gaf geen antwoord. Hij zat te staren naar de foto van Mara die op de voorpagina stond. Die was in de rozentuin van haar grootmoeder genomen, vijftien kilometer verderop, bij haar mooie met zilverkleurig hout betimmerde landhuisje op Hubbard's Point. De camera had de glans in haar ogen vastgelegd, de opwinding, de vreugde, het geheimpje dat ze altijd leek te koesteren. Patrick kreeg weer het gevoel dat hem al zo vaak had bekropen, dat hij zich alleen maar naar haar hoefde over te buigen om haar zover te krijgen dat ze hem in het oor fluisterde wat hij zo verschrikkelijk graag wilde weten...

'Het is weer veel geschreeuw en weinig wol in die kranten,' zei Angelo hoofdschuddend. 'Dat arme kind wordt nu al negen jaar vermist. Iedereen weet toch dat ze allang aan de vissen is gevoerd.'

'Nu kan ik weer goed merken dat je van Siciliaanse afkomst bent.'

'Ze is er niet meer, Patrick. Ze is dood,' zei Angelo, een tikje scherper. Hij had samen met Patrick op school gezeten, ze waren tegelijkertijd misdienaar in de St.-Agneskerk geweest en ze hadden bij elkaars huwelijk als getuige gefungeerd. Patsy en hij hadden hem aan Sandra voorgesteld.

'Die man van haar heeft het immers gedaan?'

'Dat idee heb ik een hele tijd gehad,' zei Patrick.

'Hoe heette hij ook alweer... Hij had niet dezelfde achternaam als Mara.'

'Hij heet Edward Hunter. Mara had onder haar eigen naam carrière gemaakt, vandaar dat ze die niet veranderde toen ze met hem trouwde.'

Ineens zag Patrick het knappe en charmante jongensgezicht van Edward Hunter weer voor zich, compleet met die snelle, sluwe glimlach van de beursmakelaar. Een glimlach even breed als die van Mara, maar met geen greintje van haar warmte, haar intensiteit, haar integriteit, haar eerlijkheid en haar sprankelende persoonlijkheid... Als agent van de staatspolitie was Patrick duizenden keren geconfronteerd geweest met zo'n glimlach als die van Edward. De glimlach van mannen die op weg naar huis vanaf een plaats waar ze niet behoorden te zijn werden aangehouden voor te hard rijden, de glimlach van mannen die een aanklacht wegens huiselijk geweld aan hun broek hadden... glimlachende mensen die de buitenwereld probeerden wijs te maken dat ze niet zo slecht waren als ze op het eerste gezicht leken en die Patrick er altijd aan weer aan herinnerden hoe vals een glimlach kon zijn.

'Je was echt niet de enige, want dat dacht iedereen. Maar de klootzak heeft geen lichaam achtergelaten en je kunt hem nooit voor de rechter dagen, dus het wordt hoog tijd dat je...'

'We hadden kunnen proberen hem op dezelfde manier te pakken als Richard Crafts,' zei Patrick. Hij had het over een beruchte moordenaar uit Connecticut die was veroordeeld wegens de moord op zijn vrouw, ook al was haar lichaam nooit gevonden en had het bewijsmateriaal alleen bestaan uit wat minieme haartjes en botsplinters die waren aangetroffen in een gehuurde houtversnipperaar. 'Maar zelfs dat ging niet, omdat ik niet genoeg bewijsmateriaal kon vinden.'

'Ik zei al, het is hoog tijd dat je die zaak van je afzet.'

'Nou, bedankt hoor,' zei Patrick met een gezicht waarop duidelijk te lezen stond: *waarom ben ik zelf niet op dat idee gekomen?* Zijn Ierse temperament begon aardig op te spelen toen hij zijn vriend aankeek. Angelo, die de ochtendkrant had meegebracht met Mara's foto breeduit op de voorpagina en die op het punt stond zijn ligplaats te verkopen zonder dat hij daar ook maar iets tegen kon doen. Flora was de parkeerplaats opgerend, maar inmiddels had ze er genoeg van en ze sprong weer aan boord.

'Wat ik eigenlijk bedoel...' zei Angelo, zoekend naar de woorden om de put te dempen nadat het kalf verdronken was.

'Wat je eigenlijk bedoelt, is dat het hoog tijd wordt dat ik mijn leven weer ga oppakken,' zei Patrick terwijl hij zijn oude vriend op zo'n typische oude-vriendenblik trakteerde, zo'n blik waaruit ze kunnen opmaken dat ze je beter kennen dan wie ook, dat je begrijpt wat ze bedoelen, dat ze uiteraard gelijk hebben en dat je alleen maar wilt dat ze gewoon hun mond houden en je met rust laten.

'Ja. Eerlijk gezegd is dat precies wat ik bedoelde,' zei Angelo die grinnikte van opluchting terwijl Patrick de krant opvouwde en door het luik naar beneden wierp, net alsof hij hem weg wilde gooien terwijl hij hem in werkelijkheid juist wilde bewaren.

Zoals hij alle foto's van Mara bewaarde.

Omdat, dacht hij, terwijl hij de motor startte, Angelo de lijnen losgooide en de boot op weg ging naar de visgronden, dat een van de manieren was waarop hij haar in leven kon houden. Dat en nog een andere manier...

Jan en alleman waren er negen jaar geleden al van uitgegaan dat Mara Jameson en haar ongeboren baby het leven hadden gelaten en die opvatting huldigden ze nog steeds. Patrick dacht terug aan zijn katholieke jeugd en aan die ene regel in de geloofsbelijdenis: *Wij geloven... in alles wat zichtbaar en onzichtbaar is.* Het was vrijwel onmogelijk om echt te geloven in dingen die je niet kon zien. En Jan en alleman hadden Mara al meer dan negen jaar niet meer gezien.

Nadat hij achteruit bij de steiger was weggevaren, tufte hij met een rustig gangetje het kanaal in. De boot ploegde door het steeds dieper wordende water terwijl reigers manen boot op de groene moerasachtige oevers peinzend vanuit de schaduwen toekeken. De stralen van de opkomende zon vielen door de eiken en de Weymouthden. Het water voor hen was bedekt met gouden glitters.

Dode mensen bleven nooit verborgen. Op de een of andere manier bracht de aarde ze altijd weer aan de oppervlakte. Patrick wist dat hun behoefte om gevonden te worden onbedwingbaar was. In het Tibetaanse Dodenboek werden die hongerige geesten beschreven, gekweld door ondraaglijke hitte, dorst, honger, vermoeidheid en vrees. Hun rijk kwam Patrick bekend voor. Nadat hij zijn hele beroepsleven lang in de slag was geweest om moorden op te lossen, was hij ervan overtuigd dat de doden hun eigen emoties hadden en dat ze de levenden niet met rust lieten tot ze waren gevonden.

En Mara was nooit gevonden.

Omdat hij zoveel werk aan haar zaak had besteed, had Patrick het idee dat hij het – ergens diep vanbinnen – echt zou weten als ze dood zou zijn. Hij had het gevoel dat Mara bezit had genomen van zijn verstand, zijn huid en zijn hart. Hij droeg haar iedere dag met zich mee en hij wist dat hij er pas in zou slagen haar van zich af te zetten als hij zeker wist wat er met haar was gebeurd. Waar ze was gebleven...

In de verte waren de vogels al druk in de weer en verrieden de plaats van een school blauwe baars, vlak voor de rode boei. Angelo legde de hengels klaar. Flora stond naast Patrick, met haar lijf tegen zijn benen gedrukt terwijl hij gas gaf en naar de vissen toestoof. Ondertussen bleef hij vergeefs proberen de gedachten die hem geen moment met rust lieten uit zijn hoofd te zetten.

En hij wist dat het moment waarop hij haar zijn jaarlijkse brief zou schrijven zou aanbreken zodra hij weer terug was.

Ach, het was alweer bijna zover. Het kon elk moment gebeuren, precies als ieder jaar rond deze tijd. Net als de laatste spoortjes van aanhoudende vrieskou uit de lucht van New England waren verdwenen, net als de trekvogels weer terug waren uit het zuiden, net als de rozen in bloei kwamen en elke tuin een zee van kleur werd, net als de langste dag voor de deur stond... was het weer zover.

Maeve Jameson stond in haar tuin te snoeien. Ze droeg een grote strohoed, een witte linnen rok en knalroze tuinhandschoenen. Maar ondanks al die beschermende kleding had ze ook zonnebrandcrème op gedaan. In de tijd dat zij nog klein was, hadden de mensen niets geweten van de schadelijke werking van de zon... Ze hadden gedacht dat de zon een bron van geneeskracht was en dat je er niet genoeg van kon krijgen. Maar vorig jaar was er een plekje huidkanker van haar wang weggehaald en ze was vastbesloten om een herhaling daarvan te voorkomen, om zo gezond mogelijk en in leven te blijven tot de volledige waarheid was achterhaald.

Ze had haar kleindochter altijd heel zorgvuldig ingesmeerd met zonnebrandlotion. Mara had zo'n lichte huid gehad, een typisch Ierse huid, bleek en met sproeten. Haar ouders – die van Mara – hadden de dood gevonden bij een bizar ongeluk met een veerboot, toen ze een bezoek brachten aan de geboorteplaats van Mara's moeder in het westen van Ierland.

Maeve had het op zich genomen om hun dochter, hun enig kind, groot te brengen. Iedere keer wanneer ze naar Mara keek, had ze haar eigen zoon, Billy, gezien en ze had zo ontzettend veel van haar gehouden, oneindig veel, onzinnig veel, omdat ze een directe link vormde met haar schat van een jongen. En dus had ze trouw haar lichte en met sproeten bezaaide huid ingesmeerd met zonnebrandlotion voordat ze haar naar het strand had laten gaan.

'De ziel van je vader spreekt uit die blauwe kijkers van je,' zei Maeve altijd als ze haar insmeerde.

'En die van mijn moeder?'

'Ja, die van Anna ook,' zei Maeve dan, omdat ze bijna net zoveel van haar Ierse schoondochter had gehouden als van haar eigen kind. Maar de waarheid was dat Mara wat Maeve betrof altijd van top tot teen Billy was geweest. Daar kon ze gewoon niets aan doen.

En nu stond ze gewoon in haar tuin de dode bloemen uit de rozenstruiken te knippen. Ze probeerde zich te concentreren op het vinden van de eerste takjes met vijf blaadjes, maar ze werd afgeleid door de twee persfotografen die op de weg stonden. Ze stonden met hun camera's in de aanslag een eind weg te klikken. Morgen – op de dag dat Mara negen jaar geleden was verdwenen – zouden de onderschriften ongetwijfeld luiden: 'Grootmoeder wacht na al die jaren nog steeds' of 'Rozen ter herinnering aan Mara' of soortgelijke leuterpraat.

De plaatselijke pers had altijd een soort stripverhaal gemaakt van het hele gebeuren en geprobeerd alles zo compact mogelijk samen te vatten om hun lezers een licht verteerbaar verhaaltje voor te kunnen schotelen. Terwijl niemand precies wist hoe de vork in de steel stak. Behalve Mara. Edward had een rol gespeeld in het vreselijke drama en Maeve wist er wel het een en ander van, maar alleen Mara kende het hele verhaal.

Alleen Mara had het meegemaakt.

De rechercheur van de staatspolitie had een gedeelte ervan achterhaald. Patrick Murphy, ook een Ier, al had hij niet veel weg van de Ierse smerissen die Maeve zich herinnerde uit haar jeugd in het South End van Hartford. Dat waren keiharde kerels geweest, van staal en onbuigzaam, die de wereld in zwart-wit zagen. Alles was óf het een óf het ander. Maar dat gold niet voor Patrick.

Patrick was heel anders. Maeve had vijftig jaar voor de klas gestaan en ze wist dat als zij ooit een Patrick Murphy in de klas had gehad ze nooit zou hebben verwacht dat hij bij de politie zou gaan. Het was niet zo dat hij geen grondig onderzoek had gedaan – als iemand Mara kon vinden dan was het Patrick, dat wist Maeve heel goed. Maar hij had bepaalde karaktertrekjes die Maeve aan Johnny Moore herinnerden, een Ierse dichter die ze vroeger had gekend.

Dat was haar al opgevallen op de dag dat hij hier gekomen was, naar Maeves huis, en haar hand had vastgepakt toen ze in de schommelstoelen op de veranda waren gaan zitten. Daarna had hij haar verteld van het bloed dat ze op Mara's keukenvloer hadden aangetroffen. Maeves hart was bevroren. Echt waar. Ze had gevoeld hoe haar hart bevroor en samentrok, hoe de spier in elkaar kromp en al het bloed uit haar gezicht en haar handen had weggetrokken, zodat haar hoofd op haar borst was gezakt.

En toen ze weer bij haar positieven was gekomen, hooguit een paar seconden later, zat Patrick op zijn knieën voor haar. Met tranen in zijn ogen, omdat hij hetzelfde had gedacht als waarvoor zij vaak zo bang was geweest: dat Mara dood was, net als de baby, en dat Edward hen had vermoord.

Alleen al bij de gedachte aan de tranen in Patrick Murphy's blauwe ogen voelde Maeve haar hart opnieuw in elkaar krimpen terwijl ze de verwarde rozenstruiken te lijf ging. Ze wist dat hij langs zou komen, waarschijnlijk in de loop van de volgende week of zo, om te controleren of met haar alles in orde was.

Maeve pakte de groene plastic handgrepen van de snoeischaar nog steviger in haar in het roze gestoken vingers en concentreerde zich op haar rozenstruiken. Ze moest de uitgebloeide bloemen laag genoeg wegknippen om ervoor te zorgen dat er weer nieuwe groene blaadjes uit de stengel zouden groeien. Ze begon last te krijgen van haar artritis.

Ze voelde bijna dat de fotografen haar het liefst wilden vragen of ze de gele laarzen en de gele gieter niet tevoorschijn zou kunnen halen, om de tuin er precies zo uit te laten zien als op die dag, morgen precies negen jaar geleden.

'Hallo, Maeve.'

Toen ze opkeek, zag ze haar buurvrouw, Clara Littlefield, die al een mensenleven lang haar beste vriendin was, door de tuin naast het huis naar haar toe komen. Clara had een rieten picknickmand bij zich, boordevol met stokbrood, druiven, brie, salami en een fles wijn.

'Hallo, Clara,' zei Maeve. De strohoeden stootten tegen elkaar toen de beide vrouwen elkaar kusten.

'Je rozen staan er dit jaar echt schitterend bij,' zei Clara.

'Dank je... Kijk eens naar die wilde rozen van Mara... Die zijn ook prachtig geworden, hè?'

'Ja,' zei Clara en de twee vrouwen keken vol bewondering naar de dichte, met roze bloemen bezaaide struiken die Mara had geplant in het jaar dat haar ouders waren verdronken. Jaren geleden waren ze neergezet ter herinnering aan haar ouders, maar nu waren ze het enige dat Maeve nog van Mara zelf over had. De tranen sprongen haar in de ogen en ze voelde dat Clara haar arm om haar heen sloeg.

'Heb je een picknick voor ons meegebracht?' vroeg Maeve.

'Natuurlijk. Ik kan niet zomaar bij je komen logeren zonder iets te eten mee te brengen. Het doet me denken aan die keren dat we bij elkaar bleven slapen, zestig jaar geleden, en om de beurt voor de hapjes zorgden.'

'En af en toe slapen we nog steeds een nachtje bij elkaar,' zei Maeve glimlachend. 'Ondanks onze leeftijd...'

Clara lachte en sloeg haar armen opnieuw om haar heen, waardoor Maeve bijna de reden vergat waarom ze nu een nachtje bleef slapen. De reden voor deze picknick. De afgelopen acht jaar was Maeves beste vriendin in juni altijd een nachtje blijven slapen, de nacht voor de dag waarop Mara de groene tuinslang en de gele gieter neer had gelegd, haar gele laarzen had uitgetrokken en voorgoed de tuin van haar grootmoeder uit was gelopen.

Voorgoed was zo'n ontzettend lange tijd.

Maar, dacht Maeve, terwijl ze hand in hand naar de keuken liepen om de inhoud van de picknickmand aan een nader onderzoek te onderwerpen, de tijd ging net iets gemakkelijker voorbij in het gezelschap van je beste vriendin.

2

De beide meisjes hadden de bus gemist, dus liepen ze samen van school naar huis over de hobbelige weg hoog boven de Golf van St. Lawrence. Om de beurt schopten ze een steentje voor zich uit. Eerst gaf Jessica er een fikse trap tegen met haar gymschoen, waardoor het voor hen uit stuiterde. En als ze het steentje ingehaald hadden, was Rose aan de beurt. Ondertussen liepen ze verder en babbelden met elkaar.

'Je lievelingskleur,' zei Rose.

'Blauw. Je lievelingsdieren,' zei Jessica.

'Poezen. Je lievelingsboek.'

'De leeuw, de heks en de kleerkast.'

'Het mijne ook.' Rose moest lachen toen ze het steentje zo'n schop gaf dat het met een boog door de lucht vloog over het midden van de weg. 'Zag je dat?'

'Ja, hoor, je hebt de gouden medaille verdiend,' zei Jessica. 'Laten we maar weer verdergaan met het vragenuurtje.'

'Maar dat hebben we al zo vaak gespeeld dat we de antwoorden op alle vragen kennen,' zei Rose.

'Niet op álle vragen,' zei Jessica op een geheimzinnig toontje. 'We zijn pas vriendinnen sinds ik hier afgelopen april ben komen wonen. Ik durf te wedden dat je niet eens weet waar ik vandaan kom.'

'Uit Boston,' zei Rose.

'Dat hebben we gewoon tegen iedereen gezegd,' zei Jessica. Er verscheen een quasi angstige blik op haar sproetige gezichtje. 'Maar er zijn geheimen waar zelfs mijn beste vriendin niets van af weet... *tot ze me ernaar vraagt.'*

Rose giechelde. Ze was net als Jessica bijna negen en het was een zalig idee om net te doen alsof haar nieuwe vriendin duistere geheimen had waarvan ze alles te weten zou komen door er gewoon naar te vragen. Terwijl ze zwijgend doorliep, bleef ze daarover nadenken.

Links van haar lag de Golf van St. Lawrence waar geen eind aan leek te komen. Het water was kalm en helderblauw, met een nauwelijks waarneembare nevel die als een zijden sjaal over het oppervlak lag. Rose wist dat de zomer voor de deur stond als ze die nevel zag. Ze tuurde over de baai, op zoek naar Nanny... Want als het zomer werd, zou Nanny ook komen.

Jessica schopte het steentje per ongeluk tussen het onkruid, dus begon ze weer opnieuw met een andere steen. Rose liep de berm in om het oude steentje op te pakken. Om de een of andere reden wilde ze dat houden, dus stopte ze het in haar zak. Toen ze weer opkeek, was Jessica al om de bocht verdwenen. Rose maakte een paar huppelpasjes, maar toen ze begon te hollen, begon haar hart als een gekooide vogel te fladderen.

'Wil je het soms niet weten?' vroeg Jessica, terwijl ze met het steentje dribbelde alsof ze aan het voetballen was.

'Jawel, hoor,' zei Rose.

'Nou, vraag het dan,' plaagde Jessica. 'Toe maar. Ik zal je een tip geven. Vraag me maar naar mijn echte naam.'

'Die weet ik allang. Je heet Jessica Taylor.'

'Misschien. En misschien ook niet. Taylor zou best de naam van mijn stiefvader kunnen zijn. Of misschien hebben we ons naar James Taylor vernoemd. We zijn dol op zijn liedjes.'

'Mijn moeder en ik ook!'

'Mijn echte vader is een keer naar een concert van hem geweest. In Tanglewood.'

'Je echte vader?' vroeg Rose. Ze had het liefst verder willen vragen, maar iets aan de uitdrukking op Jessica's gezicht zorgde ervoor dat ze haar mond hield. Een gespannen trek die haar ogen star en haar kaken strak maakte. Heel even maar, toen was er niets meer van te zien, maar het was Rose toch opgevallen. De woorden 'je echte vader' hadden erin gehakt. Ze gaven Rose opnieuw het gevoel dat er een gekooide vogel in haar hart zat.

'De lucht is hier in ieder gewel wel schoon,' zei Jessica, om over iets anders te beginnen terwijl ze weer verder liepen. 'Daarom zijn we ook naar Cape Hawk verhuisd, ver van alles wat op luchtverontreiniging lijkt. Dat zegt mijn moeder tenminste tegen iedereen. Maar misschien...'

'Misschien wat?' vroeg Rose.

'Misschien is de echte reden waarom we hiernaartoe verhuisd zijn ook wel een eng geheim!' zei Jessica. Ze trok aan een van de vlechten van Rose en wees toen naar het landhuis op de heuvel. Geitenpaadjes door het dichte struikgewas leidden naar het naaldwoud rond het grote stenen huis waar de oceanograaf woonde. 'Laten we naar boven gaan om Kapitein Haak te bespioneren.'

'Dat lijkt me niet zo'n goed idee,' zei Rose, terwijl ze weer dat rare fladderende gevoel kreeg. 'Als je nagaat dat hij een vriend van ons is en dat de winkel van mijn moeder vlak naast zijn kantoor ligt.'

'Ja, maar dat is helemaal beneden bij de haven,' zei Jessica. 'Ze heeft waarschijnlijk geen flauw idee wat er allemaal in dat maffe grote huis gebeurt. Stel je voor dat hij een waanzinnige geleerde is en dat we haar moeten redden? Of dat hij een echte piraat is? Per slot van rekening heet hij Kapitein Haak!'

'Hij heet dr. Neill,' zei Rose. Ze wist dat de andere kinderen hem Kapitein Haak noemden, maar daar deed zij nooit aan mee. Rose wist dat er verschillende soorten mensen waren, op allerlei manieren. Ze hield van de dingen die zij en dr. Neill met elkaar gemeen hadden en ze werd altijd een beetje verdrietig als kinderen grapjes over hem maakten. Hij was zo lang en zo rustig, met dat donkere haar, die diepliggende ogen en die smalle mond die nooit lachte. Maar wel als hij in het gezelschap van Rose en haar moeder was.

'Ik vind het akelig dat die mooie winkel van je moeder zo vlak naast zijn kantoor ligt,' zei Jessica. 'Een vent met één arm die zijn hele leven besteedt aan het jagen op hááien...' Ze huiverde. 'Terwijl de rest van zijn familie zo aardig is, met hun boten waarmee je walvissen kunt bekijken.'

'Op mijn verjaardag gaan we ook met ons allen naar walvissen kijken,' zei Rose.

'Ja, dat weet ik. Ik kan bijna niet wachten. Want dan ben ik ook jarig.'

'Nee! Je houdt me voor de gek!'

'Misschien wel... en misschien ook niet.'

Rose zag in gedachten hun klaslokaal met het mededelingenbord vol gekleurde vierkantjes waarop de verjaardagen van al haar klasgenootjes stonden. Jessica's verjaardag was in augustus.

'Je houdt me wél voor de gek,' zei Rose. 'Want jij bent op 4 augustus jarig. Dat staat op het bord.'

Jessica lachte. 'Je hebt me door. Nou ja, één van ons tweeën zal zaterdag het feestvarken zijn. En jij bent de geluksvogel!'

'Ik hoop alleen dat Nanny dan ook terug is. Ze is er altijd op mijn verjaardag.'

'Wie is Nanny?'

'Ik zal je wel aan haar voorstellen.'

'Zullen we echt walvissen te zien krijgen?'

'Ja, hoor,' zei Rose. 'Ze komen iedere zomer terug. Ze wonen hier, net als wij.'

'Zijn de Neills daardoor zo rijk geworden? Omdat alle boten waarmee je walvissen kunt bezichtigen van hen zijn?'

'Ik denk het wel.' Roses vingers werden gevoelloos en haar lippen begonnen te tintelen. De weg liep licht omhoog en boog naar het oosten. Zodra ze bovenaan waren, konden ze weer op weg gaan naar beneden. Ze waren bijna op de top.

'Mijn stiefvader zegt dat walvissen gewoon uit hun voegen gegroeide vissen zijn en dat alleen sukkels hun goeie geld uitgeven om naar ze te gaan kijken. Een van zijn voorouders is rijk geworden van de walvisvangst.'

'Walvissen zijn zoogdieren,' zei Rose terwijl ze geconcentreerd stapje voor stapje doorliep. 'Ze ademen lucht in, net als wij.'

De stad was omringd door hoge rotsen, vanaf de achterkant van het grote witte hotel tot de punt van het uitstekende land dat de besloten baai vormde die toegang gaf tot de Golf van St. Lawrence. De ijzig koude Lyndhurst stroomde omlaag en de rivier had een fjord gevormd door zich een onregelmatige weg te banen door de steile rotsen. Rose had op school geleerd dat dit hele gebied in de ijstijd was gevormd. De rotsen waren afkomstig van een gletsjer en doordat de rivier in de baai uitkwam, werden vissen aangetrokken, die er op hun beurt weer voor zorgden dat hier zoveel walvissen en zeehonden voorkwamen.

'Kom op,' zei Jessica plotseling. Ze pakte Rose bij haar hand en trok haar mee naar een geitenpaadje dat omhoogliep naar het huis van dr. Neill. Rose keek omhoog. De stevige Nova Scotia-dennen leken het stenen huis op te tillen en boven hun takken uit tegen de hemel te houden. Het zonlicht weerkaatste van het grote leistenen dak. Ze kon de vogels die nog maar net terug waren van hun lange trektocht naar het zuiden in de bomen horen zingen. Maar ondanks dat glinsterende zonlicht, het lied van de vogels en de hoop dat ze dr. Neill zou zien, was het pad gewoon veel te steil.

'Ga je nou mee of niet?' drong Jessica aan.

Rose boog zich voorover en bleef even met haar handen op haar knieën staan uitrusten. 'Laten we nou maar gewoon doorlopen naar de winkel van mijn moeder. Ze heeft vast wel iets lekkers voor ons en misschien leert ze je wel hoe je je initialen moet borduren.'

'Je durft gewoon niet!' zei Jessica. Maar Rose zag best dat Jessica eigenlijk heel opgelucht was dat ze niet die donkere, spookachtige helling op hoefden. Ze haalde haar schouders op en deed net alsof Jessica gelijk had. Ondertussen leunde ze nog steeds op haar knieën om zoveel mogelijk kracht te verzamelen.

'Nou goed dan,' zei Jessica. 'We zijn voetballers. Ik speel jou de bal toe en dan moet jij ermee over het veld lopen.'

Jessica schopte haar de steen toe in de verwachting dat ze er net zo mee zou dribbelen als zij had gedaan. Rose begon er wel mee, maar ze waren al zo lang onderweg en dat gekooide-vogelgevoel werd steeds erger. Ze keek even naar haar handen en zag dat Jessica haar blik volgde. Haar vingers waren blauw en de schrik stond op Jessica's gezicht te lezen.

'Rose!'

'Ik heb het gewoon koud,' zei Rose. 'Dat is alles.'

'Maar het is hartstikke warm!'

Met een gevoel van paniek schopte Rose de steen tussen de struiken, net alsof het per ongeluk gebeurde. Jessica slaakte een kreet van ongeloof en begon vervolgens de heuvel af te rennen, in de richting van de haven.

'Kom op,' riep ze.

Rose was het liefst gaan zitten, maar ze wilde niet dat Jessica iets zou merken. Jessica was haar nieuwe vriendin en ze wist van niets... *Het is alleen nog maar de heuvel af,* dacht ze. *Ik red het best...* Ze keek neer op het havenstadje en vestigde haar ogen op de winkel van haar moeder. Daarna slaakte ze een diepe zucht en begon verder te lopen.

Cape Hawk was niet zo'n vissersplaats omringd door elegante huizen die ooit door kapiteins van vissersboten bewoond werden. De trottoirs van het plaatsje waren niet van klinkers en ze werden ook niet overschaduwd door gracieuze olmen. Deze kades trokken geen lange witte jachten aan, noch de mensen die erop voeren. Er was maar één mooi hotel en een kleine camping voor toeristen. De mooiste huizen in de stad waren het eigendom van één familie, dezelfde mensen die het hotel runden en alle boten voor het bezichtigen van walvissen in het bezit hadden.

Deze kleine noordelijke voorpost van de haringvloot uit Nova Scotia telde vier straten, namelijk Church Street, School Street, Water Street en Front Street. Periodes van zware vorst veroorzaakten telkens opnieuw gaten in de trottoirs, en de wind van zee was zo constant en zo meedogenloos dat alleen de sterkste naaldbomen en lage inheemse eiken de aanslag konden overleven. Er was maar één zeekapitein geweest die genoeg geld had verdiend aan het harde leven in deze wateren om noemenswaardige huizen te bouwen en hij had er drie laten neerzetten: voor hemzelf en voor zijn kinderen. Die man was Tecumseh Neill.

Het huis waar het om ging, beneden aan de kade, was in 1842 gebouwd, nadat kapitein Neill in zijn schip, de *Pinnacle*, voor de derde keer Kaap Hoorn had gerond. Volgens een stedelijke legende was dat gebeurd bij de achtervolging van één enkele walvis, waaraan hij de laatste jaren van zijn leven had gespendeerd, maar gedurende drie eerdere tochten was hij succesvol geweest bij de walvisvangst en had hij hun olie in New Bedford en Halifax verkocht voordat hij aan de bouw van zijn huis in Cape Hawk was begonnen.

Dit 'herenhuis', met de glanzende witte houten wanden, de zwarte luiken en de rode deur, had drie verdiepingen, met op de bovenste verdieping een zogenaamde 'weduwenveranda' die uitzicht bood over de Golf van St. Lawrence. Het was, net als alle andere panden die hij had gebouwd, altijd in de familie van kapitein Neill gebleven en van de ene generatie op de andere overgegaan. Twee eeuwen lang was het bewoond geweest door zijn afstammelingen, maar de huidige generatie had het opgedeeld en verhuurd. De bovenste twee etages waren tot appartementen verbouwd en op de begane grond waren twee ruimtes voor commerciële doeleinden. Het huis had een brede, granieten trap, een grote veranda aan de voorkant en een rode deur.

Nadat ze door die deur naar binnen waren gestapt, bevonden bezoekers zich in een kleine gemeenschappelijke ruimte, de hal aan de voorkant. Boven de trap hing de originele kroonluchter van kapitein Neill. Lily Malone, de vrouw die een van de beide winkelruimtes op de begane grond had gehuurd, had geprobeerd om die gezamenlijke hal wat gezelliger te maken door voorbeelden van borduurwerk op te hangen die door haarzelf en andere vrouwen uit de stad waren gemaakt. Ze had er ook een paar tekeningen van haar dochter Rose aan toegevoegd.

Lily Malone zat achter in haar handwerkzaak en legde de laatste hand aan de surprises voor de gasten van het verjaardagsfeestje. Ze had zestien roze papieren zakjes onder haar werktafel staan, uit het zicht voor het geval een van de genodigden toevallig binnen zou lopen. Tot dusver had ze vandaag vijf klanten gehad, van wie drie Nanoukmeiden, leden van Lily's handwerk-annex-gezelligheids-annex-supportersclub. Ze had ook twee leveranties van garen en breiwol ontvangen, waaronder het hoogst populaire Frans-Perzische wol-met-zijdegaren, dat iedereen wilde hebben, in warme schitterende kleuren in schakeringen van het tere roze van de dageraad tot het diep oranje van de zonsondergang.

Haar winkel, *De Steekproef*, had twee grote ramen met uitzicht op de kade, de boten waarmee walvissen bezichtigd konden worden en de haven van Cape Hawk. De zaak was gespecialiseerd in borduurwerk, van simpele kruissteken tot petitpoint, en ze had allerlei soorten garens in een veelvoud van kleuren: katoen, zijde, wol met zijde, Franse wol, Perzische wol en lurex. En alles in alle mogelijke, prachtige kleuren. Ze had bijvoorbeeld alleen al tweeëntwintig verschillende tinten roze: parelmoerroze, zandroze, zuurtjesroze, dageraadroze, geraniumroze, oudroze, duizendschoonroze en ga zo maar door.

In symbolisch opzicht vond ze het een fijn idee om dingen in elkaar te zetten en steekje voor steekje iets moois te maken. In praktisch opzicht was het een bron van inkomsten. Deze zalige plek lag toevallig wel zo'n beetje aan het eind van de wereld, en uit de wijde omgeving kwamen de vrouwen naar haar toe. Sommigen gaven zelfs geld uit dat ze niet hadden. Lily liet ze op de pof garens en linnen kopen en in ruil daarvoor had ze nooit gebrek aan babysitters en werd ze regelmatig voorzien van stoofschotels.

Het hotel leverde haar ook veel klandizie op, in ieder geval in de zomermaanden. Lily wierp een blik uit het raam en keek langs de heuvel omhoog. Het grote, elegante, drie verdiepingen hoge gebouw lag te glanzen in de zon alsof het een uit ijs opgetrokken citadel was. Op het helderrode dak stond een sierlijke koepel met de naam CAPE HAWK INN. Twee langerekte vleugels omarmden keurig onderhouden tuinen vol rozen, zinnia's, goudsbloemen, riddersporen en stokrozen. Camille Neill kon in ieder geval bloemen kweken, dat moest Lily haar nageven.

Op hetzelfde moment reed de schoolbus ronkend over de kade. Lily trok de vitrage opzij en zag nog net hoe de laatste kinderen uitstapten. Ze voelde een nauwelijks merkbare scheut van opluchting. De komst van de schoolbus betekende dat Rose thuis was. Het was een beetje kinderachtig en dat wist ze best. Rose was bijna negen, heel intelligent en uitstekend in staat om voor zichzelf te zorgen en ze liet geen gelegenheid onbenut om Lily daarop te wijzen.

Plotseling ging de deur open en twee vrouwen kwamen binnen. Het waren vaste klanten, Nanoukmeiden. Marlena woonde in de stad, maar Cindy kwam uit Bristol, zestig kilometer verderop. Lily glimlachte en stak haar hand op.

'Hallo Cindy, hoi Marlena,' zei ze. 'Hoe gaat het ermee?'

'Fantastisch, Lily,' zei Cindy. 'Ik heb mijn laatste petitpoint-stoelzitting af en nu kan ik eindelijk aan iets nieuws beginnen!'

'Hoe lang is ze daar nu mee bezig geweest?' vroeg Marlena. 'Toch wel een jaar of drie?'

'Heb je er ook een meegebracht om me te laten zien?' vroeg Lily. Ze bleef met een half oor luisteren of ze de telefoon hoorde – een van hen beiden, zijzelf of Rose, belde altijd even na schooltijd. Cindy rommelde in haar linnen tas en viste er twee geborduurde vierkante lappen uit, elegante Florentijnse patronen van kleine steelsteekjes in dieprode en gouden hersttinten.

'Ze passen perfect bij haar eetkamer,' zei Marlena.

'Ze zijn schitterend,' zei Lily terwijl ze de volmaakte steekjes bestudeerde. 'Ik weet nog dat je op de club aan de eerste bent begonnen. En nu heb je er zes gemaakt?'

'Acht,' zei Cindy trots.

Lily legde de vierkantjes plat op de toonbank. Ze waren een beetje uit het model getrokken, zoals alle borduurwerk dat met de hand was gemaakt. Het borduurlinnen was fijn, maar de randen die ooit wit waren geweest, waren nu een beetje grauw omdat Cindy ze maandenlang in de vingers had gehad. Je kon nog zo zorgvuldig je handen wassen, er kwam toch altijd een beetje huidvet op de stof en dat trok weer vuil aan.

'Ik weet dat ik ze nu moet wassen en opspannen,' zei Cindy. 'Wat raad je me aan?'

'Ossengalzeep,' zei Lily, terwijl ze een flesje met het natuurlijke wasmiddel op de toonbank zette. 'Dat is zacht en goedkoop en het werkt prima. En ik vraag er nog minder voor dan de drogisterij.'

De vrouwen schoten in de lach en Lily keek even naar de telefoon die nog steeds niet was overgegaan. Afwezig hoorde ze haar eigen stem uitleggen hoe het werk opgespannen moest worden zodat het weer netjes vierkant zou worden nadat het tijdens het borduren uit het model was getrokken. Eerst wassen, dan in een handdoek rollen om het zo droog mogelijk te maken, vervolgens met behulp van een tekenhaak in vorm trekken en het ten slotte met roestvrijstalen spelden aan de strijkplank vastzetten.

Terwijl Cindy de ossengalzeep betaalde, stond Marlena te snuffelen tussen Lily's handbeschilderde borduurpatronen. Ondertussen pakte Lily de telefoon op. Ze wilde even snel bellen om te horen of alles in orde was met Rose. Maar Marlena keek haar aan en zei: 'Wat is dit schitterend.' Ze hield een patroon omhoog dat een huis aan zee voorstelde, met bakken vol hangende petunia's en klimop en een zeilboot in de verte. 'Heb je nog meer in deze serie?'

'Die heb ik allemaal al verkocht,' zei Lily.

'Je zaak loopt als een trein,' zei Cindy. 'En terecht. Je bent de enige handwerkwinkel in een omtrek van vijfenzeventig kilometer rond dit godverlaten oord en je bedient dat hele gebied... en daar komt nog bij dat ik al minstens drie keer een scheiding had aangevraagd als ik niet met de Nanoukmeiden zou kunnen kletsen.'

'En om dezelfde reden ben ik eroverheen gekomen dat mijn man me heeft laten zitten,' zei Marlena, terwijl ze het laatste van Lily's 'Home Sweet Home-patronen' op de toonbank legde.

'Gaan jullie ook mee op de boottocht?' vroeg Lily terwijl ze lachend de aankoop aansloeg.

'Ter gelegenheid van Roses verjaardag? En met al die andere dingen die we te vieren hebben? Reken maar!'

'We zouden het voor geen goud willen missen,' zei Cindy.

'Dan zie ik jullie zaterdag weer,' zei Lily. 'Aan de kade. We hebben de *Tecumseh II* gecharterd, de beste boot van de hele vloot.'

'Alleen het beste is goed genoeg voor de Nanouks! Tot ziens dan maar!'

Ze waren de deur nog niet uit of Lily had de telefoon al in de hand en belde haar privénummer. Ze kreeg het bandje dat Rose had ingesproken: *Hallo. Momenteel zijn we niet thuis...* Direct na de pieptoon zei Lily: 'Rose, ben je daar? Neem eens op.' Maar niemand pakte de telefoon op.

De planken van de veranda aan de voorkant kraakten. Lily trok de vitrage opzij, in de verwachting dat ze dr. Liam Neill zou zien, de oceanograaf die zijn kantoor aan de overkant van de hal had. Hij was een afstammeling van de oorspronkelijke eigenaar van het huis, zeekapitein Tecumseh Neill. Maar in plaats van te gaan vissen of de walvisvaart te beoefenen zoals de rest van zijn familie, had hij zijn leven gewijd aan wetenschappelijk onderzoek van vis, met name haaien. Hij was een humeurige en eenkennige man die meer tijd doorbracht met haaien dan met mensen... Meer viel er eigenlijk niet over hem te vertellen.

Maar het was de man van de pakketdienst, die iets kwam afleveren bij het kantoor van Liam.

Lily legde de telefoon neer. Ze ging zitten en pakte haar eigen borduurwerk op – dat had ze altijd als een geruststellende bezigheid beschouwd – en maakte een paar steekjes. Waarschijnlijk had Rose de telefoon niet gehoord. Ze zou wel buiten zijn, om haar eenden te voeren. Of misschien was ze met iemand mee naar huis gegaan en had vergeten te bellen. Er waren zoveel doodgewone redenen...

Toen de winkeldeur opnieuw openging, keek ze met een ruk op. Het was Jessica. Even oud als Rose, maar veel langer. Ze stond in haar blauwe geblokte broek en gele T-shirt op de drempel met open mond naar Lily te wenken.

'Wat is er, Jessica?' vroeg Lily die meteen was opgesprongen. 'Is er iets mis?'

'Het gaat om Rose, er is iets mis met Rose. Ze kan niet lopen, haar vingers zijn blauw en ze moest gaan zitten!'

'Waar is ze?'

'Op het plein, bij de stenen visser,' zei Jessica. Ze barstte in tranen uit, maar Lily gunde zich de tijd niet om haar te troosten en rende zo snel als ze kon de winkel uit.

Rose zat op het muurtje met haar rug tegen het standbeeld van de visser. Het kostte haar te veel moeite om haar hoofd omhoog te houden, dus zat ze met haar voorhoofd op haar knieën. Ze had een benauwd gevoel in haar borst en iedere keer dat ze ademhaalde, brandden haar longen, alsof ze de lucht door een rietje naar binnen zoog. Nog voordat Jessica's voetstappen in de verte waren verdwenen, hoorde Rose een volwassene naar haar toe rennen en omdat ze naar de grond zat te kijken zag ze aan de zware laarzen dat het haar moeder niet was.

'Je moeder komt eraan, Rose. Je vriendin is net weggehold om haar te halen.'

Het was de oceanograaf, dr. Neill. Zijn laarzen zaten vol glinsterende visschubben, die in het zonlicht op stukjes kristal leken, vol vuur en regenbogen. Hij ging op zijn hurken zitten en Rose voelde dat hij zijn hand op haar achterhoofd legde. 'Er kan je niets gebeuren, je moeder is onderweg. Probeer je maar te ontspannen en rustig adem te halen. Lukt dat, lieverd?'

Rose knikte en deed haar mond open om naar lucht te happen. Ze wist dat de aanval wel weer voorbij zou gaan en dat ze er niets aan zou overhouden. Zo ging het altijd, maar als het gebeurde, schrok ze er telkens weer van. In gedachten zag ze al voor zich wat er nu zou gebeuren, de dokters, Boston, en de spoedeisende hulp. Ja, binnenkort zou ze wel weer op de spoedeisende hulp belanden, de tijd was rijp. Ze was nog geen negen, maar ze kon haar eigen patiëntenkaart al invullen.

Dr. Neill legde zijn hand op haar voorhoofd. Ze deed haar ogen dicht. De hand was lekker koel. Nu voelde ze dat hij haar arm pakte en ze wist dat hij haar polsslag opnam. Misschien schrok hij wel van wat hij voelde. Rose wist dat sommige mensen het heel eng vonden. Ze keek naar hem op. Hij joeg mensen ook schrik aan. Dat was iets dat ze met elkaar gemeen hadden. Hij lachte niet, maar dit was dan ook niet iets om te lachen.

Een van haar onderwijzeressen had haar een keer heel hard omlaag getrokken en haar gedwongen te gaan liggen, hoewel Rose alleen maar een tijdje moest blijven zitten. En een andere keer had de moeder van een vriendinnetje haar in de auto gezet en was helemaal met haar naar het ziekenhuis in Telford gereden, ook al had Rose tegen haar gezegd dat ze daar helemaal niet naartoe hoefde. De oceanograaf gedroeg zich heel anders. Hij leek heel kalm, alsof hij wist dat er dingen waren die niet meteen opgelost konden worden.

Hij ging op zijn hurken zitten en hield haar hand vast.

Ze bleef kalm en ze zaten elkaar strak aan te kijken terwijl zij doorademde. Ze wilde nog niet knipperen met haar ogen, ze wilde alleen in die diepe blauwe ogen blijven kijken. Zijn ogen hadden dezelfde kleur als het water waar haaien in zwommen, maar ze was toch niet bang. Hij knipperde een paar keer met zijn ogen, maar hij lachte niet.

'Niet weggaan,' zei ze.

'Ik pieker er niet over,' zei hij.

'Ik wil mijn mammie.'

'Ze komt eraan. Nog een minuutje...'

'En ik wil Nanny.'

'We houden allemaal evenveel van Nanny,' zei Liam. 'En ze komt eraan. Ze heeft me vanmorgen nog gebeld, om me te vertellen dat ze onderweg is.'

'Komt ze op mijn verjaardag?'

Dr. Neill keek met een ruk op en zijn ogen flitsten toen ze over haar verjaardag begon. De boten waren eigendom van zijn familie, en ondanks het feit dat er alleen vrouwen aan boord zouden zijn, wilde Rose toch dat hij ook meeging. Ze wist dat hij meestal niet meevoer op de walvistoerboten, maar misschien wilde hij wel een uitzondering maken. Ze had het hem graag willen vragen, maar ze voelde zich te slap.

'Ja, Rose. Op je verjaardag. Houd je hoofd maar naar beneden. Goed zo, brave meid. Blijf maar doorademen.'

Er waren zoveel dingen die Rose had willen zeggen. Of hij ook op haar feestje wilde komen en of het pijn had gedaan toen hij zijn arm was kwijtgeraakt. En ze wilde hem vertellen dat ze het zo naar voor hem vond dat hij naar het ziekenhuis had gemoeten en geopereerd had moeten worden, net als zij. Maar ze kon het niet opbrengen...

Daar kwam haar moeder aan. Rose voelde al dat ze er was voordat ze haar zelfs maar zag of hoorde. Haar moeder stak het plein over en stond ineens naast haar en ze wist het voordat er een woord over haar lippen was gekomen. Liam Neill hield nog steeds haar hand vast. Toen hij hem losliet, kneep hij er even in. Rose kneep terug.

'Ik ben er, hoor,' zei haar moeder. Rose voelde haar armen om haar schouders en wist ineens zeker dat alles weer in orde zou komen.

'We zijn naar huis gelopen,' zei Rose. Haar moeder hield haar heel voorzichtig vast, zonder druk uit te oefenen op haar hart of haar longen. Rose concentreerde zich op haar ademhaling en probeerde zoveel mogelijk zuurstof binnen te krijgen. Ze staarde naar de prothese van dr. Neill, en naar zijn kunsthand. Toen hij jonger was geweest, had hij een haak gehad en daarom hadden de kinderen uit de stad hem Kapitein Haak genoemd. En van die akelige bijnaam was hij nooit afgekomen. Nu keek ze neer op haar eigen handen. Haar nogal stompe vingertoppen waren nog steeds blauw, maar minder dan een paar minuten geleden. Inmiddels ademde ze gemakkelijker en ze ging langzaam rechtop zitten.

'Ik zou hier nog maar heel even blijven zitten als ik jou was,' raadde dr. Neill haar aan.

'Bedankt dat je haar hebt geholpen,' zei de moeder van Rose.

'Graag gedaan. Ik ben blij dat ik in de buurt was.'

'Je wist precies wat je moest doen...'

Hij gaf geen antwoord. Rose keek op en zag hem naar haar moeder kijken. Hun blikken kruisten elkaar heel even en het viel haar op dat haar moeder bloosde. Misschien dacht ze dat ze iets doms had gezegd. Natuurlijk wist hij wat hij moest doen, hij had Rose haar leven lang gekend. Rose stond op en zag meteen sterretjes.

'Blijf nou nog even zitten,' zei haar moeder, maar Rose schudde heftig haar hoofd.

'Ik ben alweer beter... En het is ook helemáál niet nodig om vandaag al naar Boston te gaan. We kunnen gewoon wachten tot de volgende afspraak.'

'Had je de bus gemist?' vroeg haar moeder, zonder op haar opmerking over Boston in te gaan.

Rose hoefde niet eens te knikken. Haar moeder kende haar maar al te goed.

'Je had me ook even kunnen bellen.'

Rose kneep haar ogen dicht en dacht aan Jessica. Haar nieuwe vriendin wist lang niet alles, het was haar niet opgevallen dat Rose bij elke uitvoering, elke voetbalwedstrijd en elke sportdag ontbrak. Ze wist niet dat Rose altijd overal voor de deur werd afgezet, in tegenstelling tot de andere kinderen die bij kruispunten of oversteekplaatsen uit moesten stappen.

'Ben je helemaal vanaf school komen lopen?'

'Ja,' zei Rose. Ze kon weer ademhalen. Dr. Neill was vlak voor haar blijven staan, maar nu ging hij ineens achteruit, alsof hij wilde voorkomen dat Rose zich zou moeten schamen omdat hij hoorde hoe ze van haar moeder op haar duvel kreeg. Rose keek omhoog, maar hij had zich al omgedraaid. 'Mam,' zei ze.

'Het is al goed, Rose.'

'Mijn verjaardagsfeestje gaat toch nog wel door, hè?'

'Roses verjaardag,' zei dr. Neill. 'Dat is toch wel een echte feestdag.'

'Bedankt, Liam,' mompelde haar moeder, met een vreemde, felle blik in haar ogen.

'Graag gedaan, hoor. Pas goed op jezelf, Rose.'

'U ook,' zei ze en keek hem na. Witte wolken zeilden langs de blauwe hemel en zeemeeuwen cirkelden boven de steigers. Toen ze weer omlaag keek, zag ze een paar vissenschubben in alle kleuren van de regenboog op de grond liggen. Ze deed ze heel voorzichtig in de zak waar ook het eerste steentje inzat dat ze samen met Jessica voor zich uit had geschopt. Hij had haar verjaardag 'een echte feestdag' genoemd.

'Een man van weinig woorden,' zei haar moeder, op de manier waarop ze vaker commentaar had op mensen die ze niet graag mocht of die ze niet begreep.

Rose leunde zwaar met haar schouder tegen de stenen visser. Terwijl haar moeder de oceanograaf nakeek, tilde Rose haar hoofd op en staarde naar het gezicht van het standbeeld. Hij droeg een zuidwester en hield een lantaarn omhoog terwijl hij naar de zee leek te staren. In zijn voetstuk stonden alle namen gegraveerd van de vissers uit het stadje die op zee waren omgekomen. Dit was hun monument. De stenen visser zorgde voor alle vermisten, waar die nu ook mochten zijn. Hij was uit graniet gehakt, hetzelfde materiaal als van de blauwe rotsformaties boven de stad. Rose keek omlaag naar haar blauwe vingertoppen. Stel je voor dat ze helemaal blauw zou worden en zo koud als steen? Wat zou er dan met haar moeder gebeuren?

'De dag is bijna voorbij,' zei haar moeder. 'Ik kan wel vroeg sluiten.'

Rose knikte. Ze keek toe hoe de oceanograaf naar zijn kantoor liep en iets tegen Jessica zei die nog op het bordes stond. Daarna ging hij naar binnen. Rose voelde haar maag samenkrimpen toen Jessica naar haar toe kwam. Hun vriendschap had een verandering ondergaan, want als iemand het had gezien werd alles toch anders.

'Ben je weer helemaal in orde?' vroeg Jessica.

'Alles is prima,' antwoordde Rose. 'Het was niets ernstigs.'

'Je zag eruit als een geest, echt doodsbleek.'

'Ik voel me nu weer een stuk beter.'

'Mooi zo,' zei Jessica.

'Zal ik je even naar huis rijden, Jessica?' vroeg Roses moeder.

Jessica aarzelde en leek er even over na te moeten denken. Rose voelde haar wangen gloeien... Zou hun vriendschap echt al voorbij zijn voordat die goed en wel was begonnen? Zou Jessica haar een eng kind vinden? Of zou het iets te maken hebben met Jessica's geheimen, zoals het feit dat Jessica Taylor misschien niet eens haar echte naam was? Zou ze echt naar James Taylor, de zanger, vernoemd zijn? Misschien hield Jessica's moeder wel net zoveel van liefdesliedjes als Rose.

'Ik mag van mijn moeder eigenlijk niet zomaar in een auto stappen zonder dat zij het weet, maar in dit geval zal het wel goed zijn.'

'Wat zou je er dan van zeggen als we eerst je moeder even bellen?' vroeg Roses moeder.

En dat deden ze dus ook.

Terwijl ze Jessica naar huis bracht, was Lily eigenlijk met verschillende dingen tegelijk bezig. Ze moest de weg in de gaten houden, ze wilde Rose niet uit het oog verliezen en ondertussen probeerde ze uit te vissen of Jessica erg geschrokken was van wat er was gebeurd. Lily wierp een blik op de achteruitkijkspiegel en glimlachte.

'Bedankt dat je me kwam waarschuwen,' zei ze. 'Dat was heel verstandig van je.'

'Ze zag eruit alsof ze zich helemaal niet goed voelde,' zei Jessica.

'Dat was ook zo. Maar nu is alles weer in orde.'

'Wat was er nou precies aan de hand?'

Lily keek even naar Rose. Dit was het moment waar Rose altijd zo'n hekel aan had. Omdat het stadje zo klein was, kenden de meeste mensen haar al een leven lang. Ze wisten alles, ze hielden van haar en – en dat vond Rose eigenlijk het ergst van alles – ze hielden rekening met haar toestand. Lily wist dat ze nu het best iets vaags zou kunnen zeggen, zonder er verder op in te gaan. Maar ze kon ook de directe weg kiezen en Jessica gewoon vertellen waar het op stond. In de loop der tijd had ze zich echter aangewend dat aan Rose over te laten. Rose zou haar vriendin wel vertellen wat ze kwijt wilde.

'Ik was betoverd,' zei Rose.

'Betoverd?' vroeg Jessica die er niets van begreep.

Ze reden langs een paar zomerhuisjes en de oude fabriek. De weg werd overschaduwd door hoogoprijzende rotsen en sparren. Lily keek neer op haar dochter, op het golvende bruine haar en de groene ogen met de gouden spikkeltjes. Ze moest zich inhouden om niet meteen te vertellen wat er mis was. Ze zag hoe Rose naar woorden zocht en wist dat zodra die over haar lippen waren gekomen er iets in haar vriendschap met Jessica zou veranderen, ook al was het nog maar zo klein.

'Ja,' zei Rose. 'Ik ben betoverd door een boze tovenaar.'

Dat overviel Lily en ze keek verbaasd omlaag.

'Maakte hij je handen blauw?'

'Ja. En soms maakt hij me duizelig en slap. Hij heeft iets met mijn hart gedaan.'

'Rose...' begon Lily.

'Bestaat hij echt?' vroeg Jessica. Ze klonk een beetje zenuwachtig. 'Zal hij mij ook betoveren? Het is Kapitein Haak, hè? Ik zag hem staan kijken, vlak voordat je moest gaan zitten!'

'Nee, die is het niet, dat is een lieve man,' zei Rose. 'Het is iemand anders. Hij woont ver weg in de fjord, in een grot in de allerhoogste rotsen, omgeven door enkele oude dennen. Af en toe verandert hij in een visarend. Dan kun je hem 's morgens horen krijsen als hij over de baai scheert, op zoek naar lieve kleine diertjes om op te vreten.'

'Rose Malone,' zei Lily. Haar dochter keek haar uitdagend aan. Ze wist dat Lily haar heus niet in het bijzijn van haar vriendin voor leugenaar zou uitmaken, maar aan de andere kant moest ze ook weten dat Lily het niet goed zou vinden dat ze Jessica, die nog maar pas in dit afgelegen en onheilspellende deel van Canada woonde, op de mouw speldde dat hier een boze tovenaar woonde die kleine meisjes aanviel. De weg kronkelde omhoog door de kloof achter het dorp naar een vlak stuk met uitzicht over het uitgestrekte blauwe oppervlak van de baai.

'Hier woon ik,' zei Jessica toen ze voor een wit huisje stopten.

'Er is hier helemaal geen boze tovenaar, hoor Jessica,' zei Lily.

'Wel waar,' hield Rose vol. 'En hij stopt scherven in de harten van mensen om ervoor te zorgen dat niemand van hen zal gaan houden. Want liefde komt altijd uit het hart.'

'Maar iedereen houdt van jou, Rose,' zei Lily, die ondanks alles in de lach schoot. 'Dus als ik jou was, zou ik maar een beter verhaal verzinnen.'

'Nou, goed dan. Hij heeft mijn hart betoverd, zodat het altijd raar doet. Hij heeft me een hartkwaal bezorgd.'

'Maar,' zei Jessica fronsend, 'mijn grootmoeder heeft ook een hart-kwaal. Daar ben jij veel te jong voor!'

'Zelfs baby's kunnen het aan hun hart hebben. Ik had er al meteen bij mijn geboorte last van.'

'Krijg ik het het dan ook?' vroeg Jessica, terwijl ze nog dieper fronste.

Nu was het tijd voor Lily om in te grijpen. 'Nee, hoor,' zei ze. 'Rose is geboren met een hartafwijking, maar dat is niet besmettelijk of zo. De dokters hebben heel goed voor haar gezorgd en het gaat prima met haar.'

'Ik mag eigenlijk niet van school naar huis lopen,' zei Rose. 'En ook geen andere dingen waar ik moe van word. Ik moet nog één keer geopereerd worden, komende zomer, en daarna word ik echt helemaal gezond. Dan zal ik ook kunnen hollen en zo.'

Op hetzelfde moment ging de voordeur van het huis open en een vrouw kwam de veranda op. Ze bleef staan en wachtte tot Jessica uit de auto zou stappen. Lily stak haar hand op. Het was net alsof de vrouw aarzelde, alsof ze niet wist of ze naar hen toe zou komen om hallo te zeggen of niet. Lily zag hoe ze zichzelf vermande – ze strekte letterlijk haar rug – en naar de auto liep.

Jessica deed het portier open om uit te stappen. Lily kon bijna voelen hoe ongerust Rose was toen ze haar vriendinnetje nakeek. Ze wist dat dit het moment was waar alles om draaide. Wat zou Jessica denken van alles wat er was gebeurd? Lily wenste dat ze haar dochter gerust zou kunnen stellen en haar zou kunnen verzekeren dat het echt niets uitmaakte, dat Jessica haar nog steeds aardig vond.

'Bedankt dat jullie Jess hebben thuisgebracht,' zei de vrouw.

'Graag gedaan, hoor,' zei Lily. 'Tussen twee haakjes, ik ben Lily Malone, de moeder van Rose.'

'Ik ben Marisa Taylor, de moeder van Jessica.'

De vrouwen glimlachten in de wetenschap dat ze elkaar veel meer te vertellen hadden. Er verscheen een ondeugende fonkeling in de ogen van Marisa, en Lily had het idee dat ze naar een toekomstig lid van de Nanoukmeiden keek. Jessica ging vlak naast haar moeder staan en keek door de autoruit naar Rose.

'Je houdt van tuinieren,' zei Lily. 'Je bloembakken zien er schitterend uit.' Ze wees naar de overvloed van roze, wit en blauw – geraniums, petunia's en verbena's met daartussen lange slierten klimop – die scherp tegen de witgekalkte muren van het huisje afstak. Een ouderwetse rode roos met dikke stengels, die zorgvuldig gesnoeid en langs de pergola voor de deur geleid was, was net in bloei gekomen. De rozen leken in de middagzon op laaiende vlammen.

'Dank je,' zei Marisa. 'Ja, dat vind ik inderdaad leuk.'

'Ik vind dat u prachtige rozen hebt,' zei Rose vanaf de achterbank. 'Het zijn mijn favoriete bloemen,' zei Marisa. 'Dat is al zo sinds ik een klein meisje was. Ik vind jouw naam ook prachtig.'

'Dank u wel.' Rose glimlachte.

'Ik dacht dat de groei- en bloeitijd hier wel heel anders zou zijn dan waaraan ik gewend was. Maar eerlijk gezegd bloeien mijn bloemen hier net zo uitbundig als het geval was in New England... Of zelfs nog verder naar het zuiden.'

'Je zult er nog wel achter komen dat we hier op de rest van Nova Scotia voorlopen,' zei Lily. 'Dat komt door de Annapolis Golfstroom die vlak langs de kust loopt en het klimaat hier veel warmer maakt. Het is bijna ongelooflijk, maar daardoor staan je rozen nu al in bloei. We lopen zeker drie weken voor op Ingonish en zelfs op Halifax.'

'Dat verklaart veel,' zei Marisa. Daarna bukte ze zich om door het raampje naar binnen te kijken en vervolgde: 'Toen Jessica belde om te vertellen dat jij haar thuis zou brengen, zei ze dat er iets met Rose was gebeurd. Is alles weer in orde?'

'Rose heeft een slecht hart, net als oma,' zei Jessica. Haar stem klonk een beetje ijl, alsof ze zich moest inhouden, en ze begon plotseling te huilen.

'Nee, lieverd,' zei Lily. 'Wat Rose heeft, is iets anders. Ze heeft aangeboren hartafwijkingen. De allerbeste dokters zorgen voor haar en in juli, vlak na haar verjaardag, krijgt ze van hen een nieuwe VSD-patch.' Marisa knikte, alsof ze precies wist waar Lily het over had. Lily praatte door zonder op haar te letten: 'We denken allemaal dat het de laatste keer zal zijn dat ze geopereerd moet worden. Straks gaat ze gewoon meedoen aan hardloopwedstrijden, wacht maar af.'

'Ik ga ze zelfs winnen,' zei Rose.

Jessica huiverde en begon nog harder te huilen. Marisa sloeg haar armen om haar heen en Lily keek met een hulpeloos gevoel toe. Ze voelde gewoon hoe Roses nieuwe vriendschap in lucht opging.

'Wat is er met je oma gebeurd?' vroeg Rose.

'Ze... ze...' stamelde Jessica.

'Ze heeft een hartaanval gehad,' zei Marisa.

'Nou, dat zal mij niet overkomen,' zei Rose.

Opnieuw kruisten de blikken van Lily en Marisa elkaar. Het was net alsof ze omringd waren door moeders, grootmoeders en zussen die helemaal niet aanwezig waren, maar er toch leken te zijn. Lily voelde hoe de geest van haar eigen moeder haar weer nieuwe moed gaf, zoals dat altijd het geval was. Boven haar hoofd ruisten de hoge dennen in de warme zomerwind.

'We rekenen echt op jullie, hoor,' zei Lily met een blik op haar dochter. 'Jullie moeten ons helpen om een groot feest te maken van Roses verjaardag, zodat ze met een fijn gevoel naar het ziekenhuis gaat om die operatie te ondergaan. Ik hoop dat jullie allebei ook zullen komen.'

'We gaan een boottocht maken om naar walvissen te kijken!' zei Rose. 'Al mijn vriendinnen gaan mee en de Nanoukmeiden ook.'

'De wat?' vroeg Marisa.

'De Nanoukmeiden uit het Koude Noorden,' zei Lily. 'Als je hier één winter hebt meegemaakt, begrijp je wel wat we bedoelen. We komen bij elkaar om te borduren, te eten en te roddelen.'

'Dat lijkt me zalig,' zei Marisa.

'Dus jullie gaan ook mee op de boottocht?'

'Zeker weten,' zei Marisa. 'Hè, Jess?'

Jessica moest nog steeds een beetje huilen. Ze was bijna negen en ze was eigenlijk al iets te vaak geconfronteerd met de harde werkelijkheid... Niet alleen bij haar vader, maar nu ook bij haar nieuwe boezemvriendinnetje. Lily voelde een steek in haar hart. Ze had Rose zolang ze er was in bescherming genomen tegen alles wat onder 'harde werkelijkheid' viel.

'Zonder jou is het niet hetzelfde,' zei Rose. 'Wil je me alsjeblieft beloven dat je komt, Jessica? Alsjeblieft? Ik ben heus bijna normaal, dat zweer ik.'

Bijna normaal. Die uitdrukking trof Lily recht in het hart en Marisa zag het.

'We komen echt,' zei Marisa.

Jessica knikte en lachte alweer. Ze vroeg aan haar moeder of Rose en Lily niet even binnen konden komen om iets te drinken, maar Marisa deed net alsof ze niets had gehoord. In plaats daarvan stak ze haar hand op en liep samen met Jessica terug naar het huis. Rose draaide zich om en bleef Marisa en haar vriendin nakijken tot Lily bij de granieten rotsen de hoek omsloeg en over de lange, steile kustweg terugreed naar huis.

Marisa trok de deur achter zich dicht met een hand die zo nat was van het zweet dat de koperen deurknop uit haar vingers gleed. Ze veegde haar handen af aan haar spijkerbroek en liep naar de keuken om iets lekkers voor Jessica te maken. 'Mogen ze niet even mee naar binnen?' had Jess gevraagd. En Lily had het gehoord en gezien dat Marisa geen antwoord had willen geven. Ze had naar de lucht gekeken en naar de roofvogel die boven hun hoofd vloog, een visarend met een zilveren vis in de klauwen. Alles om die blik van Lily te vermijden. Van moeder tot moeder – de onuitgesproken taal van het leven. Het was Lily absoluut opgevallen en nu zou ze zich afvragen waarom ze zich zo gedroeg.

'Gaan we echt naar het partijtje, mam?' vroeg Jessica.

'Ja hoor, jij mag mee.' In gedachten hoorde Marisa haar eigen stem die zo enthousiast 'zeker weten' tegen Lily had gezegd. Zodat haar spijt eerlijk over zou komen als ze zich op het laatste moment bedacht.

'En mag ik dan net doen alsof het ook voor mij is?'

'Lieverd...'

'Ik mag mijn beste vriendin niet eens vertellen dat we bijna op dezelfde dag jarig zijn!'

'En je weet best waarom dat zo is, Jess. Mensen gebruiken achternamen, verjaardagen en sofinummers als ze andere mensen zoeken.'

'Je hebt het over Ted. Waarom zeg je dat niet gewoon, in plaats van net te doen alsof alles zo gezellig en weer helemaal in orde is? We moeten ons voor hém verstoppen, niet voor "de mensen"!'

Marisa slaakte een diepe zucht. Jessica had de verhuizing en alles wat ermee verband hield eigenlijk heel goed verwerkt. In het begin was ze zo opgelucht geweest dat ze vertrokken, dat ze zich overal bij had neergelegd. Ze had hun nieuwe identiteit bijna als een spelletje beschouwd. Samen met Susan Cuccio van het tehuis hadden ze nieuwe namen verzonnen, nieuwe verjaardagen en een nieuwe familiegeschiedenis. Jessica was met name bij dat laatste heel behulpzaam geweest en had geholpen om de werkelijkheid en de mensen van wie ze hielden – haar tante, haar eerste kat, hun liefde voor muziek – te verweven met allerlei verzinsels.

Maar inmiddels was alles veranderd, vooral omdat haar echte verjaardag bijna voor de deur stond. Marisa was gedeprimeerd geraakt en had de grootste moeite om het vol te houden, om 's morgens op te staan en de dingen te doen die gedaan moesten worden. Ze was door twijfel bekropen en had zich afgevraagd of ze er wel verstandig aan hadden gedaan om hiernaartoe te gaan. Geen wonder dat Jessica helemaal overstuur en in de war was.

'Nu vind je het wel goed dat ik naar Roses verjaardag ga, maar thuis mocht ik niet naar het partijtje van Paula.'

'Dat was iets heel anders.'

'Omdat híj niet hier is?'

'Lieverd...'

'Denk je dat hij ons ooit zal vinden?'

'Laten we ons maar geen zorgen maken over Ted,' zei Marisa. 'We hebben al moeite genoeg om gewoon voor onszelf te zorgen. Wat wil je, een boterham met pindakaas en jam of havermoutkoekjes?'

'Havermoutkoekjes en melk. Ik vind het hier eigenlijk helemaal niet fijn, mam. Met uitzondering van Rose. Zij maakt het hier in dit koude stadje tussen de rotsen bijna leuk. Rose is echt de allerbeste vriendin die ik ooit heb gehad. Zou ze heus weer helemaal beter worden?'

Marisa liep naar de koelkast en trok de deur open, zodat Jessica haar gezicht en haar trillende handen niet zou zien. Dat noemde je bedotten... als je de waarheid voor je eigen kind probeerde te verbergen.

'Wat denk je, mam?'

Marisa dacht aan wat Lily had gezegd. Dat Rose aangeboren hartafwijkingen had. Dat betekende meer dan één. VSD sloeg op ventrikel septum defect, dus een gat tussen de kamers van het hart. Zou er ook iets mis zijn met de slagaders? Ze had nog steeds de studieboeken van haar opleiding tot verpleegkundige, waar had ze die gelaten? Als ze die zou kunnen vinden, kon ze er misschien achter komen wat er precies met Rose aan de hand was. Ze was niet gespecialiseerd in kindercardiologie, maar dan zou ze het beter aan Jessica kunnen uitleggen.

'Ik wil dat ze weer beter word,' zei Jessica en keek Marisa aan toen ze de melk en de koekjes op tafel zette.

'Ja, dat weet ik wel.'

'Kunnen we ons geheime spaarpotje niet gebruiken om voor een operatie te betalen en haar leven te redden? Daar hebben we toch genoeg geld voor? Of zou een van onze vrienden het voor niets willen doen?'

Marisa pakte de afstandsbediening en zette de tv aan. Ze hadden een satellietschotel, de enige vorm van ontspanning in deze stad die zover van de beschaafde wereld lag. Honderden kanalen en geen gebrek aan keuzes. Voordat je alles had afgezocht, zou je een tandeloos oud vrouwtje zijn. Ze vond een film met Adam Sandler die Jessica volgens haar wel leuk zou vinden en liet de zender op staan.

'Mam?'

'Waar heb je het nou in vredesnaam over, Jess? Roses moeder zorgt voor haar.'

'Ja, dat zal best wel. Maar jij hebt haar daar niet aan de kade gezien. Ze was bijna helemaal blauw en ze kon niet meer ademen. En omdat ik niet wist wat ik moest doen, moest die akelige enge man met die kunsthand haar helpen!'

'Maar je wist wel wat je moest doen... je bent haar moeder gaan halen. En je bent kalm gebleven.'

'Ja, dat is zo,' beaamde Jessica terwijl ze nadenkend een koekje wegwerkte. Daarna hield ze op met kauwen en keek op. 'Net als toen Ted zo naar deed tegen mijn hondje.'

Op het tv-scherm haalde Adam Sandler de malste fratsen uit. Overal ter wereld zaten mensen naar deze film te kijken en zich te bescheuren. Maar niet deze moeder en dochter. Marisa bleef alleen maar naar Jessica kijken, omdat ze had gezegd dat Ted 'zo naar deed' tegen haar hondje, terwijl hij Tally in feite vermoord had.

'Ik vind het echt niet erg dat we ons verstoppen. Zolang hij ons maar niet vindt en jij hem niet terug neemt. Dat weet je toch wel, hè?' zei Jessica.

'Ja hoor,' zei Marisa.

Jessica knikte en legde zich erbij neer, braaf kind dat ze was. Ze ging tv-kijken en Marisa voelde zich een beetje schuldig bij het idee dat ze haar dochter Adam Sandler voorschotelde omdat ze geen zin had al haar vragen te beantwoorden. Ze liep naar het raam en keek naar buiten, terwijl ze zich ineens herinnerde waar haar leerboeken waren. Ingepakt en opgeslagen, bij vrijwel al haar andere bezittingen.

Tussen de bomen door kon ze onder aan de heuvel de brede glinsterende baai zien, omringd door verweerde rotsen en granieten kus-

43

ten. Het grote witte hotel met het lange rode dak troonde boven het stadje uit, boven Lily's winkel en de de walvistoerboten. Marisa wist dat ze Jessica wel zou laten meegaan op het verjaardagstochtje, maar dat ze zelf zou afzeggen. Een vrouwenclub kon weleens te gevaarlijk zijn. Ze knipperde tegen de felle vroege zomerzon en voelde dat haar ogen begonnen te prikken. Ze wist best dat dit in Boston een huis met een 'onbetaalbaar uitzicht' werd genoemd, maar voor Marisa was het gewoon een plek ver weg van thuis.

Omdat ze dat een vervelend gevoel vond en bovendien een manier wist om zich dichter bij huis te voelen zette ze de computer aan en zocht het internet op. E-mails, haar favoriete messageboards en een anonieme chatroom werkten stukken beter dan alcohol om je een beetje versuft en prettig te voelen. Intimiteit en vriendschap zonder het gevaar dat iemand achter je verblijfplaats kwam. Maar toch zocht ze dit keer meteen de website van Johns Hopkins op, het ziekenhuis waar ze haar opleiding had gehad. Ze typte haar gebruikersnaam en wachtwoord in, ging rechtstreeks naar cardiologie en begon te lezen.

4

'Haaien, overbevissing en biodiversiteit,' zei Gerard Lafarge vanaf het dek van de *Mar IV* toen ze naar de meerpalen voeren.

'Ja, hoezo?' vroeg Liam Neill die over de kade meeliep.

'We hebben goddomme een genie in ons midden.'

'Op de een of andere manier krijg ik de indruk dat je dat niet complimenteus bedoelt,' zei Liam grijnzend terwijl hij zijn rechterhand – zijn goede hand – gebruikte om de lijn op te vangen die Gerard hem toewierp en die om de kikker op de kade te slaan voordat hij naar achteren liep om hetzelfde te doen met de lijn vanaf het achterschip.

'Nee, serieus,' zei Gerard en sprong van zijn schip om het goed vast te leggen. Hij was smerig en ongeschoren omdat hij een paar dagen op zee had gezeten. De vissersboot deinde op de lome golfslag in de haven. Ze was omgeven door een sterke vislucht, en troepen krijsende zeemeeuwen doken erop neer. 'Denk je nou echt dat zulke artikelen goed voor ons zijn? Wij verdienen ons brood met alles waar jij over schrijft. Met makreelhaaien valt veel geld te verdienen. Ze hebben dezelfde smaak als zwaardvis, maar dan zachter en zonder kwik. Je bezorgt ons een slechte naam.'

'Om te beginnen moet ik bekennen dat ik ervan sta te kijken dat je het artikel onder ogen hebt gehad. Ik wist niet dat je oceanografische tijdschriften las.' Hij klonk alsof hij eigenlijk 'ik wist niet dat je las' bedoelde.

'Nou, dit stuk zal heel wat jongens onder ogen komen. Laten we het er maar op houden dat je onze aandacht hebt getrokken.'

'Ten tweede zijn makreelhaaien geen bedreigde diersoort, dus jullie staan volkomen in je recht. Het is alleen een kwestie van aan de toekomst denken. Als je nu te veel vis vangt, zal de soort in aantal teruglopen en wat moeten jullie kinderen dan beginnen?'

'Je dacht toch niet dat ik mijn kinderen visser laat worden? Shit, ik wil echt niet dat ze zo hard moeten werken en misschien 's winters in een storm verzuipen. Ik probeer nu zoveel mogelijk geld te verdienen en rijk te worden van de zee om die apen naar McGill en Harvard te kunnen sturen, zodat ze gewoon aan land zullen blijven en op onze oude dag voor Marguerite en mij kunnen zorgen.'

'Heb je het daarom nu ook op dolfijnen gemunt?'

Dat maakte een eind aan het plagerige toontje en Gerards met grijze stoppeltjes bedekte gezicht werd ijskoud. Zijn ogen dwaalden naar het dek waar zijn bemanning bezig was de vangst in ijs te verpakken. Liam stond naar de afgehakte rugvin van een dolfijn in een hoop afval te kijken.

'Wat gaat jou dat aan, Neill?' blafte Gerard. 'De rest van jouw familie verdient ook hun geld op het water, terwijl jij alleen maar kritiek op iedereen hebt. Ik heb wel gehoord wat je tegen je neef hebt gezegd. Je wilt dat hij een eind maakt aan zijn walvistochtjes, precies zoals je wilt dat ik ophoud met vissen.'

'Ik wil helemaal niemand de wet voorschrijven,' zei Liam. Hij liep verder over de kade, waar hij zijn neef Jude Neill tegen het lijf liep. Jude was bezig geweest met het schoonspuiten van de platbodem Zodiac, een van de kleinere schepen in de familievloot van vaartuigen voor het bekijken van walvissen. Hij was opgehouden met spuiten, kennelijk om naar Liam en Gerard te luisteren.

'Maar het is wel zo,' zei hij glimlachend.

'Wat is wel zo?' vroeg Liam.

'Dat je wilt dat wij met die tochten ophouden.'

'Begin jij nou ook al?' vroeg Liam.

'Iemand zal je toch onder de duim moeten houden,' zei Jude.

De neven stonden elkaar even boos aan te kijken, maar begonnen toen te grinniken. Jude ging opzij, zodat Liam aan boord kon stappen. Het water uit de slang liep over zijn laarzen. Het was een zonnige dag, maar in de verte kwam een donkere mistbank snel opzetten.

'Heb je vandaag nog iets gezien?'

'Vijf vinvissen, een paar dwergvinvissen en een heel stel dolfijnen. De klanten vonden het prachtig.'

'Die idioot van een Lafarge had de rugvin van een dolfijn tussen het afval op zijn boot liggen. Hij probeerde niet eens om die te verstoppen toen ik langs liep.'

'Hoor eens, die zal hij vast niet met opzet hebben gevangen. Hij vist met lange lijnen en op die manier weet je nooit wat je vangt. Wat moet hij dan doen, de vis laten verrotten?'

'Hij mag niet met lange lijnen vissen.'

'Laten we elkaar nou maar de hand geven, neef. In dat opzicht ben ik het met je eens. Alle toeristen zijn dol op dolfijnen, dus daar vaart het familiebedrijf wel bij. Je hoeft mij niet meer over te halen. Maar kom me nu alsjeblieft niet aan met de wet op de bedreigde diersoorten en het feit dat wij veel te dicht in de buurt komen van die snoezige luchthappers. Aan de ene kant leg jij me samen met de kustwacht het vuur na aan de schenen, terwijl mijn klanten aan de andere kant juist zo dicht mogelijk in de buurt willen komen van de walvissen om ze goed op de foto te krijgen en me constant wijzen op mijn minder consciëntieuze concurrenten bij wie ze die verdomde beesten bijna mogen aaien.'

'Nou ja...'

'Weet je nog wel dat jij en ik samen met Connor altijd probeerden om zo dicht mogelijk in de buurt te komen? Connor vond het altijd leuk om zijn hand over het luchtgat te leggen...'

'Hij zei dat je de warme lucht kon voelen.'

'Niemand kon zo dicht bij ze in de buurt komen als Connor,' zei Jude.

'Klopt. Niemand anders,' zei Liam. De blauwe baai glinsterde en toen hij met samengeknepen ogen tegen de zon in keek, dacht hij dat hij de rug van een witte walvis, een beloega, een meter of veertig uit de kust boven water uit zag steken. Plotseling moest hij weer denken aan het jaar dat hij twaalf was geweest, Jude elf en Connor negen. Drie jongens met de hele zomer voor de boeg...

'Dat joch kon gewoon met ze praten. Hij sprak hun taal, dat is zeker. En toen ik...'

Liam viel hem in de rede. 'Er is geen mens die de taal van walvissen kan spreken. Luister eens, ik ben naar je toe gekomen omdat ik je iets over een charter wilde vragen.'

'Ga je me nou vertellen dat jij een boot wilt charteren om naar walvissen te gaan kijken? Dat zal dan de eerste keer zijn,' zei Jude, die probeerde zijn gekwetste gevoelens met sarcasme te maskeren. Liam reageerde niet, hij wilde alleen nog maar de kade de rug toekeren om terug te gaan naar zijn donkere kantoor, waar hij de witte walvis niet zou kunnen zien.

'Ik niet. Het gaat om de boot die voor het verjaardagsfeestje van Rose Malone gecharterd is.'

'O ja. Aanstaande zaterdag. Lily heeft de grote boot voor de hele ochtend gehuurd. Van negen tot elf. Hoezo? Wat is daarmee?'

'Wie wordt de kapitein?'

'De kapitein? Dat weet ik nog niet. Laat me eens even nadenken... Zestien giechelende en gillende meisjes plus hun moeders? Dat zal volgens mij degene worden die aan het kortste eind trekt. Hoezo?'

'Ik wil je een gunst vragen. Ik wil graag dat jij als kapitein meegaat.'

Jude keek hem met grote ogen en één dramatisch opgetrokken wenkbrauw aan. Daarna zakte de wenkbrauw weer, terwijl hij leek te wachten tot hij de clou te horen kreeg. Toen dat niet het geval was, zei hij: 'Ik werk nooit op zaterdag. Dat is het enige voordeeltje dat ik als eigenaar van de boten heb, omdat ik aan het eind van de voedselketen sta. Als je snapt wat ik bedoel.'

'Ik vraag het je ook bij wijze van gunst, Jude,' zei Liam. 'Het is belangrijk.'

'Waarom?'

'Omdat je de beste bent, omdat je nergens voor terugdeinst en omdat je weet wat je in geval van nood te doen staat. Rose moet binnenkort geopereerd worden. Ik denk niet dat er een probleem zal zijn...'

'Haar moeder heeft tegen me gezegd dat ik me geen zorgen hoef te maken.'

'Mooi zo. Maar toch.'

Jude kneep zijn ogen tot spleetjes. 'Wat probeer je me nou eigenlijk te vertellen? Dat jij de vader van Rose bent? Dat jij het met Lily hebt gedaan? Dat jij en Miss Onaantastbaar 2005 tien jaar geleden iets met elkaar hebben gehad en dat je dat duo nu ineens in bescherming wilt nemen?'

Liam schudde glimlachend zijn hoofd. Als dat de kans dat Jude als kapitein zou meevaren groter maakte, mocht zijn neef denken wat hij wilde. De mensen hadden zich altijd afgevraagd hoe het nu precies zat met Lily Malone en aangezien hij haar al zo lang kende, werd dat wel vaker gedacht.

'Wil je dat voor me doen?'

'Bestaat er een risico voor ons? Als dat meisje aan boord in de problemen komt...'

'Dat zal niet gebeuren, dat weet ik bijna zeker. De operatie staat gepland, maar voor iemand met zo'n afwijking is dat puur routine. En trouwens, als jullie toch op de grote boot zitten, is er geen snellere manier om haar naar de heliport te brengen. Voor het geval dat nodig zou zijn.'

'Fantastisch. Ik begin echt zenuwachtig van je te worden. Misschien kan ik de tocht maar beter afgelasten.'

'Als je dat maar laat. Je wilt Roses verjaardag toch niet verpesten?'

'Je bent echt een lastpak, weet je dat? En dat noemt zich mijn neef...'

Daaruit begreep Liam dat Jude als kapitein tijdens het verjaardagsfeestje van Rose mee zou varen. Hij stak zijn hand op en liep de lange kade af in de richting van het dorpsplein met het standbeeld van de visser... Dezelfde plek waar hij eerder samen met Rose had gestaan. Hij voelde een rilling over zijn rug lopen.

De dagen begonnen warmer te worden, zodat je langzaam maar zeker het idee kreeg dat je best zou kunnen zwemmen. Maar hier in het noorden was het water nog steeds ijskoud van de winterse sneeuw die verder naar het noorden inmiddels als smeltwater in de rivieren terecht was gekomen en op die manier ook in de Golf. Vroeg in de zomer moest hij echter vaak aan het verleden denken. Aan de tijd dat hij twaalf, Jude elf en Connor negen was. Dan kreeg hij bijna het gevoel dat ze weer bij elkaar waren. Liam wist nog precies hoe ze zich toen hadden gevoeld, in het verleden toen hij nog twee armen had gehad, vóór wat er met Connor was gebeurd.

Maar hij had zichzelf geleerd om dat soort gedachten te verdringen – of het nu een zomerse dag was of niet en hij keek niet eens opzij toen hij langs de stenen visser liep, rechtstreeks naar de trap voor zijn kantoor, waar hij de deur met een klap achter zich dichttrok.

Thuisgekomen ging Lily Malone op de veranda zitten met een borduurwerkje, terwijl Rose op haar knieën in de tuin lag. Ze droeg het leesbrilletje dat ze sinds kort nodig had. Het had een knalroze montuur om van iets waar je eigenlijk depressief van raakte toch nog iets leuks te maken. Ze keek er af en toe overheen om haar dochter in de gaten te houden, terwijl ze ondertussen haar best deed om haar werk te verstoppen. Tot nu toe had ze ieder jaar voor de verjaardag van haar dochter een vierkant schilderijtje geborduurd. Natuurlijk wist Rose wel dat ze er dit jaar ook een zou krijgen, maar het hoorde bij de voorpret dat Lily het stiekem maakte en dat Rose net deed alsof ze reuze verrast was.

'Kijk eens, mam,' zei Rose, 'de windes komen al op. En hier ook een paar zinnia's. Ik denk tenminste dat het zinnia's zijn. De blaadjes zijn nog zo klein.'

'Kijk dan even op je tuinkaart,' raadde Lily haar aan.

Rose hees zichzelf overeind en liep naar de schuur. Het viel Lily op dat ze heel langzaam liep. Ze richtte haar blik op Roses borst en telde hoe vaak ze in- en uitademde. Haar kleur was wel redelijk, bleek maar niet te bleek en haar lippen waren absoluut niet blauw. Ze had geen last van haar evenwicht, dus ze was niet duizelig. In de loop der jaren had Lily geleerd om Roses gezondheid van minuut tot minuut in de gaten te houden. Ze vergiste zich weleens, maar ze vond toch dat ze door op de details te letten de toestand redelijk in de peiling had.

'Het zijn echt de zinnia's en de windes die we gezaaid hebben, mam!' zei Rose terwijl ze de schuur uit kwam met de kaart die ze vorige maand getekend had, nadat ze de harde tuingrond hadden losgeschoffeld en er verse tuinaarde op hadden gegooid voordat ze de zaadjes in de grond hadden gestopt.

'Fantastisch, Rose!'

'Ik word vast een heel goede hove... hoe noemde je dat ook alweer?'

'Een hovenier,' zei Lily glimlachend.

'Hovenier,' herhaalde Rose. 'Iemand die alles van planten af weet. Een winde-dokter!'

Lily keek op. Rose viel vaak terug op vergelijkingen met de medische wereld, omdat ze daar zoveel ervaring mee had. Dokters, ziekenhuizen, onderzoeken, procedures, operaties... Lily slikte de opmerking in dat ze wilde dat haar dochter gewoon van de tuin zou kunnen genieten zonder aan dokters te denken.

'De windes worden heel groot,' zei Rose, die weer op haar knieën ging zitten om de aarde van de dunne steeltjes en de fragiele blaadjes te vegen. 'Ze klimmen straks langs de pergola omhoog, helemaal tot aan de lucht.'

'Met felblauwe bloemen,' zei Lily.

'Ik ben echt blij dat ze nu al zijn opgekomen,' zei Rose.

'Nu al?'

Rose knikte. 'Dan hoef ik me daar geen zorgen meer over te maken als we weg zijn. Als ik ze niet had gezien, zou ik misschien denken dat de zaadjes het niet hadden gedaan. Nu kan ik me fijn voorstellen hoe ze groeien en bloeien als ik in het ziekenhuis lig.'

'Ze groeien waanzinnig snel,' zei Lily met een glimlach en probeerde haar heftige gevoelens te onderdrukken. 'Ze zullen in de zomer helemaal verwilderen, tot september aan toe. En ze bloeien heus wel.'

'Denk je dat ik voor september weer thuis zal zijn?'

'Ja hoor, schat. Je hoeft maar één of twee weken in het ziekenhuis te blijven. Als je weer thuis bent, is de zomer nog lang niet voorbij.'

'Is dit de laatste keer dat ik geopereerd word?'

'Ja,' zei Lily. Ze probeerde nooit tegen Rose te liegen over haar medische toestand. Natuurlijk had ze er alles voor over gehad om Rose te ontzien en haar de harde kanten van het leven van een hartpatiënt te besparen, maar Rose gaf haar de kans niet... Ze wist altijd precies wanneer haar moeder jokte, en daardoor ging ze zich dan nog meer zorgen maken. Maar Lily was nu vrijwel zeker van haar zaak. De artsen hadden haar verzekerd dat met het vervangen van het oude teflon matje een einde aan de ellende zou komen.

Rose hurkte weer neer en wroette met haar handen in de aarde om het onkruid uit de grond te trekken. Ze wist bijna instinctief wat ze moest laten staan en welke plantjes verwijderd moesten worden. Ze had het aangeboren talent om bloembedden te vertroetelen, precies zoals haar voorouders. Lily kon zich de dagen uit haar jeugd herinneren waarop haar eigen moeder haar had verteld dat tuinieren eigenlijk hetzelfde was als bidden, omdat het tegelijk rust, actie en liefde voor de natuur vroeg. Tuinieren zat Rose absoluut in het bloed.

'Waarom wilde Jessica's moeder ons niet binnen laten toen we haar thuisbrachten?'

'Misschien had ze het druk.'
'Jessica zegt dat ze een familiegeheim hebben.'
'Dat geldt voor alle families,' zei Lily, terwijl ze langzaam door borduurde.
'Die van dr. Neill ook?'
'Mmm,' zei Lily. Dat hij nooit getrouwd was, zou een van die geheimen kunnen zijn. Lily wist dat hij vriendinnetjes had gehad, zoals die vrouwelijke ichtyoloog uit Halifax en een gescheiden vrouw uit Sydney, maar Liam had zich nooit gebonden.
'Ik vind hem aardig.'
'Hmmm.'
'Jij niet, hè?'
'Hij is mijn huisbaas,' zei Lily. 'Ik mag hem best, hoor.'
'Maar je doet altijd alsof je hem niet aardig vind. Terwijl hij een vriend van ons is!'
'Ik zal me voortaan beter gedragen,' zei ze en voelde haar hart overslaan.
'Ik wil dat hij ook op mijn partijtje komt.'
Lily keek over haar knalroze brilletje. Rose zat haar ernstig aan te kijken, met uitdagende groene ogen.
'Het is míjn feestje,' bracht Rose haar in herinnering.
'Dat weet ik wel, maar we hebben de Nanoukmeiden ook uitgenodigd. En die hebben de regel dat er geen mannen bij mogen, dat weet je best. Dat hebben we zelf in het reglement opgenomen, en we hebben het allemaal getekend. Jij ook, weet je nog wel? Op onze bijeenkomsten zijn alleen vrouwen welkom.'
'Kunnen we niet één keer een uitzondering maken? Omdat het om een verjaardag gaat?'
Lily's mond verstrakte. Ze vond het echt vreselijk om nee te zeggen tegen Rose. Haar dochter was beslist geen kind dat probeerde langs slinkse wegen haar zin te krijgen. Als ze iets wilde, kwam ze daar rond voor uit en vroeg het gewoon. Maar de aanstaande operatie zorgde voor onuitgesproken spanning. Elk verzoek van Rose leek dringend en ging gepaard met een bepaalde scherpte. Stel je voor dat Lily nee zei en het zou Roses laatste verzoek zijn geweest? Ze schudde haar hoofd en prentte zichzelf in dat ze zich als een moeder moest gedragen en niet als een of andere onheilsprofeet.

'Nee, Rose. Dat zou niet eerlijk zijn tegenover de andere Nanouks. We zullen een stukje van de taart voor hem bewaren, dat is toch ook goed?'

'Nee,' zei Rose, die nog even door bleef wieden. Ze liet het onkruid op een hoopje op het gras liggen en liep naar de verandatrap. Lily verstopte haar borduurwerk, zodat Rose het niet zou zien, maar die moeite had ze zich kunnen besparen. Haar dochter liep voorbij zonder haar zelfs maar aan te kijken en ging naar binnen. De hordeur viel met een klap achter haar dicht.

Lily slaakte een diepe zucht. Ze dacht aan haar opzet om nooit leugens te vertellen en vroeg zich af of Rose instinctief zou begrijpen dat ze dat voornemen net spreekwoordelijk de nek om had gedraaid. Want de reden waarom ze Liam Neill niet op het verjaardagsfeestje wilde uitnodigen had niets – of in ieder geval heel weinig – te maken met de reglementen van de Nanoukmeiden.

Niets dus. Lily onderdrukte het trillen van haar handen en bleef borduren. De brede naald maakte het ene kruissteekje na het andere, terwijl ze haar best deed om niet te piekeren. Er was zoveel om over na te denken. De operatie die haar dochter volgende week moest ondergaan, het borduurwerk dat voor de verjaardag af zou moeten zijn en Liam Neill. Er stond een warm briesje en de zon brandde neer op Roses tuintje. Lily bleef ijverig handwerken, in een poging het schilderijtje op tijd klaar te krijgen.

Rose liep naar haar kamer. Die was aan de achterkant van het huis en vanuit haar raam had ze uitzicht op de tuin, de met hei begroeide heuvel en de zijoever van de baai. Terwijl ze op de drempel stond, zuchtte ze diep en zette zich weer in beweging. Ze liep, dat was zeker, ze gebruikte haar voeten, maar in gedachten vloog ze, omhooggehouden door onzichtbare vleugels, even hard, helder en onverwoestbaar als de krekelvleugels die ze vorig jaar zomer in de tuin had gevonden. Ze liep de kamer rond en raakte allerlei dingen aan. De essenhouten post van haar bed, het bureautje dat door haar moeder met vissen, schelpen, walvissen en dolfijnen was beschilderd, de boeken op haar plank en haar verzameling walvisfiguurtjes. Daar bleef ze bij staan om er zeker van te zijn dat haar vingers licht over elk uit hout, speksteen en been gesneden exemplaar gleden.

Ze voelde de kracht die van de walvissen uitging. Het waren zoogdieren, net als zij. Ze ademden lucht in en zorgden voor hun kinderen. Nu veranderden haar vleugels in vinnen. Rose dook onder water en zwom op haar gemak mee met de walvissen. Ze voelde het water over haar lichaam stromen toen ze verder de diepte in zwom, steeds dieper... Ze bleef doorgaan met het aanraken van alles in haar kamer, al die kostbare herinneringen aan haar leven en aan haar moeder.

Tegen de tijd dat ze bij de muur naast haar bed was aangekomen stonden haar ogen vol tranen. Ze knipperde ze weg en staarde naar de acht ingelijste verjaardagsborduursels. Haar moeder had er een gemaakt voor ieder nieuw jaar in haar leven en nu stond Rose ze stuk voor stuk te bekijken.

Het eerste was een landhuisje met een zwarte deur en roze luiken met vier uitgesneden hartjes in een tuin vol lelies en rozen.

Het tweede was een wit babymandje dat door een rood-met-gele luchtballon over een groen landschap werd gedragen.

Het derde was een blauwe stationcar die onder met sneeuw bedekte dennen stond, waarin vier uilen met gouden ogen tussen de donkere takken verstopt zaten.

Het vierde was een draaimolen met dolfijnen in plaats van paarden.

Op het vijfde vlogen vissen door de lucht en zwommen vogels onder water.

Op het zesde schilderijtje was het nacht en de spar in hun achtertuin was voor de kerst versierd, met hartjes in plaats van ballen en de echte sterren in plaats van lichtjes.

Op het zevende stond hetzelfde landhuisje als op het eerste, maar nu was het gekrompen tot het formaat van een poppenhuis en de deur was blauw in plaats van zwart, terwijl het onder een luchtballon bengelde die het naar de zee droeg.

Op het achtste stond een groep meisjes en vrouwen, allemaal met mutsen op en dikke winterjassen aan, die hun handen stonden te warmen bij een vuur aan de besneeuwde, rotsachtige kust terwijl op de voorgrond een witte walvis jolig door het water schoot. Rose en haar moeder waren erbij, Cindy, Marlena, Nanny en alle andere Nanoukmeiden uit het Koude Noorden. Rose herkende alle figuurtjes behalve de twee vrouwen die aan de kant stonden, maar van haar moeder wist ze dat het haar grootmoeder en haar overgrootmoeder waren.

Het negende... Nou ja, Rose wist natuurlijk dat haar moeder daar nu mee bezig was. Ze deed haar ogen dicht om een wens te doen... Ze wist hoe verschrikkelijk veel haar moeder van haar hield. Ook al was ze pas bijna negen, ze wist heel goed dat haar moeder af en toe gewoon pijn had omdat ze zoveel van haar hield. Omdat ze zo'n kwetsbaar hart had, kon Rose bepaalde dingen beter aanvoelen dan gewone mensen. Dan begon haar huid te tintelen alsof er een zacht briesje opstak en raakte ze vervuld van de dromen en de woorden van andere mensen, alsof hun hart rechtstreeks tot het hare sprak.

Niet allemaal, maar sommige. Dat van Nanny bijvoorbeeld. Rose had altijd precies geweten wat Nanny dacht. Ze wist instinctief wanneer ze blij was of nieuwsgierig en ze voelde haar macht en haar kracht. En hetzelfde gold voor haar moeder. Rose wist altijd precies wanneer haar moeder blij of verdrietig was en vooral wanneer ze moe of bezorgd was, bezorgd over Rose. Zoals op dit moment, nu de operatie voor de deur stond en de reis naar Boston geregeld moest worden. Haar moeder kon nergens anders aan denken, ook al moest er nog een verjaardagsschilderijtje worden afgemaakt en voorbereidselen getroffen voor een verjaardagsfeestje. Maar nu had Rose met geen van beiden contact en ook niet met Jessica, ook al zo'n gelijkgestemde ziel.

Dr. Neill. Ze moest constant aan hem denken. Heel gek. Als er iets naars was gebeurd en ze hem nodig had, was hij er altijd. Hij was bij de stenen visser naast haar op zijn knieën gaan zitten en had haar hand vastgehouden om haar te laten weten dat ze niet alleen was. Als ze een vader had gehad, zou die precies hetzelfde hebben gedaan, dat wist Rose zeker. Hij zou bij haar zijn gebleven en haar vastgehouden hebben. Hij zou voor haar gezorgd hebben.

Dr. Neill was zo groot. Hij had heel even zijn arm om haar heen geslagen, juist toen ze het bangst was en het gevoel had dat ze helemaal geen adem meer kon krijgen. Rose deed haar ogen dicht en viel bijna in zwijm. Ze hunkerde naar een vader die haar in zijn armen zou sluiten en altijd van haar zou houden. Al haar vriendinnen hadden een vader, zelfs Jessica, ook al was dat maar een stiefvader. Maar dat maakte niets uit.

Rose voelde haar hart door haar groene T-shirt heen kloppen. Ze had nog maar één echte hartenwens. Ze had een moeder die van haar hield, nu wilde ze ook een vader hebben. Dat zou meer voor haar betekenen dan alle verjaardagscadeautjes, alle feestjes en alle operaties bij elkaar.

Waarom wilde haar moeder niet dat dr. Neill ook op haar feestje kwam? Zelfs als ze hem niet aardig zou vinden – en Rose was niet op haar achterhoofd gevallen, ze wist dat haar moeder hem diep vanbinnen best lief vond – dan zou ze het toch goed moeten vinden dat Rose hem uitnodigde? Ook al waren de andere kinderen bang van zijn kunstarm en ook al noemden ze hem Kapitein Haak, Rose hield toch van hem. Ze verlangde naar een vader die op dr. Neill zou lijken.

Hij hield van walvissen, van dolfijnen en zelfs van haaien. Hij gaf het nooit op, ook al werkten niet al zijn ledematen zoals het hoorde. En ook al had hij het nog zo druk, hij zou altijd blijven staan om een klein meisje te helpen dat aan de voet van de stenen visser zat met pijn in haar hart.

Zeker weten...

5

Het bureau van Secret Agent was zijn vliegmachine. Als hij in de bureaustoel achter zijn Dell-laptop ging zitten kon hij in elke plaats in de Verenigde Staten zijn. Als hij over het net surfte, kon hij net zo goed op een cruiseschip op de Caribische Zee zitten als op de Atlantische of Indische Oceaan. Maar hij zou ook in Parijs kunnen zitten, in Frankrijk. Of in Akron in Ohio, Hartford in Connecticut, Phoenix in Arizona of Walla Walla in Washington. Hij kon in Vancouver zitten of in Toronto. Hij kon wel op de zuidpool zitten. In werkelijkheid bevond hij zich in het North End van Boston, boven een café dat de hele dag naar espresso rook.

Het was een klein appartementje, maar dat hoefde niemand te weten. Het kon net zo goed een penthouse op Park Avenue in Manhattan zijn, een ranch in Montana, een huis aan het strand in Jersey met uit het ene raam uitzicht op de Atlantische Oceaan en uit het het andere op Barnegat Bay. Of misschien een pand in de buurt van South Beach, vlak bij de plek waar die mafkees een paar jaar geleden Gianni Versace had vermoord. Of gewoon het huis aan de overkant waar hij een doodnormale vent was die zijn gezin onderhield en zijn best deed om met iedereen de beste maatjes te blijven.

Hij had honger. Voordat hij begon, pakte hij een flesje frisdrank en legde twee burrito's in de magnetron. Hij zette het bord op zijn bureau, startte zijn computer op en was klaar. Hij had echt honger, hij werkte een van de burrito's in drie happen naar binnen terwijl hij wachtte tot het apparaat zover was dat hij kon inloggen. Waar zou hij vandaag eens naartoe gaan? Waar moest de vliegmachine vanavond landen? Het was vrijdagavond...

Hij ging naar zijn favorieten en riep de lijst op. Hij had speciale vrouwensites, spelletjessites, sportssites en zakensites. Toch was er één ding dat hem letterlijk in het hoofd gegrift stond: zijn speurtocht. Hij was op zoek naar iemand en hij wist precies welk soort internetsites zij graag bezocht. De pogingen om haar te vinden waren letterlijk dagwerk. Maar hij had ook nog andere ijzers in het vuur. Hij kon net zo goed proberen een paar centen bij te verdienen terwijl hij op zoek was naar zijn vrouw... het kreng dat officieel zijn echtgenote was. Vandaag concentreerde hij zich op de 'zakelijke' sites van de lijst. Zijn bankrekening begon leeg te raken. De laatste tijd was SpiritTown.com een van zijn vruchtbaarste en winstgevende internetbestemmingen geweest. Een site voor fans van de band Spirit.

De band kon in muzikaal opzicht redelijk mee en was ook nu nog populair genoeg om twintig jaar na het verschijnen van hun eerste album nog steeds voor uitverkochte zalen en soms zelfs stadions te spelen. Je kon altijd op ze rekenen als je zo'n sentimentele jaren-zeventig-reünie organiseerde of geld voor een goed doel probeerde in te zamelen. Red het Regenwoud, Vrijheid voor Politieke Gevangenen, Vrouwenrechten, Vrede, al dat linkse geitenwollensokken gezwijmel. Zijn vrouw was dol op Spirit geweest. En ze had in haar eentje de wereld willen verbeteren...

Secret Agent liep alle messageboards van SpiritTown langs. De leden vonden het leuk om zich namen aan te meten die sloegen op songtitels van Spirit. Heel typerend en het maakte het voor hem extra gemakkelijk om de tere zieltjes eruit te pikken. Uit die namen kon hij al opmaken dat ze hem het geld zouden geven waarom hij vroeg: PeaceBabe, OneThinDime, Wish23, Love_or_die, LonesomeDaughter... Zijn vrouw stuurde vroeger weleens berichten in onder de naam 'Aurora', maar hij had het gevoel dat ze van schuilnaam veranderd was nadat ze uit elkaar waren gegaan. Het was al een hele tijd geleden dat hij iets van Aurora had gezien...

Hij wierp een blik op de onderwerpen die op dat moment aan de orde waren. Ongeveer de helft ervan waren discussies over de muziek van Spirit, hun teksten, de optredens en de bootlegs. De rest ging over politiek en dingen waarin Spiritfans geïnteresseerd waren. Het was ronduit zielig. Hij zat hardop te grinniken terwijl hij zich opmaakte om te gaan tikken. Die lui smeekten gewoon om beetgenomen te worden – ze voelden mee met alles en iedereen. 'Borstkankeronderzoek', 'Honger in de wereld', 'Hoe kunnen we onderbedeelde kinderen helpen?'

Hij had zich een halfjaar geleden aangemeld als lid van de site en gedurende die zes maanden had hij zesduizend berichten ingezonden. Inmiddels stond hij bekend als een fanatieke Spiritfan (wat hij niet was), een verzamelaar van hun cd's (dat was niet zo), een naar links neigende democraat (daar klopte niets van) en een gescheiden vader met twee kinderen (gedeeltelijk waar). Zijn inlognaam, Secret Agent, kwam uit een van de grootste hits van Spirit, 'Spy on You': 'I look through your windows, I come through your door/I know why you're hiding, I know what it's for/You're afraid of the world, afraid of its pain/ I'm your Secret Agent, I'll make you brave again'...

Hij propte zijn tweede burrito naar binnen en maakte zich op om wat geld te verdienen. Hij klikte op het icoontje met 'Nieuw Onderwerp' en tikte het kopje 'Alles Kwijt door de Wervelstorm' in. Zijn naam, Secret Agent, verscheen. Daarna begon hij aan zijn boodschap in het daarvoor bestemde vakje: 'Hallo allemaal, hebben jullie de berichten gelezen over die zware storm, de eerste wervelstorm van dit jaar? Die heeft behoorlijk huisgehouden in Zuid-Florida. Mijn zus en haar gezin zijn alles kwijt. Echt alles. Het dak werd van hun huis geblazen. En Jake, mijn neefje, werd geraakt door rondvliegend glas... een regelrechte nachtmerrie.'

Daarna drukte hij op 'Verzenden'. 'Uw bericht is verzonden' verscheen op zijn scherm. Hij klikte op 'Terug' en wachtte tot er iemand zou reageren.

Secret Agent had nog steeds honger. Hij liep naar de keuken en gooide nog twee burrito's in de magnetron. Hij durfde te wedden dat hij zijn doel zou hebben bereikt als hij weer terug was achter zijn bureau. Het was etenstijd, de beste tijd voor de grootste sukkels – die net thuis waren van hun werk, vrijgezellen of getrouwde types die geen trek hadden in een gezellig babbeltje met hun liefhebbende man of vrouw – om achter de computer te kruipen en met hun vriendjes te gaan spelen.

De ping van de magnetron klonk en hij bleef aan het aanrecht staan eten. Op die manier kon hij naar de deur van zijn koelkast blijven kijken, waarvan iedere vierkante centimeter bedekt was met foto's van zijn vrouw en Ellie. Foto's van ieder apart, kiekjes waar ze samen op stonden en zelfs een paar waar hij ook op te zien was, een zeldzaamheid omdat hij er niet van hield om gefotografeerd te worden. Hij veegde het vet van de burrito van zijn mond en boog zich voorover om zijn vrouw te kussen. Haar nabijheid maakte hem gek en hij voelde hoe het bloed hem naar het hoofd steeg. Waar haalde ze het lef vandaan om bij hem weg te gaan... Hoe durfde ze! Hij spoelde zijn bord af en pakte nog een flesje frisdrank terwijl hij weer iets kalmer werd. In ieder geval hoefde hij zich nu niet meer druk te maken over het wissen van de cookies, de tijdelijke internet-bestanden die in de computer worden opgeslagen. Zijn nieuwsgie-rige vrouw had een manier gevonden om hem in de gaten te houden. Ze zocht gewoon de cookies op en snuffelde daarin rond om te zien wat hij online had uitgespookt bij wijze van amusement en voor zijn werk... Toen hij uiteindelijk terugkwam bij zijn computer had hij precies wat hij nodig had: vijf snelle reacties op zijn bericht onder het kopje 'Alles Kwijt door de Wervelstorm'. Secret Agent liep ze snel door om ze te lezen.

'Wat lullig, Secret!'

'Hé joh, komt het wel weer in orde met je neefje?'

'Is het hele dak er afgewaaid? Letterlijk?'

'Waar moet dat gezin nu wonen? Ik heb berichten gelezen over die wervelstorm, het is echt een pure ramp. Er zijn massa's mensen ge-evacueerd en de thuisblijvers kunnen geen kant meer op. Is je neefje ernstig gewond?'

En vervolgens... het goudmijntje:

'Hoor eens, Secret Agent... je hebt vrienden genoeg. Laten we hier op het board maar een rekening openen. Ik weet zeker dat iedereen graag zal willen helpen. Ik weet dat je een PayRight-account hebt, want je hebt me vorige maand nog geld gestuurd voor die laarzen. Als wij nu gewoon onze bijdragen naar jou sturen, dan kun jij het geld weer aan je zus geven.'

Secret Agent kon een grijns niet onderdrukken. Wat was het toch een stel schatten. Zijn vrouw had echt een neusje voor bands en mes-sageboards. Ze zou echt trots zijn op haar online-vrienden, als ze wist dat ze zich niet lieten kennen. En trouwens, ze zou vast ook heel trots zijn op haar man in de wetenschap dat hij zich het lot aantrok van de slachtoffers van de wervelstorm.

'Bedankt, man,' tikte hij. 'Mijn zus zou het geweldig vinden. Jullie zijn allemaal fantastisch... Wacht nog maar even af, tot ik contact met haar heb opgenomen. (Ze heeft vast geen zin in liefdadigheid.)

Maar ik probeer haar wel over te halen, want ze zal moeten denken aan de kosten die voor mijn neefje gemaakt moeten worden...'

Terwijl hij zat te tikken, stroomden er nog meer reacties binnen.

'Een zus van Secret Agent is een zus van ons!'

'Jouw zus heeft echt een geweldige broer, hoor. Ik wil me graag als eerste melden door honderd dollar te storten. Ik wou dat ik meer kon missen...'

Ik ook, dacht Secret Agent. Hij liep de namen langs van iedereen die zich op het messageboard meldde. Op zoek naar Aurora... Waar zit je? Waar ben je naartoe gegaan? Dacht je nou echt dat je voorgoed kunt verdwijnen?

Dat zou pas een échte goudmijn zijn: om te ontdekken waar zijn rechtmatig bezit uithing en het weer naar huis te halen.

Het was vrijdagavond en Liam zat over te werken. Hij wist dat hij meestal te lang op zijn kantoor zat. Op dit moment, vlak voor negen uur 's avonds, was het nog steeds licht, want het was zomer in deze noordelijke streken. Zijn verstand zei dat hij door moest werken, maar zijn lichaam hield er andere ideeën op na. Hij had honger, hij was moe en hij voelde een bekend verlangen waarvan hij eigenlijk had gedacht dat het allang dood was.

Hij had stapels gegevens die hij nog moest controleren, want er waren de afgelopen weken een heleboel haaien in de omgeving gesignaleerd. Liam logde in bij 'Predator Report', een website die oorspronkelijk bedoeld was om haaien die vlak voor de kust werden gezien én aanvallen door haaien te registreren. Gewoonlijk werd er alleen melding gemaakt van zeehonden, scholen blauwe baars en haring en een incidentele dolfijn of walvis. Maar gisteren had een man die even ten oosten van Halifax op de branding aan het surfen was, gemeld dat zijn plank was aangevallen door een grote witte haai.

Liam las het bericht door. Natuurlijk was de plank geel geweest. Haaienkenners noemden gele surfplanken 'hapklare brokjes'. Haaien konden die van onderen zien en door de vorm en de lichte kleur werden ze op een dwaalspoor gebracht en dachten dat het een zeehond was, hun lievelingshapje. De bloedende bijtwond had een diameter van vijfendertig centimeter, zodat Liam concludeerde dat het een jonge witte haai moest zijn geweest. Hij concentreerde zich op het verslag van de aanval.

'Ik had niets in de gaten tot de haai aanviel. Hij kwam met een noodgang naar boven en raakte mijn plank met zo'n klap dat ik gelanceerd werd. In de lucht keek ik naar beneden en zag een haai die boven water mijn plank in zijn bek had. Ik landde op zijn rug, precies boven op de rugvin die minstens vijfenveertig centimeter hoog was. Ik rolde van hem af en hij draaide zich om en knalde tegen me aan, precies in mijn oksel. Het was zo'n dreun dat mijn pak scheurde en ik dacht dat alles voorbij was... Maar toen dook de haai gewoon naar beneden en verdween in de golven.'

De woorden maakten een enorme indruk op hem. Liam had het gevoel dat hij erbij was en zag hoe de haai opdook, met die enorme rugvin boven water. Hij sloot zijn ogen en dacht terug aan de eerste en ergste keer dat hij die met zijn eigen ogen had gezien. De vin leek op het zwarte zeil van een duivelsboot. Met zijn ogen dicht zag hij in gedachten weer hoe het water rood werd... Toen hij zijn ogen weer opendeed, richtte hij zijn blik op de haven van Cape Hawk en zag dat de duisternis eindelijk neerdaalde op het water, waardoor de kleur van het bloed verdween.

Liam maakte aantekeningen en schreef de naam en het adres van de man op. Hij keek even op de klok, want als hij hem nu zou bellen kon hij zijn rapport meteen afmaken. Maar het was tien over negen op een vrijdagavond en hij besloot om het niet te doen. Niet alleen uit beleefdheid, maar ook omdat hij er genoeg van had om de gek te zijn die altijd maar aan het werk was. Iemand die niet alleen volledig in beslag werd genomen door haaien en aanvallen van haaien, maar ook door mensen die dat soort aanvallen overleefd hadden en de mensen die niet zoveel geluk hadden gehad.

Hij zette zijn computer uit, stond op en rekte zich. Daarna deed hij het licht uit, draaide de deur op slot en liep van zijn kantoor naar de grote entreehal van die oude Tecumseh Neill. De oorspronkelijke kroonluchter straalde een zacht en vriendelijk licht uit, dat op de wanddecoraties viel. De meeste daarvan waren door Lily gemaakt, maar er waren ook een paar tekeningen van Rose bij. Liam bleef even onder de lamp staan en staarde naar de borduurwerken. Hij had het gevoel dat deze ontvangsthal de vriendelijkste plek ter wereld was. *Zoals het klokje thuis tikt, tikt het nergens,* las hij op een van Lily's merklappen. Het was toch wel raar om van je werk naar huis te gaan en ondertussen in je hart het gevoel te hebben dat deze hal – die met uitzondering van de wanddecoraties verder helemaal leeg was – eigenlijk je thuis was.

Toen hij in de schemering naar buiten stapte, liep hij naar zijn auto. Vanuit het hotel van zijn familie dreven flarden muziek naar hem toe, betoverend en romantisch. Hij aarzelde, maar hij werd aangelokt door de band die stond te spelen. De keuken zou binnen niet al te lange tijd gesloten worden, maar hij wist dat hij toch wel iets te eten zou krijgen. Bovendien kon hij dan nog even bij zijn neef langsgaan om zich ervan te vergewissen dat alles geregeld was voor Roses verjaardagsfeestje van morgen...

Hij stak de rustige straat over in de richting van de muziek en liep vervolgens de stenen trap op naar het pad dat over het grote, glooiende gazon kronkelde. Witte Adirondack-stoelen waren twee aan twee op het gras gezet met het gezicht op de haven, zodat de mensen die erin zaten van de zonsondergang en het laatste daglicht konden genieten, en konden zien hoe de sterren aan de hemel verschenen. Een uil scheerde langs de lucht rechtstreeks naar het dennenbos dat achter het hotel oprees en Lily's boven het stadje gelegen huis beschutting bood.

Het hotel leek aardig vol te zitten voor een weekend zo vroeg in het seizoen. Op een aanplakbiljet werd Boru aangekondigd, een Keltische band afkomstig van Prince Edward Island. Hij bleef op de drempel staan en luisterde naar de gitaar, de viool en de doedelzak. Zijn bejaarde tante, Camilla, liep statig voorbij, op weg naar het diner. Hij week iets achteruit, omdat hij geen zin had om door de grande dame van de familie aan een kruisverhoor te worden onderworpen.

'Wat kom jij nou doen? Ik kan me niet eens herinneren wanneer ik je hier voor het laatst op een vrijdagavond heb gezien...'

Liam draaide zich met een ruk om en zag de vrouw van Jude, Anne, vlak voor zijn neus staan. Terwijl Jude binnen het familiebedrijf de leiding had over de boten en de walvistochten, beheerde Anne het hotel. Ze kon net zo goed met mensen als met cijfers omgaan en ze zorgde ervoor dat het bedrijf winst bleef maken. Liam wist dat hun ouders en grootouders trots op haar zouden zijn. Zelfs

Camille had met tegenzin haar kwaliteiten moeten erkennen. Camille was nooit meer de oude geworden na de dood van haar man, tijdens een zakenbezoek aan een scheepsbouwer in Ierland.

'Wat een goeie band, Anne,' zei hij.

'Ik heb iedereen tussen hier en Quebec laten opdraven voor een auditie,' zei ze. 'Er lopen ontzettend veel goeie muzikanten rond, maar deze kerels hadden iets speciaals... Als ik ze hoor spelen, krijg ik gewoon zin om verliefd te worden.'

Liam lachte. 'Terwijl jij en Jude binnenkort... hoe lang is het ook alweer... twintig jaar getrouwd zijn?'

'En wat is er mis met verliefd worden op mijn eigen man?' vroeg ze. Daarna stootte ze hem even aan en zei: 'Ik heb begrepen dat het jouw schuld is dat hij morgen moet werken... Dit wordt de eerste keer dat hij sinds ik weet niet hoeveel jaar op zaterdag weer aan het roer staat!'

'Nou ja, ik vond gewoon dat er echt een ervaren persoon...'

'Het bevel moest voeren over dat verjaardagstochtje?' zei Anne plagend. 'Verwacht je dan dat die negenjarige meisjes gaan muiten? Of hun moeders?'

Liam zag in gedachten Rose weer op het plein zitten, met haar hoofd tussen haar knieën en snakkend naar adem. Zijn hart kromp ineen toen hij zich haar koude handje in de zijne herinnerde en de smekende blik in haar ogen. 'Het is heel goed voor hem om een keertje op zaterdag op te draven,' plaagde Liam terug. 'Anders gaat hij nog naast zijn schoenen lopen.'

'Nou, hij zorgt maar dat de jarige meer dan genoeg walvissen te zien krijgt,' zei Anne. 'Anders roep ik hem wel tot de orde.'

'Jij?'

Anne knikte. 'Ik ben ook aan boord. Ik ben lid van de Nanoukmeiden.'

'Is dat niet die club van Lily?'

'Ach, we zijn gewoon een stel vriendinnen. We hebben elkaar via Lily leren kennen en zijn een naaikransje begonnen. Maar we gaan allemaal mee om Roses verjaardag te vieren.' Meteen nadat ze dat had gezegd werd Annes gezicht somber. 'We zijn allemaal bang dat het weleens de...'

'Ach welnee, Anne, geen denken aan,' zei Liam. Haar onuitgesproken woorden weergalmden in zijn oren: *Dat het weleens de laatste zou kunnen zijn.* Ondanks het optimisme van haar artsen vonden gewone mensen Roses toestand maar eng.

'Lily is de laatste tijd zo zenuwachtig in de weer geweest,' zei Anne. 'Ze moest het feestje organiseren, een verjaardagscadeautje voor Rose maken en ervoor zorgen dat Rose klaar zou zijn voor de operatie. Ik ben echt blij dat jij eraan hebt gedacht om Jude te vragen als schipper op te treden. Eerlijk, als het Lily niet was geweest zou ik die charter nooit geaccepteerd hebben. En dan is de kwestie van aansprakelijkheid nog niet eens het belangrijkste. Gewoon omdat... Nou ja, jij hebt toch gestudeerd, Liam. Je bent weliswaar geen dokter, ik bedoel geen arts, maar je bent bioloog. Dus jij zou het moeten weten... Hoeveel kans heeft Rose om in leven te blijven? En dan heb ik het niet alleen over die operatie, maar ook over haar levenskansen... haalt ze de puberteit, zal ze de kans krijgen om op te groeien?'

'Ik ben geen arts zoals je zelf al zei,' merkte hij op met het gevoel alsof hij een stomp in zijn maag had gekregen, 'maar Lily houdt vol dat alles in orde komt met Rose en ik geloof haar.'

'Ik weet dat het heel ernstig is,' zei Anne. 'Lily probeert zoveel mogelijk de nadruk op de positieve aspecten te leggen. Ze is er echt helemaal in geslaagd om een normaal kind van Rose te maken. Maar alleen al de naam van haar aandoening...'

'Tetralogie van Fallot,' zei Liam.

'Dat jaagt me de stuipen op het lijf. Het klinkt als een monster.'

'In zekere zin is dat ook zo,' zei hij. 'Rose heeft een aangeboren hartkwaal die uit vier aandoeningen bestaat. Vandaar tetralogie. Tetra is Grieks voor vier.'

'God,' zei Anne huiverend, 'Lily doet altijd alsof het de gewoonste zaak ter wereld is. Ze praat zo openlijk over Rose, dat het lijkt alsof de ziekte van Rose alleen maar iets is waarmee ze moet leren leven. Ze wil dat Rose net zoveel plezier heeft als andere negenjarigen en dezelfde dingen kan doen.'

'En terecht.'

'Ik maak me echt zorgen over haar, Liam. Wat zou er gebeuren als... nou ja, als er iets met Rose gebeurt. Ik moet altijd denken aan jouw moeder, nadat Connor...'

'Dit is iets heel anders,' zei Liam scherp.

'Nee, niet waar. En zij had tenminste je vader nog, en jou, terwijl Lily helemaal niemand heeft.'

Liam bleef doodstil staan en luisterde naar de band. Zijn arm begon te jeuken, niet zijn rechter, zijn goede arm, maar de linker, de arm die er niet meer was. Hij voelde het prikkelen van de huid alsof de arm sliep omdat hij er te lang op had gelegen en er nu weer gevoel in begon te krijgen. De band begon aan een zoete wals en er stonden mensen van de tafeltjes op om te gaan dansen.

'Lily,' begon Anne weer, maar Liam snoerde haar de mond. Hij keek zijn aangetrouwde nichtje met een kille blik aan.

'Lily zal niet hoeven mee te maken wat mijn moeder is overkomen,' zei hij. 'Ik heb Connor dood laten gaan, maar dat zal me met Rose niet gebeuren.'

'Liam! Dat was heel iets anders! Je had Connor nooit kunnen redden... Dat kon niemand. Die haai was een regelrecht monster en jij was nog maar een jochie, nauwelijks ouder dan je broertje.'

'Haaien zijn geen monsters,' zei Liam. 'Het zijn gewoon vissen. Mijn broer had daar niet in het water mogen gaan. En dat gold voor ons allemaal... Hoor eens, ik moet ervandoor. Ik hoop dat het morgen een gezellig tochtje wordt. En je let goed op Rose, hè?'

'We zullen allemaal goed op haar letten,' zei Anne met een bezorgde blik in haar blauwe ogen.

Liam draaide zich om en liep het hotel uit. Terwijl hij door de receptie beende – vol weekendgasten die van de omgeving kwamen genieten, van de rust en van de band – merkte hij instinctief dat de mensen hem meden. Hij was lang en donker en hij wist dat de boosheid van hem afstraalde. Mensen zagen altijd meteen dat hij een prothese had. Hij was anders. Een buitenbeentje.

'Haak' hadden sommige leeftijdsgenoten hem op de middelbare school genoemd. 'Het litteken', hadden anderen gefluisterd, omdat hij bij gymles geen t-shirt had gedragen en ze die rafelige ritsen hadden gezien. Destijds was er nog geen plastische chirurgie aan te pas gekomen en de vijfendertig centimeter brede bijtwond – het was een jonge, witte haai geweest, precies als het dier dat die surfer ten oosten van Halifax had aangevallen – zag eruit als een krater in zijn vlees. De beet was zo diep geweest dat de zaagtanden zelfs drie van zijn ribben hadden geraakt.

Maar toen hij de receptie van hotel Cape Hawk uit liep, realiseerde hij zich vreemd genoeg dat hij zich weliswaar nog steeds een buitenbeentje voelde, maar niet meer vanwege dezelfde reden. Het ging niet meer in de eerste plaats om zijn arm of zijn littekens. Die hoorden helemaal bij hem. Nee, hij voelde zich een buitenbeentje omdat hij zo alleen was. Omringd door zijn hele familie zag hij niets anders dan echtparen en gezinnen die hier in Cape Hawk het weekend door kwamen brengen. Gezellig samen...

Toen Anne zei dat Lily helemaal niemand had, voelde Liam een steek in zijn hart. Want precies hetzelfde gold voor hem.

En iets ergers was er niet.

6

Het was een stralende dag, mooi helder weer dat perfect was voor het tochtje. Rose werd wakker toen de zon opkwam. Ze lag in haar bed te kijken hoe de oranje stralen tussen de dennen verschenen en alle vogels wakker maakten, zodat de lucht ineens vervuld was van gekwinkeleer. Ze lag stil te luisteren en vroeg zich af of Nanny de vogels ook kon horen en wist dat ze 'Lang zal ze leven' voor Rose zongen. Zou Nanny ook op haar feestje komen? Dat was voor Rose eigenlijk het allerbelangrijkste. Behalve dan de wens dat dr. Neill mee zou mogen op hun tochtje...

Terwijl Rose rechtop ging zitten, kreeg ze kramp in haar borst. Zo erg dat ze naar adem snakte. Ze ging weer een paar minuutjes liggen, op haar zij met opgetrokken knieën en stijf dichtgeknepen ogen. Buiten werd het vogelgezang steeds luider, alsof er met de minuut meer bij kwamen. Ze trokken na de lange winter weer allemaal naar het noorden. Rose stelde zich in gedachten voor hoe klein ze zouden zijn en hoe snel hun hartjes zouden kloppen.

Dr. Neill had haar een keer verteld dat dennensijsjes in de winter helemaal naar Zuid-Amerika trokken, vogels die niet groter waren dan een dennenappel! En hij had ook gezegd dat dolfijnen en walvissen 's zomers naar de Caribische Zee trokken. Als zij dat konden – zo'n eind vliegen en zwemmen – dan kon Rose dat ook. Ze moest er alleen maar voor zorgen dat ze gezond genoeg bleef om geopereerd te worden. Nog één operatie, dan zou alles in orde zijn.

Soms ging ze zich vanzelf beter voelen als ze lag na te denken en droomde over vogels, over Nanny, of over haar verjaardag. Haar boezemvriendin Jessica... Ze dacht aan Jess die bij wijze van grap had gezegd dat ze bijna gelijk jarig waren. Maar waarom had ze dan het gevoel dat het helemaal geen grap was geweest? Rose vond dat ze geklonken had alsof ze de waarheid had gesproken en als dat zo was, dan zou dat toch fantastisch zijn? Heel langzaam ging ze weer rechtop zitten en zwaaide haar benen over de rand van het bed. Ze keek neer op de handen waarmee ze zich aan het matras vasthield. Aan haar aandoening had ze dikke vingertoppen overgehouden, ook weer iets dat haar een buitenbeentje maakte. Maar vandaag zat ze daar niet over in, want vandaag was ze jarig, dacht ze terwijl ze uit bed stapte. De aanval was voorbij. Toen ze op blote voeten door de gang liep, kon ze het vers geperste sinaasappelsap ruiken.

'Goeiemorgen, lieverd,' zei haar moeder. 'Hartelijk gefeliciteerd...'

'Dank je wel. Nu ben ik negen,' zei Rose lachend.

Haar moeder lachte terug. Ze probeerde niet te laten merken dat ze Rose onderzoekend opnam en Rose deed haar best om zo gezond mogelijk te lijken. Ze wist dat ze eigenlijk aan haar moeder moest vertellen dat ze net een blauwe spell had gehad, maar ze wist ook dat haar moeder dan waarschijnlijk het hele verjaardagstochtje niet door zou laten gaan.

Maar ze doorstond de onderzoekende blik, dronk een glaasje sinaasappelsap, at haar cornflakes op en nam de vitamines en de antibiotica in die ervoor moesten zorgen dat ze voor de operatie geen infecties meer opliep, waardoor alles uitgesteld zou moeten worden. Haar moeder had de cd-speler aangezet met een liedje waar Rose dol op was: 'Aurora' van Spirit. Ze kreeg altijd zo'n blij gevoel als ze dat hoorde en ze wist dat haar moeder het had opgezet omdat zij er zoveel van hield.

'Zullen we hiermee wachten tot we op de boot zijn?' vroeg haar moeder met een paar ingepakte cadeautjes in haar handen.

Rose wreef in haar handen en wipte op en neer op haar stoel. Haar moeder begon nog breder te lachen, alsof ze het leuk vond dat Rose zo opgewonden was. 'Moet dat?' vroeg Rose.

Haar moeder schudde haar hoofd. 'Helemaal niet, lieverd. Het is jouw verjaardag, je mag ze best meteen openmaken.'

En dat deed Rose dan ook. Haar moeder had alles in verschillende soorten cadeaupapier ingepakt, vol roze rozen en blauwe linten en een vlucht vogels in de vorm van een hart. Rose trok de lintjes open en pakte haar presentjes uit: vier boeken, een telescoop, een dagboek dat echt op slot kon en het nieuwe, geborduurde schilderijtje.

'O, mama,' zei ze, terwijl ze het linnen gladstreek. Het borduurwerk was nog niet ingelijst en Rose hield het vierkante schilderijtje in haar handen. Het fijne maaswerk langs de randen en de kleine borduursteekjes die een afbeelding vormden die rechtstreeks uit haar moeders hart kwam, de nieuwste in het levensverhaal van Rose dat in haar kamer aan de muur zou worden gehangen. 'Het is echt prachtig.'

'Vind je het leuk?' vroeg haar moeder terwijl ze zich naar haar toe boog en haar arm om Roses schouders legde.

'Ik vind het prachtig,' zei Rose terwijl ze keek naar de afbeelding van Cape Hawk: de grote, brede baai omzoomd door de hoge rotsen en de dennenbomen, het chique witte hotel... en op de voorgrond twee meisjes – onmiskenbaar Rose en Jessica – die op de rug van een witte walvis zaten. 'Dat ben ik met mijn beste vriendin,' zei Rose.

'Iedereen heeft behoefte aan een boezemvriendin, lieverd,' zei haar moeder.

'Komt ze vandaag ook?'

'Jessica? Haar moeder heeft gezegd dat ze zou komen. Laten we ons nu maar klaar gaan maken. De boot vertrekt om klokslag negen uur en dan moet het feestvarken ook aan boord zijn.'

Rose knikte. Terwijl haar moeder even snel afwaste, liep zij terug door de gang naar haar kamer om haar feestkleren aan te trekken. Ze legde het borduurwerk op haar bed en keek neer op de glimlachende gezichtjes... Rose met haar twee beste vriendinnen, een oude en een nieuwe. Ze bleef bij het raam staan, deed haar ogen dicht en wenste iets uit het diepst van haar hart...

Op haar verjaardag had ze vaak dingen gewenst, meestal in het geheim. De afgelopen jaren had ze gewenst dat haar vader als bij toverslag in haar leven zou opduiken, dat hij van haar zou houden, dat hij bij haar wilde zijn en weer deel ging uitmaken van hun gezin. Ze had gewenst dat ze ineens een oma zou hebben om haar in de tuin te helpen en alle planten te laten groeien. Ze had een gezond hart gewenst... niet alleen omdat ze dan kon spelen en rennen, maar ook omdat haar moeder dan niet zo bang meer hoefde te zijn en zich geen zorgen meer zou maken dat ze haar kwijtraakte.

Maar dit jaar had Rose maar twee dingen op haar hart. Het waren maar kleine wensen, eigenlijk heel bescheiden als je ze vergeleek met alles wat ze in de loop der jaren had gewenst. Twee kleine, geheime wensen...

Om halfnegen reden Marisa en Jessica langs het bordje met FAMILIE NEILL WALVISTOCHTEN de met grind bestrooide parkeerplaats op. Marisa kon het nog steeds niet laten om voortdurend in haar achteruitkijkspiegel te controleren of ze soms gevolgd werden. Ze had deze plaats uitgekozen omdat die zo afgelegen was. De kans dat Ted – als hij tenminste naar hen op zoek was – hen toevallig tegen het lijf zou lopen was uiterst klein. En tegelijkertijd had ze ook een geheime reden gehad om hiernaartoe te komen. Als hij daar ooit achter kwam, zou hij geschokt zijn.

De overgrootvader van haar man was een Canadese walvisvaarder geweest. En in een van zijn oude fotoalbums had een foto gezeten van zijn schip, dat hier aan deze kade had gelegen, in de winter met de besneeuwde kliffen van het ford die majestueus oprezen achter de met ijzel bedekte sparren. Marisa herinnerde zich hoe ze naar die foto had zitten staren met het idee dat het eruitzag als een haven aan het eind van de wereld. Mooi, streng en mysterieus.

Nu reed ze achteruit een parkeerhaven in, zodat ze kon zien wie er aankwam. Ze voelde zich niet prettig als er mensen achter haar konden opduiken.

Ze was weggelopen bij een man die zó wreed was dat hij het jonge hondje van haar dochter had vermoord, alleen maar omdat het diertje 's nachts had geblaft. Marisa had haar kind uit haar vertrouwde omgeving weg moeten halen, hun huis moeten achterlaten en nieuwe verjaardagen moeten verzinnen om hem op een dwaalspoor te brengen. Ze had geleerd om altijd op haar tellen te passen.

Ze maakte haar tas open en pakte er een klein doosje uit.

'Lieverd, ik weet dat we hebben gezegd dat we ons volkomen aan ons nieuwe verhaal en onze nieuwe levens zouden houden, maar nu kon ik me toch niet inhouden. Hartelijk gefeliciteerd.'

'Mammie!' zei Jessica. 'Is dat voor mij? Mag ik het openmaken?'

'Ja. Je echte verjaardag is over een paar dagen, dus ik vond het verjaardagsfeestje van Rose een mooie gelegenheid om die samen stiekem te vieren.'

Jessica trok het lint open, scheurde het papier van het pakje en deed het fluwelen doosje open. De blik in haar ogen maakte alle problemen die ze achter de rug hadden de moeite waard: totale gelukzaligheid.

'Oma's ring!'

'Dat klopt, lieverd. Haar verpleegstersring...'

'En die heeft ze gedragen als verpleegster bij de marine en ook toen ze op de kinderafdeling en als particulier verpleegster werkte, hè?'

'Ja. Ik heb je alles over haar verteld. Ze vond het heerlijk om mensen te helpen en dat heeft mij geïnspireerd om ook verpleegkundige te worden. Misschien zal het jou ook inspireren.'

'Zodat ik Rose kan helpen?'

Marisa knikte. Ze was gisteravond laat opgebleven om zoveel mogelijk te lezen over de zorg voor jonge hartpatiëntjes. Ze wist niet precies waar Rose aan leed, maar uit de symptomen die ze had vertoond en het feit dat ze binnenkort geopereerd zou worden kon ze opmaken dat het een ernstige aandoening was. Misschien zou de ring van Marisa's moeder Jessica het gevoel geven dat ze niet helemaal hulpeloos was met betrekking tot de ernstige ziekte van haar vriendin.

'Mammie, denk je dat we op die boot zeeziek zullen worden?'

'Nee. Daarom heb ik deze armband voor je gekocht,' zei Marisa terwijl ze het elastische bandje om Jessica's smalle pols schoof. 'Dat blokje moet op je slagader zitten, dat voorkomt dat je last krijgt van bewegingsziekte.'

'En jij dan? Heb jij er ook een?'

Marisa gaf geen antwoord, maar concentreerde zich op het armbandje dat op de juiste manier om moest.

'Je gaat toch wel mee, mam?'

'Ik heb thuis nog van alles te doen, schat.'

'Wat dan? Slapen?' De woorden waren eruit geflapt voordat Jessica ze kon inslikken. Marisa kon aan haar ogen zien dat ze er spijt van had.

'Dat is helemaal niet aardig van je,' zei Marisa, maar Jess had wel gelijk. Sinds ze in Cape Hawk waren aangekomen had Marisa vrijwel constant in bed gelegen. Dat kwam ervan als je een depressie had, dan had je geen kracht meer over, al je hoop was vervlogen en je wilde niets liever dan je in het donker verstoppen. En als ze nadacht over de oorzaak van haar depressie – dezelfde redenen die haar ertoe hadden gebracht om samen met Jess hun vertrouwde omgeving de rug toe te keren en honderden kilometers verderop te gaan wonen

– nou ja, dan werd ze zo moe en dan voelde ze zich zo hulpeloos dat slapen nog aantrekkelijker werd.

'Als jij niet meegaat, ga ik ook niet,' zei Jess.

'Dat slaat nergens op, Jess. Rose is je beste vriendin en ze wil graag dat jij op haar verjaardagsfeestje komt. Je hebt een leuk cadeautje voor haar en je hebt een prachtige kaart gemaakt. Haar moeder heeft haar eigen vriendinnen uitgenodigd en daar ken ik niemand van... En trouwens, ik moet echt opruimen. Je weet best dat ik dat een beetje heb laten versloffen...'

Op hetzelfde moment kwam een andere auto toeterend het parkeerterrein op rijden. Het waren Lily en Rose, allebei breed lachend en wuivend. Rose zat duidelijk uitgelaten op haar stoel te wippen. Marisa's hart sloeg over en ze voelde dat ze glimlachte... een echte lach, van binnenuit. Maar tegelijkertijd sprongen de tranen in haar ogen. Ze kon zich niet meer herinneren dat iemand anders dan Jess zo blij was geweest om haar te zien.

Lily en Rose stapten uit hun auto en kwamen naar hen toe. Marisa draaide haar raampje omlaag.

'Jullie hoeven niet in de auto te wachten, hoor,' zei Rose. 'We kunnen meteen de boot op!' Ze grinnikte door het open raampje naar Jess, die haar moeder aankeek.

'Alsjeblieft?' fluisterde Jess.

'U komt toch ook?' vroeg Rose terwijl ze Marisa aankeek.

'O, je moet echt meegaan,' zei Lily. 'We hebben voor iedereen een surprise gemaakt, ook een voor jou!'

'Mam?' zei Jessica vragend.

Marisa voelde de glimlach – niet die op haar gezicht, maar de lach vanbinnen – breder worden. Lily's stralende, heldere ogen keken haar strak aan. Marisa had het rare idee dat Lily precies begreep waarom ze zo zat te aarzelen. Heel even vroeg ze zich af of Lily soms gedachten kon lezen en nu wist wat er aan de hand was. Ze had al zo'n tijd het gevoel gehad dat iedereen dwars door haar heen kon kijken.

'Ik kan het niet,' hoorde Marisa haar eigen stem zeggen en plotseling stroomden de tranen over haar gezicht alsof iemand een kraan had opengezet.

Lily stak haar hand door het open raampje en legde die op Marisa's hand. Marisa kreeg een tintelend gevoel en de blik in Lily's ogen was scherp en begripvol. Op hetzelfde moment stapte Jessica uit de auto en liep samen met Rose weg om de etalages van de souvenirwinkels te bekijken.

'Het blijft raden,' zei Lily, 'maar ik denk toch dat ik weet wat er aan de hand is.'

'Daar praat ik nooit met iemand over,' zei Marisa.

'We moeten maar eens met elkaar babbelen,' zei Lily. 'Een ander keertje, want nu is het feest. Binnenkort. Ga nou maar gewoon mee op dat boottochtje. Er zijn alleen vrouwen aan boord. Doe het dan voor Jessica. Het is goed voor haar om te zien dat je sterk bent en dat je je kunt amuseren.'

'Ik heb gewoon geen zin om mensen te ontmoeten...'

Lily glimlachte. 'Ben je daarom naar dit stadje aan het eind van de wereld gekomen?'

'Hoe weet je dat?'

'Dat zal ik je een andere keer wel vertellen. Maar ik moet de boot op, want nu is Rose aan de beurt. Ga je met ons mee?'

Marisa had klamme handen, maar ze voelde dat ze knikte. Raar hoor, want in al die jaren als verpleegkundige had ze meer dan genoeg over afwezigheid geleerd, dus ze wist dat getraumatiseerde mensen soms automatisch verder leefden zonder dat ze precies wisten wat ze deden. Terwijl ze haar tas, Jessica's cadeautje voor Rose en haar autosleutels oppakte, wist ze dat ze al die tijd dat ze in Cape Hawk waren eigenlijk alleen maar had geslaapwandeld.

Maar toen ze de auto op slot had gedaan en voelde dat Lily haar hand pakte en er even in kneep, begreep ze dat ze langzaam maar zeker wakker begon te worden. Ze wist eigenlijk niet of ze dat wel wilde, maar Lily's glimlach was zo stralend en gemeend, dat ze het idee kreeg dat ze het maar moest proberen.

Zo liepen de twee moeders en hun beide dochters via de loopplank de *Tecumseh II* op en begonnen de voorbereidselen te treffen voor een verjaardagsfeest.

Om klokslag kwart voor negen zat Liam in zijn kantoor en keek toe hoe Jude de verjaardagsgasten aan boord van de *Tecumseh II* controleerde. Het parkeerterrein langs de kade stond zo langzamerhand vol met auto's en de meisjes en hun moeders die de loopplank op kwamen, hadden pakjes en verrekijkers bij zich en waren warm ingepakt in jassen en vesten. Lily en Rose waren er ook bij, ze waren aan boord gegaan in het gezelschap van een andere vrouw en Jessica, het meisje dat hem had opgehaald toen Rose hulp nodig had gehad.

Anne Neill kwam vanaf het hotel over de lange glooiende groene helling aan rennen en gaf Jude een kus terwijl ze op het dek stapte. Liams maag kromp samen. Omdat hij aan het verjaardagsfeestje zat te denken? Omdat Rose er zo blij uitzag? In gedachten zag hij haar weer voor zich zoals ze er gisteren had uitgezien, in elkaar gedoken bij het standbeeld en haar grote groene ogen vol angst en uitputting. Hij probeerde zijn blik af te wenden van de walvisboot, maar dat wilde niet lukken. Daar stond Anne met Jude te praten en het was net alsof ze hem probeerde te vleien, met een arm om zijn middel. Ondanks alles schoot Liam bijna in de lach. Zijn neef had zich aangewend om elk weekend vrij te nemen, wat er ook gebeurde, en nu deed Anne haar best om het feit te verzachten dat hij toch op zaterdag moest werken. Liam kon zien hoeveel genegenheid ze voor elkaar koesterden en om de een of andere reden kromp zijn maag opnieuw samen.

Liam was die ochtend tot dusver bezig geweest met het volgen van haaien, walvissen en dolfijnen via zendertjes die aan de dieren waren vastgemaakt tijdens speciale vangexcursies of in het kader van langlopende controleprojecten. Hij moest nog een heleboel gegevens noteren, maar nu het bijna negen uur was, laadde hij het programma van zijn desktopcomputer in zijn laptop. Dat werk kon hij later ook thuis doen. Hij greep zijn trui en zijn weekendtas en trok de deur achter zich dicht.

De bemanning gooide de trossen los, Jude liet vanuit de stuurhut de scheepshoorn loeien en de *Tecumseh II* voer weg van de kade om aan de walvistocht te beginnen. Het hele gezelschap had zich op het bovendek verzameld, met het gezicht naar de zee. Iedereen, behalve Rose. Liam zag haar op het achterdek staan en ze glimlachte... Naar hem.

Liam zwaaide haar vrolijk toe en liep de pier op, langs de paar vissersboten die niet bij het wisselen van het ochtendgetij waren uitgevaren. Gerard stond op het dek en wierp Liam een boze blik toe toen hij langs liep. Ze negeerden elkaar, want de strijdbijl was opgegraven op het moment dat Liam tussen het afval onder in de boot van Gerard die afgehakte rugvin van een dolfijn had gezien.

Liam stapte in zijn platbodem Zodiac, startte de Yamaha 150 en voer achteruit de haven in. De *Tecumseh II* had een behoorlijke voorsprong genomen, maar Liam voer in het kielzog van de boot, een lichtgroene strook schuimbelletjes die een pad vormden door de rustige blauwe baai. Het had wel iets van kinderen in een sprookje die een spoor van broodkruimeltjes volgden. Maar eigenlijk zou hij hier nog met een blinddoek zijn weg kunnen vinden. Hij wist dat de walvisboot op weg ging naar het voedselgebied, de beste plek om walvissen te vinden.

Liam maakte zichzelf wijs dat hij op onderzoek ging. Hij had positieve signalen opgevangen van minstens zeven waterzoogdieren die op weg waren naar het noorden en allemaal vandaag op een gegeven moment in de wateren rond Cape Hawk zouden arriveren. Hij had niet alleen de gegevens van een walvishaai, maar ook die van een grote witte haai, om nog maar te zwijgen van de walvissen en de dolfijnen die al vanuit het zuiden waren aangekomen. Hij had zichzelf er bijna van overtuigd dat zijn tocht naar het voedselgebied helemaal niets – of in ieder geval heel weinig – te maken had met het feestje ter gelegenheid van de negende verjaardag van Rose Malone.

Het was een heldere, prachtige dag. Hij hield zichzelf voor dat hij de signalen van ZZ122 (zeezoogdier 122, een negentien jaar oude beloega) kon volgen om haar op te vangen terwijl ze terugkeerde naar het gebied waar ze haar jong ter wereld zou brengen. ZZ122 was een plaatselijke favoriet en de zomer begon pas echt als zij was gearriveerd. In tegenstelling tot de andere walvisachtige kwam ze vanuit het noorden, zij migreerde in de andere richting omdat ze dol was op winters met ijs, sneeuw en noorderlicht. De signalen van haar zender vertelden hem dat ze vandaag op het toneel zou verschijnen, maar of dat ook zou gebeuren gedurende het verjaardagstochtje van Rose wist hij niet zeker.

Maar áls ze kwam opdagen en áls hij haar op zijn laptop op zou pikken, kon hij Jude via de radio in de juiste richting sturen.

Hij schoot over het water achter de boot aan. In de verte zag hij zeven dunne straaltjes omhoogspuiten. Een schooltje vinvissen dat zich te goed deed aan krill en kleine visjes, afval dat werd meegevoerd door de stroming in de fjord en omhoog werd gestuwd door de golfslag aan de westkust van het schiereiland. Toen de *Tecumseh II* in de buurt van de walvissen kwam, ging er een gejuich op aan dek. Alle meisjes stonden te wijzen toen ze de vissen in het oog kregen en lachten van opwinding.

Liam haalde zijn laptop tevoorschijn, tikte een wachtwoord in en riep het transmissiescherm op. Oké, daar stond het... de ZZ122. Volgens zijn gegevens moest ze inmiddels in de baai zijn, ergens in de buurt van het vasteland. Ze zwom snel in de richting van het voedselgebied. Liam zette zijn radio aan en riep zijn neef op.

'T-Twee, dit is je neef de zeebioloog... Ontvang je me?'

'Zeker weten. Wat spook je hier uit?'

'Ik pik de signalen op van beloega's. Als je ongeveer honderd meter pal naar het westen stuurt, moet je ZZ122 kunnen zien als ze omhoogkomt om te ademen.'

'Nou breekt mijn klomp. Ben je echt bereid om pure wetenschappelijke informatie te delen met zulke geldwolven als commerciële walvisspotters?'

'Voor deze ene keer. Waar wacht je op? Verander van koers.'

'Jij je zin. En eh... bedankt, hoor.'

Liam nam niet eens de moeite om antwoord te geven. Terwijl de grote walvisboot naar het westen draaide, gaf Liam gas en stoof met een grote S-bocht dwars over het kielzog van de *Tecumseh II* naar stuurboord. Hij bleef naast de boot varen om zijn neef naar de plek te brengen waar ZZ122 hoogstwaarschijnlijk boven water zou komen. Met één oog op het water voor hem en het andere op het scherm van zijn laptop minderde Liam vaart. Boven het geluid van de golfjes die tegen de zijkant van zijn opblaasboot kabbelden, hoorde hij de teleurgestelde stemmen van de meisjes en hun moeders. Ze hadden de voedsel zoekende walvissen gezien – inmiddels ongeveer tweehonderd meter achter hen – en ze snapten niet waarom de boot ineens een andere koers was gaan varen.

Terwijl de boten door de lome golven kliefden, keek Liam omhoog naar het dek. Rose stond samen met haar moeder en een paar anderen aan de reling. Lily had haar arm om Roses schouders geslagen. Ze keek recht voor zich uit en negeerde de walvissen achter hen alsof ze zich voorbereidde op iets dat hun pad zou kruisen. De ochtendzon viel op haar donkere haar, dat even glad en glanzend leek als de pels van een zeehond. Liam wendde met tegenzin zijn ogen af, maar hij moest zijn computerscherm in de gaten houden. Hij zag dat de diepte waarop ZZ122 zich bevond, was veranderd. De beloega kwam naar boven om adem te halen.

'Rose,' riep hij.

Ze keek vanaf het dek op hem neer, met haar hand boven haar ogen tegen de zon. Ze zwaaide, kennelijk blij om hem te zien. Lily keek nu ook omlaag, zonder haar arm van Roses schouder te halen om te zwaaien of haar ogen tegen de zon af te schermen. Ze kneep gewoon haar ogen tot spleetjes en keek Liam recht aan, waardoor zijn hart ineens op hol sloeg.

'Recht vooruit,' zei hij terwijl hij het stuur even losliet om met zijn goede arm te wijzen. Lily vroeg niets en als ze al twijfels had, was daar niets van te merken. Om de een of andere reden had ze blind vertrouwen in wat hij tegen haar zei zonder te weten waarom, en het was met name dat feit dat Liam tot in het diepst van zijn ziel raakte. Hij keek toe hoe Lily Rose meenam naar de boeg, ver van de andere moeders en dochters. De *Tecumseh II* was speciaal gebouwd om zeedieren te observeren, en was uitgerust met een preekstoel op de boeg die drie meter boven het open water uitstak. Lily hield zich stevig vast aan de reling en liet Rose helemaal naar voren lopen.

Liam gaf Jude een seintje en hij nam gas terug. De beide boten lagen bijna stil te wachten met stationair draaiende motoren. Liams hart bonsde van verwachting toen hij over het wateroppervlak tuurde. In gedachten zag hij Jude precies hetzelfde doen. Het kijken naar walvissen zat hen in het bloed. Toen ze zo oud waren als Rose nu, deden ze dit voor hun plezier, iedere dag en ieder jaar, en ze hielden wedstrijden wie de beloega het eerst zou zien. Connor won altijd.

Dit keer voelde Liam haar al voordat hij haar zag. Misschien kwam dat door de spanning die Lily en Rose uitstraalden, hij zag hoe aandachtig ze toekeken, met gespannen spieren en een alerte blik. Liam kon hun energie gewoon voelen. Of zou het de energie zijn van de oude vis die voor de zoveelste keer haar raadselachtige weg had afgelegd naar haar thuishaven, ten zuiden van de ijszee helemaal aan het topje van de wereld?

Wat had ze onderweg meegemaakt? Welke haaien had ze ontweken? Welk ijs had ze met haar rugplooi gebroken, omdat ze net zo'n behoefte had aan zuurstof als Liam zelf? Welke visnetten had ze gemeden? Ze was inmiddels al oud en Liam wenste uit het diepst van zijn hart dat hij haar wil om te leven kon begrijpen, en haar wens om keer op keer terug te keren naar deze baai waar ze was geboren. Ze was in de buurt... hij voelde het gewoon.

'Nanny!' riep Rose uit.

En daar was ze dan, de witte walvis, de beloega van St. Lawrence. Toen ze boven water kwam, glinsterde ze in het zonlicht, zo wit als sneeuw terwijl ze haar kop optilde alsof ze de omgeving op wilde nemen. Vier meter lang, helemaal wit en zonder rugvin, maar met een dikke rugplooi die over haar hele lijf liep. Haar spuit was maar negentig centimeter hoog, nauwelijks zichtbaar als je die met andere walvissoorten vergeleek. Liam kon horen hoe ze een of twee keer ademhaalde. Hij vroeg zich af of Rose en Lily dat helemaal boven op die grote boot ook konden horen en wenste dat ze bij hem in zijn Zodiac zouden zitten. Hij wilde Rose de intense levenskracht van Nanny laten voelen.

Op dat moment ving hij Lily's blik op. Rose stond nog steeds omlaag te kijken naar Nanny en strekte haar armen uit alsof ze de oude vis op de een of andere manier in haar armen kon sluiten om een ritje op haar rug te maken. Maar Lily keek Liam aan. Haar ogen waren zo groot en rond, vol verbazing en iets dat verborgen bleef, een gevoel van verdriet waarvan hij het idee had dat ze het altijd meedroeg. Dat kwam door Rose, dacht hij. Omdat ze zoveel van haar kleine meid hield en altijd met die angst moest leven.

'Ze wordt helemaal gezond,' zei Liam hardop terwijl hij haar strak aankeek.

Lily hield haar hoofd schuin. Natuurlijk had ze dat niet verstaan door het motorgebrom en de opgewonden kreten van de verjaardagsgasten. Hij zag dat haar lippen de woordjes 'wat zeg je?' vormden.

De wind blies zijn haar in zijn ogen en hij moest het stuur even loslaten om het weg te strijken. Hij wilde het oogcontact met Lily niet verbreken, maar op hetzelfde moment dat hij zijn blik afwendde, hoorde hij Nanny opnieuw diep ademhalen en naar beneden duiken. Nadat ze ongeveer tien keer aan de oppervlakte had ademgehaald zou ze ongeveer een kwartier onder water blijven. Lily en Rose hadden zich omgedraaid en verlieten de preekstoel om zich weer bij de anderen op het dek te voegen.

Liam had zijn doel bereikt. Hij wist dat het feest ook zonder hem wel zou doorgaan. Toen hij de gashendel opendraaide om terug te keren naar de kade hoorde hij een stem.

'Bedankt dat u ons naar Nanny hebt gebracht, dr. Neill,' riep Rose.

'Hartelijk gefeliciteerd, Rose,' riep hij terug.

Lily zei niets maar ze keek hem opnieuw aan, met die grote ogen waarin zoveel vragen stonden. Hij wist dat ze niets met hem te maken hadden, maar hij wilde ze toch beantwoorden. Hij retourneerde haar blik, zonder in te gaan op wat er tussen hen leefde. Rose moest volgende week een zware operatie ondergaan. Vandaag was ze negen geworden en Lily gedroeg zich als een tijgerin die ten koste van alles wilde voorkomen dat haar jong iets overkwam.

Maar ze waren van hetzelfde laken een pak, dat wist hij zeker. Hij had ze meegenomen naar Nanny, omdat het Roses hartenwens was geweest en omdat hij wilde dat de kracht van Nanny in haar over zou vloeien om haar in bezit te nemen en haar hart sterk te maken, zodat ze een lang leven zou hebben. Hij was een wetenschapper, hij had de McGill-universiteit bezocht en had daarna zijn opleiding voltooid bij het Oceanografisch Biologisch Lab in Woods Hole, Massachusetts. Maar hij was ook aan deze noordelijke baai geboren en hij kende de kracht en de magie die uitgingen van de natuur en van onbekende en ongeziene dingen.

Op hetzelfde moment voer een andere boot weg van de kade. Het was Gerard Lafarge, die dichterbij kwam om te zien waar iedereen naar keek. Het werd Liam koud om het hart. Hij voelde dat deze man een gevaar was, hij wist dat iedereen die zo met dolfijnen omsprong als hij had gedaan ook andere onbeschermde diersoorten niet zou ontzien. Liam zorgde ervoor dat hij tussen de boot van Lafarge en Nanny in bleef varen, maar ook tussen Lafarge en Lily en Rose. Hij zag dat Lafarge zijn verrekijker oppakte en die op de witte walvis richtte. Daarna legde hij hem weer neer en vestigde zijn blik op Lily. Hij bleef haar een hele tijd strak aankijken.

Liam keerde zijn boot en voer in een wijde bocht om de *Tecumseh II* heen, ongeveer op dezelfde manier waarop een visarend nog een keer rond zijn nest cirkelt om de omgeving op te nemen voordat hij wegvliegt om te gaan vissen. Op Liams laptop stonden overal lichtjes te knipperen van zeezoogdieren die na een lange trektocht weer thuis waren gekomen, maar voorlopig schonk Liam daar geen aandacht aan. Hij draaide in een rustig vaartje om de grotere boot en deed zijn werk terwijl zijn hart steeds sneller begon te kloppen.

7

Ze waren overal vandaan gekomen en sommigen hadden wel honderdvijftig kilometer gereden om samen met Rose Malone haar negende verjaardag te vieren. Er waren moeders en dochters, zussen, tantes, grootmoeders, oude en nieuwe vriendinnen. In de loop der jaren hadden ze elkaar op de vreemdste plaatsen leren kennen. Maar het was allemaal begonnen in *De Steekproef*, Lily's handwerkzaak aan de haven. Daar was hun club geboren. Ze hadden afspraken gehad in het hotel, bij mensen thuis, in de wachtkamer van het ziekenhuis en, op een mooie zomeravond, zelfs in een verzonken tuin. Maar dit was de eerste keer dat de Nanoukmeiden uit het Koude Noorden een verjaardagsfeestje op een boot vierden.

Rose zat midden in de kring met Jessica aan haar zij. De andere jonge meisjes verdrongen zich om haar heen om te zien hoe ze haar cadeautjes uitpakte, terwijl de oudere vrouwen vanaf een afstandje toekeken en met elkaar stonden te kletsen. Lily voelde haar hart bonzen, rustig nou maar... Ze keek naar de dochter van wie ze zoveel hield en dacht aan alle verjaardagen die ze al achter de rug had. Ze waren letterlijk voorbijgevlogen.

Lily vond het ontroerend om te zien dat Rose met zoveel liefde werd bejegend. Iedere persoon die op dat moment aanwezig was, hield van haar en zou haar het allerbeste wensen als ze naar Boston vertrokken. Het motorgeluid van Liams boot kwam door de openstaande ramen naar binnen en maakte dat Lily's hart nog iets sneller ging kloppen, maar haar aandacht werd vooral in beslag genomen door de meisjes en de vrouwen in de kajuit: de Nanouks. Terwijl ze het kringetje rondkeek, besefte Lily nog eens hoe goed ze alle vrouwen behalve Marisa kende. Ze wist bijna alles af van de dingen waar ze opgewonden of blij van werden en van het verdriet en de zorgen die haar vriendinnen tot zulke fantastische vrouwen hadden gemaakt. Dit feestelijke moment leek dat soort dingen te logenstraffen, want zoals altijd ging het leven gewoon verder, maar Lily wist hoe belangrijk het was om bij dit soort gelegenheden stil te staan.

Rose maakte haar pakjes open. Ze kreeg boeken, een doosje waterverf, boetseerklei, een zilveren armbandje, een portemonneetje, twee cd's en een sweatshirt met een witte dolfijn. Lily kon bijna voelen hoe blij haar dochter was. Af en toe leek het wel alsof ze in dezelfde huid staken. Zou dat komen omdat Rose al zo lang ziek was geweest, of hadden alle moeders dat met hun kinderen? Lily voelde écht de blijdschap zo van Rose door haar lichaam vloeien.

Op hetzelfde moment kraakte de luidspreker en Judes stem klonk door de ruimte: 'Dit is een oproep voor het feestvarken... Je moet samen met je vriendinnen aan dek komen, want we willen jullie het een en ander vertellen over *les baleines...*'

'Dat betekent "walvissen",' vertaalde Rose voor Jessica.

Maar een paar van haar vriendinnen waren Frans-Canadees en Lily wist dat Jude dat voor hen had gezegd. Alle mannen van de familie Neill waren vriendelijk, daarom vond ze hen ook zo aardig. En ze was dankbaar dat haar dochter – die haar eigen vader nooit had gekend – daar ook een graantje van mocht meepikken.

Toen de meisjes op het dek waren, keek Lily even naar Marisa. Het was een geheime, heel persoonlijke reden waarom Lily met de Nanoukmeiden was begonnen en nu herkende ze dezelfde symptomen bij Marisa.

'Het is een leuk feest, Lil,' zei Anne terwijl ze bij Lily voor het raam kwam staan.

'Ze amuseert zich kostelijk,' zei Lily die toekeek hoe Rose samen met haar vriendinnen stond te lachen terwijl Jude hen het dek op dreef.

'Het was mooi dat Nanny net verscheen.'

'Hoe kwam dat eigenlijk? Het was net alsof Jude en Liam dat met hun tweetjes bekokstoofd hadden.'

'Jude had er niets mee te maken,' zei Anne.

'Nou, Liam dan. Hij zit altijd van alles op zijn computer te volgen. Als ik langs zijn kantoor loop, kan ik de lichtjes zien knipperen en ik hoor het gepiep...'

'Hij brengt veel te veel tijd door met die vissen,' zei Anne, 'en lang niet genoeg met mensen.'

'Ik zou best wat tijd met hem willen doorbrengen,' zei Marlena die naar hen toe kwam met een glas punch in haar hand. 'Maar helaas heb ik mannen voorgoed afgezworen.'

'Ach, hou nou op,' zei Anne. 'Dat meen je niet. Omdat Arthur zo'n klootzak was, hoeft dat nog niet voor alle mannen te gelden.'

'Hoor eens, ik weet dat jij met een fantastische vent getrouwd bent, maar toen mijn Barbara net vijf jaar was, nam haar vader de kuierlatten en trok bij een ander gezin in om ons vervolgens compleet te vergeten. Dus ik weet niet hoe het met alle andere kerels staat, maar ik ken in ieder geval één slecht exemplaar...'

Marisa stond een eindje van hen af, alsof ze niet zeker wist of ze zich wel bij hen kon voegen. Lily glimlachte en trok haar dichterbij. Ze wist dat Marisa hiervoor was gekomen, hoewel dat misschien nog niet eens tot haar was doorgedrongen.

'Ze miste haar vader zo ontzettend,' vervolgde Marlena. 'Ze raakte er helemaal overstuur van en lag iedere avond te huilen. Als ik haar een verhaaltje voorlas waar toevallig een vader in voorkwam, was ze gewoon ontroostbaar. Daarna viel ze in slaap en droomde over haar vader, zodat ze weer huilend wakker werd en niet meer kon slapen. Ik moest haar een paar dagen thuishouden, ze kon gewoon niet naar school omdat ze doodmoe was.'

'Denk je dat kinderen letterlijk ziek kunnen worden omdat ze hun vader missen?' vroeg Cindy.

'Dat hangt van de kinderen af,' zei Jodie.

'Nee, het hangt van de vaders af,' zei Marlena. 'Als zij niet genoeg om hun kinderen geven om deel uit te maken van hun leven...'

'Toe nou,' zei Suzanne glimlachend. 'Zo bitter ben je toch niet meer?'

'Ik doe mijn best,' zei Marlena. 'Ik probeer het de baas te worden, om het maar zo te zeggen.'

'Als je er maar voor zorgt dat het niet aan je gaat vreten,' zei Doreen.

Lily stond vol belangstelling te luisteren, maar voornamelijk vanwege Marisa. Het had haar jaren geleden heel wat gekost om haar eigen nachtmerries de baas te worden. De Nanoukmeiden hadden haar geholpen om daar voorgoed een eind aan te maken.

'Ik zou willen dat het aan hem vrat,' zei Marlena. 'Misschien kunnen we een leuke grote haai versieren. Als het dr. Neill is gelukt om een witte walvis voor Rose op te piepen, kan hij misschien ook wel een leuke grote haai voor Arthur vinden.'

'Je moet met Liam geen grapjes maken over haaien,' zei Anne rustig. Ze was nog niet uitgesproken toen Lily zich al langzaam omdraaide en uit het raam keek. Ze zag dat de Zodiac in een grote kring om de walvisboot voer. Liam was lang en mager, en achter het stuur in zijn boot kroop hij helemaal in elkaar. Zijn haar was donkerbruin, maar op plekken waar het zachtjes wapperde, zag ze zilver glanzen.

Lily bleef naar buiten staren, naar Liam. Er was ook nog een andere boot in de buurt. Ze kneep haar ogen samen om te zien welke... Die van Gerard Lafarge. Iets aan de manier waarop hij zich gedroeg – zijn verwaande houding, dat gedrag alsof de hele wereld van hem was – beviel Lily niet. Gerard stond met een verrekijker naar Nanny te kijken en toen ze dat zag, voelde Lily de koude rillingen over haar rug lopen.

'Nee,' beaamde Lily. 'Je moet tegen Liam niet over haaien beginnen... Na alles wat hem en zijn broer is overkomen.'

'En Jude,' zei Anne. 'Mijn man was er ook bij. Ze zijn er nooit echt overheen gekomen en volgens mij zal hen dat ook nooit lukken.'

'Sommige dingen zijn zo erg dat je er niet overheen kunt komen,' zei Marisa.

Iedereen draaide zich om en keek haar aan. Lily had haar voorgesteld toen ze aan boord waren gekomen en ze wist dat ze allemaal nieuwsgierig waren. Maar Marisa leek er alweer spijt van te hebben dat ze haar mond had opengedaan, ze week achteruit en wendde zich af. Lily wierp nog een snelle blik op Gerard en zag tot haar opluchting dat hij omdraaide en met zijn boot koers zette naar zee.

'Wacht even, Marisa,' zei Anne. 'Kom maar een praatje maken.'

'Ja, nu de meisjes toch op het dek staan, kun je ons mooi iets meer over jezelf vertellen,' zei Cindy. 'Hoe ben je in Cape Hawk verzeild geraakt? Is je man visser? Of oceanograaf?'

'Ik eh... ik ben gescheiden,' zei Marisa. Lily's aandacht was nu volledig op haar gevestigd en ze leek zich helemaal niet op haar gemak te voelen. Niet dat ze zich schaamde, maar ze gedroeg zich alsof ze een geheim had en daar niets over kwijt wilde. Het was een gevoel dat Lily maar al te goed kende.

'Er zijn maar drie redenen waarom iemand deze kant op komt,' zei Alison. 'Je moet familie in de omgeving hebben, een waanzinnige liefde voor de natuur koesteren, of net uit een slecht huwelijk gestapt zijn.'

Marisa bloosde zo, dat Lily het idee had dat Alison met een van de redenen de spijker op de kop had geslagen.

'Toen je zei dat sommige dingen zo erg zijn dat je er nooit overheen komt,' zei Marlena, 'dacht ik, ja dat klopt. Bedrog, brute kracht en je als een baby gedragen. De drie B's.'

'Ik kan niet...' zei Marisa aarzelend.

'De meisjes zijn buiten,' zei Anne. 'Die horen het toch niet.'

Lily ging iets dichter bij Marisa staan. Ze wilde haar uitleggen – of haar in ieder geval het gevoel geven – dat ze echt niet op roddelpraatjes uit waren. Ze hoefden niet alle nare bijzonderheden over elkaars leven te horen.

'Sommigen van ons zijn ver van huis,' zei Lily. 'Wij zijn gewoon zussen van elkaar geworden.'

'Ik heb een zus,' zei Marisa, terwijl haar ogen begonnen te glinsteren. 'Maar ik heb al zo lang niet meer met haar gepraat...'

'Mis je haar?' vroeg Lily.

'Ontzettend, dat kun je je niet voorstellen.'

'Waarom kun je haar niet bellen?'

'Omdat hij misschien haar telefoons afluistert. Hij zei dat hij ons nooit, maar dan ook nooit, zou laten gaan.'

'En toch ben je ontsnapt.'

'Ja,' stamelde Marisa, 'maar in plaats daarvan hebben we het gevoel dat we in een val zitten.'

'Omdat je bang bent?'

'Ja, en er is meer... We kunnen niet gaan en staan waar we willen. We kunnen niet onszelf zijn...'

'Dat gaat allemaal voorbij,' zei Lily.

'Ik voel me hier af en toe zo ontzettend alleen.'

'Maar nu heb je ons,' zei Cindy. 'We hebben je net ontmoet, maar je mag ons als je vriendinnen beschouwen. We zijn blij dat je hiernaartoe bent gekomen, Marisa.'

Marisa deed haar best om te glimlachen, maar dat lukte niet helemaal. Lily begreep instinctief dat het allemaal een beetje te veel werd en pakte haar bij haar arm. 'Kom op, dan gaan we een glaasje punch halen,' zei ze terwijl ze Marisa meetrok naar het buffet.

Het leek zo ontspannen, twee vrouwen die roze punch in papieren bekertjes schonken en bordjes met stukjes kaas en fruit pakten. Door het open raam dreef het geluid van Judes stem naar binnen, die de meisjes uitlegde dat baleinwalvissen hun voedsel filterden en dat ze zo per dag vier of vijf ton krill naar binnen werkten, ongeveer het gewicht van een volwassen olifant. De Nanouks zaten nog steeds met elkaar te kletsen en sommigen hadden er een borduurwerkje bij gepakt terwijl de verhalen elkaar opvolgden.

'Toen je zei dat je zo alleen was,' zei Lily, 'bedoelde je eigenlijk dat je hem miste, hè?'

'Hem?' vroeg Marisa met een geschrokken gezicht.

'Je man. Of liever, je ex-man, want je zei immers dat je gescheiden was. Is hij Jessica's vader?'

'Haar stiefvader,' zei Marisa met haar bekertje punch halverwege haar mond.

'Maar je hebt hem uiteindelijk toch verlaten... dat heeft heel veel moed gekost. Nu mis je de dromen die je vroeger had. En de liefde waarvan je tot op de laatste dag geloofde dat hij die in zich had.'

'Hoe weet je dat?' fluisterde Marisa.

'Misschien ben ik wel een waarzegster,' zei Lily rustig. 'In ieder geval met betrekking tot dit soort dingen. Je hield van hem... meer dan je ooit voor mogelijk hield. Hij heeft je volkomen overdonderd, hè? Hij zorgde ervoor dat je echt in liefde op het eerste gezicht ging geloven. Je vond het goed dat hij deel van je leven ging uitmaken. Maar er waren ook andere dingen.'

'Dingen,' zei Marisa. Buiten op het dek vertelde Jude dat de tong van een blauwe vinvis evenveel woog als een jong olifantje en dat zijn hart ongeveer hetzelfde gewicht had als een kleine auto.

'De leugens. Dat je nooit zeker wist of je wel kon geloven wat hij je vertelde. En dat jij op de een of andere manier nooit gelijk had en hij wel. Dingen om bang van te worden.'

'Ja,' zei Marisa. 'Heel bang...'

'Je begon te twijfelen. Af en toe, maar dan prentte je jezelf weer in dat je het mis had. Je hield zo ontzettend veel van hem. Je arme, gekwetste man...'

'Hoe weet je dat hij gekwetst was?'

'Dat zijn ze allemaal,' zei Lily glimlachend. 'Heel diep gekwetst. En dat komt altijd door iemand anders.'

'Altijd,' beaamde Marisa, die voor het eerst begon te glimlachen. 'Het begint al met hun ouders. Ze hebben zonder uitzondering een vreselijke jeugd gehad. Zo uit Dickens, compleet met bittere armoede en iemand die ontzettend wreed was en hen bont en blauw sloeg...'

'Wat hen het recht geeft om ons wreed te behandelen.'

'Uiteraard,' zei Lily.

'Denk je dat ze echt een afschuwelijke jeugd hebben gehad? Of zou dat ook een leugen zijn?'

Lily nam nadenkend een slokje van haar punch. Ze sloot haar ogen en dacht aan al die keren dat zij zich dat ook had afgevraagd, aan al die slapeloze nachten uit een ver verleden waarin ze naar de maan en de sterren had liggen kijken en aan hen vroeg hoe het mogelijk was dat mensen zulke vreselijke dingen moesten meemaken.

'Ik heb verdriet om ieder kind dat wordt geslagen,' zei ze. 'Of dat op een andere manier wordt gekwetst. Maar dat een volwassen vent zoiets als excuus gebruikt om ons op zijn beurt verdriet te doen... nee, hoor. Dat wil er bij mij niet in. En als je het zo bekijkt, maakt het niet uit of het wel of niet waar is.'

'Zo heb ik het nog nooit bekeken,' zei Marisa.

'Is dat een van de redenen waarom je hem mist?' vroeg Lily. 'Omdat je terugdenkt aan hoe je hem in je armen hield om hem te troosten? En vraag je je nu af of hij zich zonder jou wel redt?'

Marisa knikte. Haar glimlach was verdwenen. 'Ik ben verpleegkundige,' zei ze. 'Hij vertelde me dat ik een geneeskrachtige uitwerking op hem had.'

'Terwijl hij jou kapotmaakte?'

'Hij heeft me nooit echt geslagen.'

'Nee, mijn man mij ook niet,' zei Lily. 'Er zijn ergere manieren om iemand kapot te maken. Ik ben blij dat je bij hem bent weggegaan. Het moet wel heel erg zijn geweest, als je helemaal hiernaartoe bent gekomen. Ver weg van je vrienden. Volgens mij mis je hem niet, maar al die andere dingen.'

'Maar er is nu zo'n leegte in mijn leven,' fluisterde Marisa. Haar stem was hees en klonk alsof de schors van een boom werd gescheurd.

'Je mist de liefde,' zei Lily. 'Je mist de droom. Je mist het dromen over de liefde die je naar jouw idee met hem deelde. Daarom ben ik met de Nanoukmeiden uit het Koude Noorden begonnen.'

'Het Koude Noorden. Canada,' zei Marisa.

'O,' zei Lily, 'dacht je echt dat het een aardrijkskundige naam was? Nee, hoor. Het zit hier...' Ze legde haar hand op haar hart. 'Het Koude Noorden is waar wij zo lang hebben gewoond terwijl we van hen hielden. Maar nu ben je vrij, Marisa. Welkom in een milder klimaat.'

Aan dek had Rose het gevoel dat ze nog nooit zo gelukkig was geweest. Haar verjaardagsfeestje was een groot succes, al haar vriendinnen amuseerden zich kostelijk. Kapitein Neill had hun vinvissen laten zien, bultruggen, dwergvinvissen, één blauwe vinvis en natuurlijk Nanny. Hij had hun verteld dat Nanny en andere beloega's bij hun geboorte lichtbruin waren en dan ieder jaar vervelden tot ze op hun zesde spierwit werden.

Hij nam alle meisjes mee naar de stuurhut en liet ze om de beurt aan het roer staan, het kompas lezen, de radar in de gaten houden en luisteren naar de radiorapporten van dr. Neill die precies vertelde waar Nanny en de andere walvissen waren.

'Wil jij even over de radio met hem praten, feestvarken?' vroeg kapitein Neill.

'Ik?' vroeg Jessica.

Rose lachte om het grapje van haar vriendin en zag dat Jessica bloosde.

'Het was maar een grapje,' zei Jessica.

'Je bent een echte komiek,' zei de kapitein. 'Mijn vrouw beheert het hotel en op vrijdagavond zouden we je best kunnen gebruiken. We zijn altijd op zoek naar gezellig amusement. Hoe heet je?'

'Jessica Taylor.'

'Aha, "Jessica Taylor, het Feestvarken",' zei hij. 'Maar niet heus!'

Alle meisjes begonnen te lachen alsof hij de komiek was. Hij was lang en blozend, met donkerbruin haar, net als zijn neef, dr. Neill. Hij had een heleboel rimpeltjes in zijn door zon en wind verweerde gezicht en een brede grijns alsof hij het leuk vond om grapjes te maken en de mensen te laten lachen. Hij stuurde de boot zo voorzichtig over de golven hier aan de ingang van de baai dat Rose er helemaal geen last van had. Ze had vandaag pijn in haar borst en ze had het gevoel dat ze zo broos was, dat het varen over open water haar open zou kunnen breken, zodat alles wat vanbinnen zat naar buiten zou komen. Maar op de een of andere manier leek de zilte lucht zo fris en koel als ze die in haar longen zoog, dat ze alles kon vergeten.

'Wanneer is jouw verjaardag, Jessica?' vroeg Allie. 'Je echte, bedoel ik.'

'Vandaag,' zei Jessica lachend. 'En morgen. En overmorgen ook!'

'Kom maar eens hier, jarige Jet,' zei de kapitein boven het gegiechel uit en tikte Rose op haar schouder. 'Pak de radio maar en vraag aan mijn neef waar alle walvissen zijn gebleven.'

'Ik weet niet hoe dat moet,' zei Rose.

'Op deze manier...' zei de kapitein en liet haar zien hoe ze de microfoon voor haar mond moest houden terwijl ze tegelijk het knopje aan de zijkant indrukte. 'Je moet het indrukken om te praten, dan zeg je "over" en laat het los om te luisteren. Elk twaalfjarig meisje hoort te weten hoe ze met een radio moeten omspringen.'

'Maar ik ben pas negen!' zei ze.

'Je houdt me voor de gek.'

Ze schudde haar hoofd.

Hij rolde met zijn ogen en schudde zijn hoofd alsof hij zijn oren niet geloofde. 'Nou, dan heb je me mooi te pakken. Ik had durven zweren dat je al twaalf was, zo'n grote meid ben je.'

Rose vond het fijn dat hij zijn rechterarm boog om haar een plaatsje te geven waar ze kon staan. En ze was trots toen ze hoorde wat hij over haar leeftijd zei. Juist omdat ze zoveel kleiner was dan haar vriendinnen. Haar hartkwaal had haar groei belemmerd en er waren jongens op school die 'kabouter' tegen haar zeiden als ze langs liep. Kapitein Neill was erin geslaagd haar het idee te geven dat ze normaal was en tegelijkertijd toch heel bijzonder. En nu mocht ze de radio gebruiken.

'Dr. Neill,' zei ze, terwijl ze het knopje indrukte. 'Over.'

'Ben jij het, Rose? Over.'

'Ja, ik ben het. Dank u wel,' zei ze.

Toen ze met de microfoon in haar hand uit het raam van de stuurhut keek, zag ze hem in de oranje Zodiac die met een grote boog om hen heen voer.

'Je hebt Nanny op je verjaardag gezien,' zei hij. 'Hoe vond je dat? Ze wist het en is net op tijd teruggekomen. Over.'

'Denkt u echt dat ze het wist? Over.'

'Ja hoor. Ik denk dat ze instinctief heeft gevoeld dat we haar graag hier wilden hebben. Walvissen zijn heel intelligent, Rose. Vooral Nanny. Ze heeft al een lang leven achter de rug en volgens mij weet ze precies welke mensen haar nodig hebben.'

Welke mensen haar nodig hebben... Toen Rose hem dat hoorde zeggen, richtte ze eerst haar blik op de Zodiac en keek toen over haar schouder naar haar moeder die in de grote kajuit stond, vlak achter de stuurhut. De mensen die haar nodig hebben...

Met ingehouden stem mompelde Rose zonder het knopje in te drukken: 'Ik wil dat Nanny op mijn moeder past.'

'Wat zei je daar, lieve schat?' vroeg de kapitein. 'Je moet een beetje harder praten... En vergeet niet dat knopje in te drukken. Goed zo. In de microfoon praten... dan lukt het wel.'

'Nogmaals bedankt, dr. Neill,' zei Rose.

'Vraag hem maar waar de walvissen nu zijn,' stelde kapitein Neill voor.

'Waar zijn de walvissen nu?' vroeg Rose.

'Een paar honderd meter naar het oosten,' zei dr. Neill. Hij had de microfoon in zijn goede hand, dus hij gebruikte zijn prothese om te wijzen. Rose richtte haar blik in die richting. Ze zag de vissen spuiten, de waterdamp glinsterde in de zon.

Achter haar stonden Britney en Allie te giechelen en te fluisteren. Rose voelde een steek in haar hart toen ze iemand hoorde gillen: 'Kapitein Haak!'

Het was net alsof ze een klap op haar borst kreeg.

Ze draaide zich om en zag dat Britney iemand nadeed die een haak had in plaats van een hand. Ze hield haar hand vanuit de pols scherp gebogen, met gestrekte vingers die ze als een soort schoep stijf tegen elkaar klemde. Hun blikken kruisten elkaar, maar in plaats van op te houden zwaaide Britney met haar klauwhand. Allie gilde van het lachen. Rose voelde dat kapitein Neill naar haar en haar vriendinnen keek en ze kromp in elkaar van schaamte toen ze hem de microfoon teruggaf, omdat ze zeker wist dat hij nu niet meer zou willen dat ze die nog langer gebruikte... niet met een stel vriendinnen dat zijn neef uitlachte.

Maar de kapitein gaf haar alleen maar een klopje op haar hoofd en zei dat ze zich geweldig had geweerd. Hij begon er ook nog over dat ze Liam moest vragen waar Nanny was, maar op hetzelfde moment voelde Rose dat het lek groter werd. Het leek sprekend op een fietsband waar met een speld een gaatje in is geprikt... In het begin loopt de band langzaam leeg, tot het gat een scheur wordt. Daarna gaat het snel.

Rose stond te zwaaien op haar benen en botste eerst tegen het harde, stalen roer en vervolgens tegen de armen van de kapitein. Ze hoorde de motor van dr. Neill stationair lopen... een geruststellend geluid, want nu wist ze dat hij vlakbij was. Nu moest ze zich omdraaien om iets tegen Britney te zeggen. Maar Jessica stond tussen hen in.

'Wat is er, Rose?' vroeg Jessica.

Rose deed haar mond open. Ze wist dat ze niet veel tijd had.

'Rose... het is hetzelfde als wat je gisteren onderweg van school naar huis kreeg, hè?' vroeg Jessica, maar ze wachtte niet eens tot Rose antwoord gaf. Rose wist dat ze naar haar moeder holde.

'Britney,' zei Rose, terwijl ze in de bruine ogen van haar vriendin staarde. 'Zou je hem alsjeblieft niet zo willen noemen? Hij is mijn vriend. Hij wilde me voor mijn verjaardag Nanny laten zien.'

'Dat weet ik. Het spijt me,' zei Britney die er ontzet uitzag... kwam dat door wat Rose had gezegd of zou ze soms blauw worden? Rose had die blik al vaak in de ogen van een van haar vriendinnen gezien als ze op het punt stond een aanval te krijgen.

De duizeligheid kroop door haar hele lichaam en begon op golven te lijken die haar onder water trokken. De raarste dingen vlogen door haar hoofd. Ze dacht terug aan haar twee wensen, waarvan er inmiddels één was uitgekomen. Nanny was terug en Rose had haar gezien. Maar het was de andere wens – veel groter, veel belangrijker – die haar nu in beslag nam. Het was zo'n intens verlangen dat ze dacht dat ze eraan dood zou gaan en ze wist dat die kans bestond. Maar dat had nooit veel indruk op Rose gemaakt... haar hart spande zich tot het uiterste in om haar in leven te houden, maar Rose wist dat er ergens een grens was.

'Ik wil dat mijn vader,' mompelde Rose terwijl ze in elkaar zakte, 'ik wil dat hij... dat hij...'

'Wat, schattebout?' vroeg kapitein Neill terwijl hij haar vastgreep en optilde.

'Ik wil dat mijn vader een lieve man is,' zei Rose. 'Een lieve pappie die van me houdt...'

En toen was ze weg.

8

Liam merkte pas dat er iets mis was toen hij zag dat de *Tecumseh II* was gestopt en stuurloos ronddreef.

Hij voer in oostelijke richting langs de onderzeese richel die hij op de sonar kon zien, de geologische formatie die voor een opstuwing van het zeewater zorgde en walvissen aantrok omdat het zo'n rijke voedselbron was. Hij had een paar schermen tegelijk aan staan, sonar, radar en de laptop waarop hij de vissen volgde. Daar was ZZ122, recht voor hem uit. Ze lag nu weer aan de blauwe oppervlakte, glinsterend wit in de zon. Daarom keek Liam over zijn schouder om te zien of Jude wel de juiste koers volgde.

Maar Jude volgde helemaal geen koers. De *Tecumseh II* was stuurloos. Ze dreef doelloos opzij, weliswaar kilometers uit de kust maar toch verontrustend. Liam klikte de radio aan en riep de boot op.

'Hallo, *Tecumseh II*... Ben je daar, Jude?'

De luidspreker bleef stil. Honderd meter verderop dreef de ruim twintig meter lange walvisboot met de stroom mee. Ze lag dwars voor Liam en weerkaatste het zonlicht naar hem. Hij kneep zijn ogen samen, zette de verrekijker voor zijn ogen en zag iedereen aan dek naar de stuurhut hollen. Zonder op antwoord te wachten gaf hij gas en stoof over het water.

Naarmate hij dichterbij kwam, begon Liams hart steeds sneller te kloppen. Hij begreep dat er iets ergs was gebeurd, iets verschrikkelijks. Uit eigen ervaring wist hij dat de meest dringende hulpkreten geluidloos waren. *En Rose is vandaag jarig*, dacht hij. Het was zo'n mooie zonnige dag voor haar tochtje langs de walvissen en zelfs Nanny was op bezoek gekomen. Waren dat dan geen voortekens? Telden die dan niet mee?

Daarna moest hij weer aan Connor denken. Het warme water, het feit dat ze de hele zomer nog niet zo lekker hadden kunnen zwemmen... het verbijsterende aantal walvissen dat zo dicht in de buurt van de haven zwom... en de vijfentwintig vallende sterren die Liam en Jude de avond ervoor hadden geteld. Hoe kon iets zo verkeerd aflopen op de dag nadat twee jongens vijfentwintig vallende sterren hadden gezien? Of op de negende verjaardag van een klein meisje?

Inmiddels was hij dichtbij en voer in zijn Zodiac in een kringetje om de grotere boot, terwijl hij hen weer via de radio opriep. 'Neem eens op, Jude. Is er iemand die me kan vertellen wat er aan de hand is? Wie dan ook! Is er wel iemand bij Lily en Rose? Is er iemand bij hen?' Hij kreeg geen antwoord, maar daar wachtte hij ook niet op. Hij voer terug naar de achtersteven en keek omhoog. Hij vroeg zich af hoe hij zonder ladder en met maar één arm aan boord moest komen.

Lily wist dat ze geen tijd had om zichzelf verwijten te maken, maar dat was het eerste wat ze deed: *Je had niet zo lang moeten wachten met die operatie, je had niet naar het advies van de chirurg moeten luisteren, je wist dat ze steeds vaker een blauwe spell had, je wist dat er risico's verbonden waren aan het tochtje met de walvisboot...*

Alles leek zo snel te gaan.

Jude schreeuwde haar naam en ze wist meteen wat er aan de hand was. Ze stond punch te drinken met Marisa – feestelijke roze punch met bubbeltjes, gemberbier vermengd met frambozensap, Roses favoriete drankje met dezelfde donkerroze kleur als de klimrozen waarvan ze het meest hield – toen ze haar naam hoorde roepen.

En die uitdrukking op Annes gezicht... *O, mijn God.*

Judes stem... het was de paniek in zijn stem die hen allebei zo deed schrikken. Lily liet haar punch vallen. Het bekertje schoot uit haar hand alsof ze ineens vloeibare botten had gekregen en niets meer vast kon houden. Maar haar benen deden het nog wel. Met natte plekken van de verjaardagspunch rende ze door de salon, tussen de Nanoukmeiden door. In het voorbijgaan zag ze allemaal open monden. Toeschouwers langs de route van een marathon, die hun vriendin naar de finish schreeuwden. Alleen waren dit geen vrolijke aanmoedigingen.

Rose lag in Judes armen, tegen zijn borst. Hij probeerde haar op de kaartentafel te leggen, maar ze zag er zo blauw en broos uit dat hij aarzelde. Het leek net alsof hij bang was dat het harde plexiglas haar pijn zou doen, alsof hij absoluut niet wist wat hij moest doen en waar hij haar neer moest leggen.

'Ademt ze?' vroeg Anne omdat Lily die vraag niet over haar lippen kreeg. Lily stond al naast Rose en kroop zelf ook bijna in Judes armen om maar bij haar dochter te zijn, met haar oor tegen het mondje met de blauwe lippen die donkerder waren dan de rest van haar huid. Lily bad dat ze een ademtocht zou voelen, alleen maar de vochtige warmte van één ademtochtje. Haar eigen huid had zich helemaal op Rose ingesteld, de haartjes op haar wangen trilden van leven, wachtend tot ze iets van uitademen voelde.

'Nee, dat doet ze niet,' hoorde Lily haar eigen stem zeggen. Ze klonk hoog en schril.

'Wat moeten we doen?' vroeg Jude.

'Jij bent de kapitein, jij kunt eerste hulp verlenen,' zei Anne. 'Je moet kalm blijven, Jude.'

Eerste hulp? Lily dacht dat ze door de grond zou zakken toen ze dat hoorde. Na alles wat haar kleine meid al had meegemaakt. Voordat ze zelfs maar een week oud was, had ze al eerste hulp gehad. En dat was daarna nog zo vaak gebeurd. Rose had niets anders gedaan dan vechten...

'Ik voel wel een pols,' zei Jude fronsend met zijn vingers om Roses pols.

'Mooi, dat is wat we willen horen,' zei Anne.

Ergens op de achtergrond hoorde Lily herrie uitbreken. De meisjes begonnen te gillen en een van hen schreeuwde: 'Het is een piraat!'

Lily wist dat ze overstuur waren door wat er met Rose gebeurde – het was een gevoel dat door het hele gezelschap waarde en niemand onberoerd liet. Plotseling stonden ze allemaal te huilen. Lily klemde zich aan haar dochter vast en trok haar uit Judes armen. Als hij geen eerste hulp kon verlenen, dan zou Lily dat zelf wel doen. Ze begon meteen mond-op-mondbeademing toe te passen en probeerde zich het juiste ritme te herinneren. Een, twee, een, twee... Ze proefde het zout van haar eigen tranen en de zoete smaak van punch op Roses lippen, terwijl ze hoorde dat de meisjes huilden en de naam Kapitein Haak schreeuwden.

En die naam maakte dat Lily zelf ook weer in tranen uitbarstte. Die eerste huilbui was niets geweest, maar nu stond ze echt te snikken. Liam was bij haar, natuurlijk was hij bij haar. Ze voelde zijn goede hand op haar schouder. Jude legde uit wat er gebeurd was.

Met een snelle en scherpe stem beschreef hij hoe Rose aan het roer had gestaan en toen ineens in elkaar was gezakt. En Anne probeerde hem de mond te snoeren met de opmerking dat details nu geen zin hadden en dat er snel gehandeld moest worden.

'Volle kracht vooruit, Jude,' zei Liam.

'Waarheen?'

'Naar Port Blaise.'

'Nee!' zei Lily. 'Dat is veel te ver weg! Dat haalt ze nooit. Breng ons maar naar de kade en bel een ambulance, dan kunnen we naar het medisch centrum. Dr. Mead kent haar, dat is het beste...'

'In Port Blaise is een heliport, Lily. We kunnen nu meteen de traumahelikopter oproepen.'

'De kustwacht,' zei Anne. 'Ik ga ze nu bellen.'

Lily voelde de stuwkracht van de motoren, die haar bijna omverwierp toen de *Tecumseh II* snelheid begon te maken. Ze was de 'snelheidsduivel' in de vloot van de familie Neill en inmiddels vloog ze vooruit en scheerde op haar draagvleugel over het water van de baai.

'Maar intussen,' kon Lily met moeite uitbrengen. Ze twijfelde er geen moment aan dat deze mensen van haar en van Rose hielden. Maar zij hadden geen negen jaar ervaring in het grootbrengen van een kind met een ernstige hartkwaal. Ze begrepen niet dat er nú iets moest gebeuren en dat het niet ging om het bereiken van een heliport of de vlucht naar een medisch centrum. Rose was roerloos en koud. Lily huilde van paniek.

Liams arm probeerde hen uit elkaar te trekken.

'Néé!' gilde Lily.

Zijn stem klonk ruw. 'Kom hier. Anne,' zei hij alsof hij hulp zocht. Nu bemoeide Anne zich er ook mee... en alle andere Nanoukmeiden. Ze trokken Lily weg bij Rose. Maar Lily was net een elastiekje, haar handen wilden niet los laten en haar vingertoppen bleven aan Roses huid kleven alsof het de voetzolen van een boomkikvors waren, met zuignappen die zich uit alle macht vastklemden. Ze hoorde de stem van Marlena, van Cindy, van Doreen...

'Toe nou, lieverd,' zei Marlena. 'Ze is nu in goede handen...'

'Echt waar, lieve schat,' zei Anne. 'Geef nou maar toe.'

Dat maakte dat Lily opkeek en zag dat Rose inderdaad in goede handen was...

Marisa had het heft in handen genomen. Het verdriet in haar ogen was verdwenen, net als de houding en het gedrag van een gewond vogeltje, de misbruikte vrouw. Ze stond rechtop en vol zelfvertrouwen met haar ene hand op Roses borst, terwijl de andere langs het magere linkerarmpje gleed, op zoek naar een polsslag. Ze knikte.

Naast Marisa stond Liam te rommelen in de EHBO-kist en haalde er het noodzuurstofmasker uit. Met zijn goede hand trok hij de groene band om Roses hoofd en plaatste het doorzichtige plastic masker over haar neus en mond.

Ondersteund door de Nanoukmeiden kon Lily de zuurstof bijna via haar eigen mond en neus in haar bloed voelen vloeien. Haar longen vulden zich met heldere en schone lucht die alle dode delen weer tot leven bracht. Lily voelde dat Marlena haar over haar rug wreef, dat Cindy haar linkerhand vasthield en dat Annes vingers zich om haar rechterhand klemden. De andere meiden waren er ook en stonden als een ploeg om hen heen, als de ploeg van Lily en Rose. Moeders en dochters. Terwijl Marisa bezig was met Rose, stond Jessica stijf tegen Lily's rechterbeen gedrukt. Alle Nanoukmeiden stonden zwijgend toe te kijken, getuigen van deze geboorte, of liever wedergeboorte. Lily voelde een rilling van angst die gepaard ging met een bepaald gevoel van vreugde, iets dat zo primitief was dat er geen naam voor bestond.

'Ze heeft al zoveel meegemaakt!' riep ze uit.

'En nu komt ze er ook weer door,' zei Anne, die bijna streng klonk.

'Maar als...'

Niemand nam de moeite om de vraag te beantwoorden die Lily niet eens over haar lippen kon krijgen. In plaats daarvan gingen ze nog dichter bij elkaar staan, terwijl de boot steeds sneller ging varen. Al deze moeders en dochters, die in dit koude klimaat zulke goede vrienden waren geworden, sloegen nu de handen ineen voor Lily en Rose.

'In de hoop dat de zee je zal wiegen en de engelen je zullen beschermen,' fluisterde Jessica.

'Wat is dat?' vroeg Allie.

'Het Ierse gebed van mijn vader,' antwoordde Jessica.

Marisa zorgde voor haar patiënt, voorzichtig maar tegelijk vastberaden. Alsof ze nooit iets anders had gedaan dan het verplegen van jeugdige hartpatiënten legde ze haar op haar zij en zorgde ervoor dat ze haar knieën optrok. Ze boog zich over haar heen, fluisterde iets in haar oor en nam haar hartslag op met haar vingers rond haar pols en haar ogen op haar horloge.

Nu drukte ze haar oor tegen Roses borst en fronste toen ze zich weer oprichtte. Daarna bleef ze een tijdje op Roses zij kloppen. Liam hield het zuurstofmasker op de plaats en zorgde voor de juiste hoeveelheid zuurstof. Ondertussen stond Jude via de radio met de kustwacht te praten, maar toen ze met moeilijke vragen kwamen waarop hij geen antwoord wist, gaf hij de microfoon aan Marisa. 'De patiënt is negen jaar oud, een meisje,' zei ze. 'Tetralogie van Fallot... ze moet binnenkort een operatie ondergaan, maar... ja... pulmonaire vernauwing... vergrote lever. Nieren. De operatie zou in Boston plaatsvinden, maar ik geloof niet...'

Lily hoorde wat Marisa zei, maar ineens verstond ze niets meer. Alles veranderde in een soort gemompel. Want Liam had zich half omgedraaid zodat hij Lily kon aankijken en hij lachte breed en knikte naar Rose, die haar ogen weer open had. Haar heldergroene, levendige, jarige-Jet-ogen. Rose keek om zich heen en omdat Liam, die nog steeds het zuurstofmasker op de plaats hield, begreep dat er maar één persoon was die ze wilde zien stapte hij opzij, zodat Rose haar moeder kon aankijken.

9

Maeve Jameson zat in haar tuin op de antieke smeedijzeren bank in de schaduw van de bomen. De zilte lucht was bezwangerd met de geur van rozen en de zomerwarmte sloeg van de rotsachtige grond af. De bladeren boven haar hoofd ritselden in een zacht briesje. Ze had haar ogen dicht en een toevallige voorbijganger zou de indruk krijgen dat ze ontspannen zat te rusten. Maar het tegendeel was waar.

Beneden aan de voet van de rotsen kwam de vloed op. Ze hoorde de golven steeds hoger klotsen. Het was onmogelijk om niet aan vroeger te denken en in gedachten dat jonge meisje weer in het water te zien spartelen. Ze kon zwemmen als een zeehond en daar leek ze ook wel een beetje op met haar gladde, glanzende bruine haar. Ze vond het heerlijk om te duiken, zo diep als ze kon, en dan met handenvol schelpen en zeewier weer boven water te komen. Maeve had op ditzelfde bankje zitten toekijken als ze urenlang aan het zwemmen of aan het duiken was.

Toen ze het autoportier hoorde dichtslaan, had ze het gevoel dat ze eindelijk weer adem kon halen. Dit was het bezoek waarop ze had zitten wachten. Ze wist dat hij zou komen, net als ieder jaar. Alleen leek alles dit jaar anders. Maeve had een bedrukt gevoel, alsof er opnieuw een laagje hoop was weggesleten.

'Goeiemorgen, Maeve,' hoorde ze een stem zeggen. Het kostte haar de grootste moeite om haar ogen open te doen en hem aan te kijken. Maar toen dat was gelukt, begon ze te glimlachen. Onwillekeurig. Hij zag er nog steeds net zo jong, net zo knap en net zo enthousiast uit als de jonge politieman die al die jaren geleden voor haar deur had gestaan. Zijn hond, een zwarte labrador, rende langs Maeve rechtstreeks naar de rand van het water.

'Het is helemaal geen morgen,' zei ze. 'Het is drie uur in de middag.'

'Begin je me nu al op mijn vingers te tikken voordat ik zelfs maar binnen het tuinhekje ben?'

'Lieverd, dat tuinhek is jaren geleden al weggehaald. Kom maar binnen en betreed deze gezegende grond.' Ze keek toe hoe hij langs de wensput liep, met de smeedijzeren boog waarop *Sea Garden* stond, de naam die Mara aan het huis had gegeven toen ze nog maar een klein meisje was. Patrick wierp een korte blik op de letters die behoorlijk spichtig waren geworden van de zilte lucht die al die jaren aan het ijzer had gevreten.

'Gezegende grond,' zei hij toen hij voor haar stond.

'Sea Garden,' zei ze. 'We wachten nog steeds op de terugkomst van de jonge maagd.'

'Maeve...'

'Ga je me nu vertellen dat ik realistisch moet zijn, lieve schat? Dat hoor ik aan je stem. Inmiddels zijn er negen jaar voorbij...'

'Het heeft geen zin om te blijven hopen, terwijl we allebei weten...'

'Wat weten we allebei, lieve jongen? Wat weten we echt? Dat ze hier heeft gewoond, dat ze is verdwenen, dat haar baby vandaag negen jaar zou zijn geworden... of gisteren, of morgen... Ik weet niet wanneer ze precies jarig is.'

'We weten helemaal niet of ze wel geboren is,' zei Patrick. 'De kans is groot dat dat niet het geval is.'

'Waarom kom je me dan jaar in, jaar uit opzoeken? Waarom blijf je dan vragen stellen alsof je nog steeds verwacht dat je haar zult vinden?'

Patrick bloosde en zijn met sproeten bezaaide huid werd zo rood dat het leek alsof hij te lang in de zon had gezeten. Af en toe dacht Maeve weleens dat hij er spijt van had dat hij met haar over bepaalde aspecten van het onderzoek had gepraat, net als over zijn slapeloze nachten en het feit dat zijn huwelijk schipbreuk had geleden omdat hij zo geobsedeerd was door deze zaak. Maeve had heel voorzichtig geprobeerd hem aan het verstand te brengen dat het gekkenwerk was – anders kon ze het niet uitdrukken – om zelfs na zijn pensionering nog te proberen de zaak van een vermiste vrouw op te lossen van wie hij eigenlijk, diep in zijn hart, geloofde dat ze dood was.

Maeve vond het gewoon ongeloofwaardig.

'Wat zegt Angelo ervan?' vroeg ze.

Hij floot even en schudde zijn hoofd tot zijn rode haar in zijn blauwe ogen viel. 'Dat is onder de gordel, Maeve,' zei hij.

'Heb je me niet verteld dat Angelo een vriend van je was die je ervan probeerde te overtuigen dat je spookbeelden achternajaagt door nog steeds op zoek te zijn naar mijn kleindochter?'

'Om te beginnen ben ik helemaal niet naar haar op zoek. De zaak is gesloten en trouwens... ik ben gepensioneerd. En ten tweede is Angelo een klootzak.'

'O ja? En ik dacht dat hij je beste vriend was.'

Patrick knikte. Hij stond nog steeds voor haar, en Maeve ging iets verzitten zodat hij met zijn hoofd het zonlicht blokkeerde dat in haar ogen scheen.

'Ja, dat klopt,' zei hij. 'Maar hij heeft de ballen verstand van het oplossen van misdaden. Flora! Blijf uit de buurt van dat klotezeewier! Straks zorgt ze er weer voor dat mijn hele auto stinkt alsof het net eb is geworden, let op mijn woorden.'

Maeve keek hem stralend aan. Ze wist niet waarom ze het zo grappig vond dat Patrick Murphy zulke taal uitsloeg. Doorgaans hield ze helemaal niet van dat soort krachttermen. Maar ze zou het wel leuk vinden omdat het een uitvloeisel leek te zijn van de hartstocht waarmee hij zich vastklampte aan de droom dat Mara nog in leven was, ook al beweerde hij het tegendeel.

'Honden zijn dol op mijn rotsen. Maar we hadden het over Angelo.'

'Hij weet geen ene moer van mijn zaken.'

'Nou ja, hij werkt ook niet bij de politie, hè? Wat zou hij eigenlijk kunnen weten als puntje bij paaltje komt?'

'Niet veel,' zei Patrick. 'Wat heb je daar?'

'Bedoel je die?' vroeg ze terwijl ze haar knalroze tuinhandschoenen omhooghield. Maar hij schudde zijn hoofd en wees.

'Daar,' zei hij.

'O,' zei Maeve, 'ik heb net de rozen water gegeven.'

'Dat is wel een heel oude gieter,' zei Patrick. 'Geel. Dat doet me ergens aan denken.'

'Hmmm,' zei Maeve. Ze pakte de zonnebril die ze op haar hoofd had geschoven en zette hem op haar neus. Dit leek daar wel een geschikt moment voor. Het laatste wat ze wilde, was dat deze man zou

zien dat de tranen in haar ogen sprongen. Ze kuchte voor alle zekerheid maar even en schopte de gele laarzen onder de bank. En precies
op dat moment besloot Flora om de kust en de aangespoelde rommel
de rug toe te keren en naar haar toe te komen om aangehaald te worden. Ondertussen snuffelde ze ook nog even aan de gele laarzen.

'En wat is dat?' vroeg hij, kijkend naar zijn hond die aan de gele
rubberlaarzen likte.

'Zo is het mooi geweest,' zei ze, niet tegen Flora maar tegen Patrick.

'Maeve.'

'Zegt de uitdrukking "het vuur brandend houden" je iets? Ben jij
eigenlijk wel een sentimentele Ier?'

'Een realistische Ier.'

'Ach, natuurlijk. Jullie keiharde Ierse smerissen kunnen uiteraard
nooit begrip opbrengen voor zoiets als de hoop dat een lang geleden
verdwenen kleindochter weer thuis zal komen, samen met een
achterkleinkind. Jullie hebben het te druk met het achternajagen van
spoken.'

'Op de dag dat ze verdween, heeft ze die laarzen aangehad en die
gieter gebruikt,' zei hij. Zijn gezicht was doodsbleek geworden.

'Dat klopt.'

'Ik had je die dingen nooit terug moeten geven. Je moet ze weg-
doen, Maeve, voor je eigen bestwil.'

'Nooit van mijn leven.'

'Maeve, we hebben bloedvlekken op een van de tenen gevonden.
Wil je die laarzen echt houden en blijven denken aan de reden waarom Mara ze heeft achtergelaten?'

'Mara heeft zich aan een doorn geprikt,' zei Maeve scherp. Ze wilde niet aan bloed denken in verband met Mara... en ook niet aan verdriet, pijn, of de akelige dingen die de politie destijds verondersteld
had. Daar kon ze gewoon niet tegen. Ze klemde haar kaken vastberaden op elkaar, om Patrick duidelijk te maken dat het onderwerp afgedaan had.

'Heb je nog iets van dinges gehoord?' vroeg Patrick.

'Onze charmeur,' zei Maeve.

'Hoe komt het toch dat we geen van beiden zijn naam over onze
lippen kunnen krijgen?'

Maeve keek Patrick met een uitgestreken gezicht aan... zo goed en zo kwaad als het ging. Woorden schoten tekort om de intense haat die ze voor Edward Hunter voelde uit te drukken. Zelfs als ze alleen maar aan hem dacht, kromp haar maag samen en betrok haar gezicht. Ze liet haar linkerhand onder de bank zakken tot ze met haar vingers de bovenkant van een van de gele laarzen voelde. Het was een troost om iets aan te raken dat Mara gedragen had. Daardoor leek Mara weer tot leven te komen.

'Hij schrijft of belt me bij bepaalde gelegenheden. De vakantie, haar verjaardag...'

'Wat zeg je dan tegen hem?'

'Ik speel toneel, schat. Ik bedank hem en vraag hoe het met zijn carrière gaat en met zijn "gezin".' Toen ze dat woord zei – nota bene zo'n dierbaar woord, 'gezin' – in verband met Edward en zijn laatste slachtoffers, waren de aanhalingstekens duidelijk hoorbaar. Hij had Mara dood laten verklaren, zodat hij met een van de klanten van zijn effectenmakelaardij kon trouwen. 'Ik heb geleerd dat ik mijn vijanden binnen bereik moet houden. Je weet maar nooit wat hij op een dag misschien onthult. Hij woont in...'

'Boston.'

Maeve knipperde verbaasd met haar ogen. 'Nee, hij woont al een tijdje in Weston, samen met zijn nieuwe vrouw.'

'In de lente van dit jaar is ze bij hem weggegaan,' zei Patrick, die het leuk vond dat hij haar dit nieuwtje kon vertellen. 'Ze hadden hun huis te koop gezet en zodra het verkocht was, heeft ze de benen genomen. Ik heb gehoord dat ze er niet veel geld aan over heeft gehouden. Het grootste gedeelte stond vast, maar ze heeft het verlies voor lief genomen en is samen met haar kind weggegaan. Uiteindelijk zal hij al haar geld wel inpikken... alles wat hij haar nog niet afgepakt had. Zo gaat dat altijd met de vrouwen van Edward. Ze geven alles op om aan hem te ontsnappen.'

Maeve wist niet wat ze daarop moest zeggen. Ze bleef alleen maar met haar vinger langs de schacht van de laars strijken. O, als Mara nou eens vandaag zou hebben uitgekozen als de dag om terug te keren van waar ze zich ook verstopt had... als ze nu eens door het tuinhekje dat Maeve al jaren geleden weg had gehaald naar binnen kwam... gewoon met haar baby in de armen.

Ze kwam met een schok terug tot de werkelijkheid. De baby zou allang geen baby meer zijn, maar een negenjarig kind.

'Al die verloren tijd,' zei Maeve. 'Als ik denk aan al die jaren die ik zonder haar heb moeten doorbrengen. Ik heb haar grootgebracht, zie je.'

'Ja, dat weet ik, Maeve. Nadat haar ouders waren omgekomen bij het ongeluk met die veerboot.'

'In Ierland. Zo'n poëtisch land en zo'n poëtische manier om te sterven. Dat heb ik mezelf destijds voorgehouden. Maar dan had ik Mara weer in mijn armen die zich iedere nacht in slaap huilde en dan wist ik het weer... Er is geen poëtische manier om te sterven.'

'Helemaal niet.'

'O ja, ik heb het tegen een voormalige smeris van de moordbrigade, hè?'

'De Anti Criminaliteits Eenheid,' zei hij.

'Heb ik je weleens verteld dat je me doet denken aan een lieve oude vriend van me, een Ierse dichter die Johnny Moore heet?'

'Iedere keer dat we elkaar zien. Ik snap nog steeds niet waarom.'

'Omdat je brieven schrijft aan een meisje dat volgens jou dood is,' zei Maeve. 'Daarom. Vooruit, kom maar mee naar binnen, dan schenk ik een glaasje ijsthee voor je in. Misschien komt Clara wel een paar van haar suikerkoekjes brengen als ik haar vertel dat je er weer bent.'

'Suikerkoekjes,' zei Patrick terwijl hij zijn hand uitstak om Maeve te helpen opstaan. Terwijl hij dat deed, viel zijn blik op de oude bank. Het was een smeedijzeren bank, afkomstig van dezelfde mensen die de boog boven de wensput hadden gemaakt. De bank had de tand des tijds beter doorstaan. Het materiaal was iets dikker en Maeve had er beter voor gezorgd door hem ieder jaar met een antiroestmiddel te bewerken. Ze volgde Patricks blik en keek ook naar de bank.

Die bood plaats genoeg voor vier mensen. De uit latten bestaande zitting was in het midden iets lager en de armleuningen en de poten waren uitbundig versierd met Victoriaanse krulletjes. Maar de rugleuning was het eigenlijke kunstwerk en bestond uit vier verschillende afbeeldingen van een jongen en een meisje onder dezelfde boom.

'Je vier-seizoenenbank,' zei hij. 'De winter, de lente, de zomer en de herfst.'

'Ja,' zei Maeve, die de gele laarzen oppakte terwijl hij zich ontfermde over de gieter en vervolgens haar arm door de zijne stak om over het smalle stenen pad naar de voordeur te lopen. 'Mijn vader heeft hem voor mijn moeder laten maken door dezelfde smid die ook de boog met "Sea Garden" heeft gemaakt. Het is een symbool voor het verstrijken van de tijd.'

Het verstrijken van de tijd. Sinds de verdwijning van Mara. Sinds Patrick naar haar op zoek was gegaan. Tegenwoordig keken jonge mensen er altijd van op dat sommige dingen blijvend waren. En daar rekende ze Patrick – die waarschijnlijk een jaar of vijfenveertig was – absoluut bij. Ze leefden in een wegwerpmaatschappij, dat was iets wat Maeve en Clara vaak genoeg tegen elkaar zeiden.

Ze stonden er allebei steeds weer van te kijken dat alles tegenwoordig in plastic werd verpakt. Om nog maar te zwijgen van al die rijke jonge mensen die schattige, gracieuze landhuisjes opkochten om ze tegen de vlakte te gooien en er de meest onuitsprekelijke monstrositeiten voor in de plaats te laten zetten. Zelfs hier in Hubbard's Point nam die gewoonte hand over hand toe.

'Zal ik je eens vertellen wat ik denk?' vroeg Maeve.

'Goed, hoor,' zei hij terwijl ze de voordeur opendeed en hem mee naar binnen nam. De keuken lag in de schaduw en het was er koel, dankzij de zeewind die door de openstaande ramen blies.

'In de toekomst, en die is niet zo ver weg, zullen kleine landhuisjes zoals dit onbetaalbaar zijn. Schattige kleine huisjes, die echt in het landschap genesteld liggen. Mensen met geld maken overal een puinhoop van. Ze hakken de oude bomen om, laten de kleine huizen met de grond gelijkmaken en zetten er dan van die domme protserige villa's neer.'

'Zij denken dat ze de waarde van hun onroerend goed verhogen.'

'Ik heb gehoord wat er met de jachthaven is gebeurd, lieverd. Het spijt me ontzettend voor je. Maar ja, dat is precies hetzelfde. Na een tijdje, als de mensen genoeg krijgen van die grote, van airconditioning en centrale verwarming voorziene huizen, gaan ze allemaal weer naar dit soort huizen verlangen. Want die passen zo mooi bij de kust. Ik kan me voorstellen dat Mara deze plaats niet eens herkent als ze weer terug zou komen. Met al die lelijke nieuwe gebouwen.'

'O, ze herkent het hier heus wel,' zei hij. 'Deze plaats zal ze altijd herkennen.'

'Deze omgeving stond in haar ziel gegrift,' zei Maeve terwijl ze de koelkast opentrok en een grote kan ijsthee pakte. Er dreven muntblaadjes uit de tuin in en ze goot de thee via een zeefje in hoge glazen. Daarna zette ze een bak water voor Flora op de grond en de hond begon dorstig te slobberen.

'Vertel me eens iets meer over haar,' zei Patrick.

'Ik kan je niets nieuws over mijn kleindochter vertellen,' zei Maeve.

'Je weet alles al. Waarschijnlijk nog meer dan ik.'

'Niemand weet zoveel van Mara als jij,' zei Patrick. 'Vooruit, vertel me nou maar iets wat ik nog niet weet.'

Maeve zat fronsend na te denken. Wat kon of wat mocht ze hem nog meer vertellen? Ze liep met hem op haar hielen de grijs met gele keuken uit, langs de oude houten tafel die aan één kant in de muur was gebouwd en lang geleden door Maeve zelf was beschilderd met de kleurige bloemen en figuren die pas veel later in de mode kwamen. Daarna de bocht om naar de woonkamer met het weidse uitzicht over de Long Island Sound, terwijl de gedachten en de herinneringen zich in Maeves hoofd verdrongen.

Mara als baby, als een kleuter van drie die moest leren zwemmen, als een zesjarig kind dat voortdurend met haar neus in de boeken zat, als tiener die niets moest hebben van de jongens die om de haverklap verliefd op haar werden, als een succesvolle ontwerpster van naai- en borduurpatronen en als de jonge echtgenote van Edward Hunter.

'Welk verhaal wil je horen?' vroeg ze. 'Uit welke periode in haar leven?'

'Vertel me het verhaal maar dat me zal helpen om haar te vinden,' zei hij.

'Denk je niet dat ik dat allang zou hebben gedaan als het in mijn macht lag?' vroeg ze en ze glimlachte treurig bij zijn erkenning – ook al zei hij het niet met zoveel woorden – dat hij eigenlijk niet geloofde dat ze dood was. Of dat hij het niet wilde geloven...

'Ik weet wel dat ik je deze vraag iedere keer stel. Maar heb je echt nooit iets gezien dat op een levensteken van haar leek?' gooide hij het over een andere boeg. 'Een telefoontje waarbij de persoon aan de andere kant van de lijn zonder iets te zeggen ophing? Of een ansicht zonder afzender? Of...'

'Nee.'

'Is er nooit iets geks, iets ongewoons, gebeurd dat je reden gaf om na te denken?'

'Ze hebben me een keer te weinig berekend bij het benzinestation,' zei ze.

Patrick sloeg zijn ogen ten hemel. Flora kwam op een drafje naar hem toe lopen en ging hijgend aan zijn voeten liggen. 'Maar niets anders? Niets wat leek op een persoonsverwisseling?'

'Een persoonsverwisseling?'

'Nou ja, dat er iets heel onverwachts gebeurde waardoor jij het idee kreeg dat je met iemand anders werd verward. Waarvan het leek alsof het voor iemand anders bestemd was.'

'Ja, afgelopen herfst,' zei Maeve. Haar hart sloeg over, alsof zijn woorden een deur openden... en haar een kans boden. Ze sprak langzaam, om niet te laten merken hoe geëmotioneerd ze was. 'Volgens mij was het laat in de herfst. Vlak voor de feestdagen.'

'Wat was dat dan?' vroeg Patrick.

'Ik kreeg een telefoontje van de abonnementenadministratie van het Mystic Aquarium. Het was een buitengewoon aardige en vriendelijke mevrouw. Ze vertelde me dat ze mijn naam had gekregen van iemand die dacht dat ik het wel leuk zou vinden om lid te worden en mij dat abonnement aanbood.'

Maeve zag aan Patricks gezicht dat hij eigenlijk niet op zoiets zat te wachten. Maar Maeve voelde het bloed in haar slapen kloppen en er gleed een tinteling over haar rug alsof er net een geest of een engel de kamer was binnen gevlogen.

'Nou ja, iedereen weet dat je aan het water woont,' zei Patrick. 'Ze dachten waarschijnlijk dat je het leuk zou vinden om naar de vissen te gaan kijken, of wat voor beesten ze daar ook hebben.'

'Misschien wel,' zei Maeve. Ik heb die mevrouw gevraagd wie mijn naam had doorgegeven en ze zei dat de persoon in kwestie anoniem wilde blijven.'

'Misschien probeerde ze gewoon je een abonnement aan te smeren.'

'Nee. Het was een cadeautje. Die persoon had het lidmaatschap voor mij betaald.'

Nu was hij ineens wel geïnteresseerd. Hij trok nadenkend zijn wenkbrauwen op. 'Een cadeautje?'

'Ik dacht dat het misschien Clara was geweest. Zij is dol op museums en op Mystic Seaport en het aquarium. Maar zij had er niets mee te maken. Daarna vermoedde ik dat een van mijn vroegere leerlingen verantwoordelijk was. Ik heb altijd geprobeerd ze aandacht voor de natuur bij te brengen.'

'Hm. Heb je genoten van je abonnement?'

'Ik heb er nooit gebruik van gemaakt,' zei Maeve. 'Waarom zou ik naar een aquarium gaan als ik dit allemaal recht voor de deur heb?' Ze keek uit over de blauwe Sound, waar de golven uit het oosten binnenkabbelden. De twee granieten eilandjes, North en South Brother, lagen achthonderd meter uit de kust. Ze dacht terug aan de keer dat Mara ernaartoe had willen zwemmen en zij in de roeiboot was meegegaan, om ervoor te zorgen dat haar niets zou overkomen.

'Ja, dat klopt,' zei Patrick. 'Waarom zou je?'

Maeve keek hem met grote ogen aan.

Ze hoorden dat iemand de keuken binnenkwam. De hordeur moest nodig geolied worden. Ze wist dat het Clara was. Die woonde vlak naast haar en ze zou Patrick wel in de tuin gezien hebben. Maeve kon de suikerkoekjes bijna ruiken.

'Ik ben het,' riep Clara.

'We zitten hier,' riep Maeve terug.

'Wacht heel even,' zei Patrick. 'Heb nog een momentje geduld met me. Weet je hoe die vrouw heette? Die je gebeld heeft?'

'Die naam heb ik nog wel ergens, denk ik,' zei Maeve, terwijl ze opschoof om plaats te maken op de bank voor Clara. Flora was opgesprongen en stond met de tong uit de bek strak naar het bord met koekjes te kijken. Ze begroetten elkaar. Patrick stond op om Clara een hand te geven en Maeve tilde haar gezicht op om haar beste vriendin een kus te geven. Natuurlijk wist ze hoe die vrouw heette en ze wist ook nog precies waar ze het papiertje met de naam had neergelegd.

'Ik heb wat koekjes meegebracht zoals die schat van een hond heel goed in de gaten heeft,' zei Clara. 'Voor bij Maeves pepermuntthee.'

'Ik ben een echte geluksvogel,' zei Patrick. 'Gedraag je, Flora.'

'Het lijkt wel een feestje,' zei Clara terwijl ze Flora een koekje gaf.

'Een verjaardagsfeestje,' zei Maeve en ze voelde die tinteling opnieuw toen ze opstond om de naam te pakken. Die stond op de abonnementsgegevens die ze op een van de middelste planken van haar boekenkast had opgeborgen. Tussen *Islands in the Stream* en *De verzamelde gedichten van Yeats*.

Twee van haar lievelingsboeken.

Haar rug tintelde opnieuw. Ze begon zich bijna af te vragen of er onweer op komst was.

10

Er was maar zo weinig ruimte aan boord van de helikopter dat Lily niet met Rose mee kon. Tegen de tijd dat de boot de kade in Port Blaise bereikt had en de helikopter landde om haar op te pikken, voelde Rose zich alweer een stuk beter. Nog niet echt goed, zelfs niet bijna goed, maar ze was niet blauw meer en ze had ook niet het gevoel dat ze opnieuw flauw zou vallen. Ze was bij kennis en ze hoorde alles en ze vond het helemaal niet leuk dat ze in haar eentje naar het ziekenhuis in Melbourne gevlogen zou worden.

'Mammie,' zei ze terwijl ze het zuurstofmasker optilde om te kunnen praten, 'ik wil dat je meegaat.'

'Daar is geen plaats voor, lieverd,' zei haar moeder die naast de brancard stond waarop Rose plat op haar rug lag, klaar om in de wachtende helikopter te worden geschoven. 'Maar je hoeft je geen zorgen te maken... Ik stap meteen in een auto om naar Melbourne te rijden. Dan ben ik daar over een uur, of hooguit twee uur.'

'Niet te hard rijden,' waarschuwde Rose.

'Nee hoor,' zei haar moeder en Rose zag tot haar opluchting dat ze glimlachte.

'We zullen heel goed voor haar zorgen,' zei de verpleegster van de traumahelikopter tegen haar moeder. Ze wilden Rose optillen, maar haar moeder bleef haar hand vasthouden. Jessica's moeder, die op de boot voor Rose had gezorgd, stond vlak naast haar en zwaaide naar Rose. Roses moeder klampte nog steeds haar hand vast. Ten slotte stapte dr. Neill naar voren en trok de hand van Roses moeder voorzichtig met zijn goede hand los.

'Laat haar gaan,' zei hij. 'Hoe sneller ze weg is, hoe sneller je haar in Melbourne kunt opzoeken.' Hij keek Rose strak aan toen hij dat zei. Ze zag dat zijn ogen sprankelden en daar moest ze om lachen, ook al was ze een beetje bang voor die lawaaierige rotorbladen van de helikopter. Dr. Neill wist precies waar Rose aan lag te denken, dat wist ze zeker.

'Je hoeft niet bang te zijn, Rose,' zei haar moeder. 'Deze mensen zullen goed voor je zorgen en ik kom zo snel mogelijk achter je aan.' Rose knikte en glimlachte breed. Ze hield haar lippen strak en lachte haar tanden bloot, zodat haar moeder zich die lach zou herinneren als ze aan dit moment terugdacht. Daarna stak ze haar duim op tegen haar moeder, zoals ze altijd deed als ze naar de operatiekamer werd gereden. Haar moeder retourneerde het gebaar en glimlachte even dapper terug.

'Dag, Rosie! We houden allemaal van je, Rose!' riepen Jessica en haar moeder samen met alle andere Nanoukmeiden. Rose had inmiddels weer een zuurstofmasker op, zodat ze niets terug kon roepen. Dr. Neill stond naast haar moeder en torende boven haar uit omdat hij zo lang was. Het schoot Rose door het hoofd dat hij op een berg leek, stevig, stabiel en rotsvast. Dat vond ze een prettige gedachte en de glimlach verscheen weer op haar gezicht.

Daarna ging alles heel snel.

De broeders controleerden of ze stevig vastgebonden was en de verpleegkundige deed haar de manchet van de bloeddrukmeter om en luisterde met een stethoscoop naar haar hartslag. De piloot praatte in zijn radio, terwijl een van de broeders via een andere radio contact opnam met het ziekenhuis. Rose had het allemaal al eerder meegemaakt. De mensen van de gronddienst schoven de deur met een klap dicht en toen ze haar moeder niet meer kon zien, sloot Rose haar ogen.

Haar moeder had er zo bezorgd uitgezien en Rose wist dat dat kwam omdat ze dacht dat Rose bang was. Maar dat was niet zo. Ze had een fantastische verjaardag gehad en nu was ze ontzettend moe.

Lily had geen angst in Roses ogen gezien, maar zorgen om haar... om haar moeder. Haar moeder deed altijd zoveel voor haar. Ze werkte zo hard in de zaak en ze deed altijd haar best om Rose blij te maken en gezonder. Terwijl de helikopter opsteeg, recht omhoog zodat Roses hart leek weg te zakken alsof het op de grond wilde blijven, bij haar moeder en dr. Neill en al die mensen van wie ze zoveel hield, balde Rose haar vuisten en dacht aan haar moeder.

Ze wist dat net zoals haar hart op de grond wilde blijven het hart van haar moeder samen met de helikopter opsteeg om met Rose mee te vliegen. Rose kon het voelen, het was net alsof ze het hart van haar moeder in haar handen hield. Ze vond het een naar idee dat haar moeder zich zorgen maakte. Als Rose aan haar ziekte dacht, vond ze dat zelf niet erg, ze vond het erg voor haar moeder.

Jessica's moeder had een gezonde dochter, waarom gold dat dan niet voor haar moeder? Rose herinnerde zich hoe ze Jessica een paar dagen geleden nog had geplaagd met de boze tovenaar die in de heuvels woonde. Als ze alleen maar aan hem dacht, deed de splinter in haar hart al pijn. Die was van ijs en vlijmscherp.

Ze dacht aan de sprookjes die haar moeder haar had voorgelezen toen ze nog klein was. Boze tovenaars betoverden mensen. Maar Rose dacht niet dat dat ook met haar was gebeurd. Ze dacht dat ze iets heel ergs moest hebben gedaan. Toen ze nog een baby was, of een heel klein meisje. Haar moeder had het haar nooit verteld, maar daardoor was haar vader voorgoed weggegaan. Vandaar dat zij nu een gebroken hart had en een boze tovenaar in plaats van een vader.

Haar gedachten maalden door haar hoofd. Ze ademde de zuurstof in en staarde in de ogen van de onbekende verpleegkundige. Als ze last had van die blauwe spells wist ze nooit precies wat nu wel en wat niet waar was. Er was nauwelijks onderscheid tussen dromen en wakker zijn.

Er was geen boze tovenaar... Haar moeder had op haar gemopperd omdat ze Jessica daarmee had geplaagd. Maar waarom had Rose dan het gevoel dat hij wel bestond? En dat hij de plaats had ingenomen van een lieve vader?

Ze dwong zichzelf adem te halen en aan haar moeder te denken. Ze wenste dat ze beter zou worden, zodat haar moeder zich geen zorgen meer hoefde te maken. Dan zouden ze samen allerlei gewone dingen kunnen doen. Hardlopen, spelen en plannen maken voor de komende kerst zonder zich af te vragen of zij misschien weer naar het ziekenhuis zou moeten of misschien nog een keer geopereerd zou moeten worden. Door de gezondheidstoestand van Rose bleef alles altijd in de lucht hangen.

Net als de helikopter.

Dit was echt. Geen droom. Ze werd niet op de vleugels van een duivel naar de grot van de boze tovenaar in de bergen gedragen. Ze werd niet ontvoerd. Haar vader had geen mensen op pad gestuurd om haar te zoeken. Nee, nee. Ze probeerde wakker te blijven, om zeker te weten waar ze was. Het krachtige motorgeluid van de helikopter klonk geruststellend.

Het is echt waar, prentte ze zichzelf in. *Je gaat naar het ziekenhuis om beter te worden. Maar ze vloog wel door de lucht.*

Het ene moment stond ze nog op haar verjaardagsfeestje naar Nanny te kijken en pret te maken met haar vriendinnen, en een moment later lag ze in een helikopter naast een vreemde die naar haar hart luisterde en glimlachte terwijl ze naar het ziekenhuis in Melbourne werd gevlogen.

In de lucht. Rose hing in de lucht, maar haar hart was beneden op de grond, bij haar moeder. Het was allemaal echt waar.

Lily was versuft en deed alles op de automatische piloot. Anne en Marlena pakten Roses cadeautjes bij elkaar, stopten de taart weer in de doos – compleet met de kaarsjes die nog niet eens aangestoken en weer uitgeblazen waren – en beloofden dat ze alles bij Lily's huis zouden afgeven. Lily hoorde ergens in de verte dat Anne zei dat ze de taart in de vrieskast van het hotel zou bewaren tot Rose weer thuiskwam.

Ze wist dat ze naar huis moest om een koffer te pakken. De ervaring had haar geleerd dat die tochtjes naar het ziekenhuis meestal vrij lang duurden en dat ze niet alleen haar tandenborstel en het boek dat ze aan het lezen was nodig had, maar ook andere kleren. Maar ze gunde zich niet de tijd om helemaal terug te rijden naar huis. Ze moest hier in Port Blaise maar een auto huren, dan kon ze rechtstreeks naar het ziekenhuis rijden.

'Wil je dat ik met je meega?' vroeg Marisa.

'Nee, maar je was echt fantastisch op de boot,' zei Lily. 'Nogmaals hartelijk bedankt.'

Ze gaven elkaar een hand en wisselden een strakke blik. Lily vond dat de ogen van Marisa alerter stonden dan ze daarvoor waren geweest. Het was alsof ze door Rose te helpen een beroep had gedaan op iets dat heel diep in haar zat en dat ze tijdens haar vlucht vrijwel genegeerd had.

'Omdat ik hier nog maar net woon, weet ik niet zoveel over het ziekenhuis in Melbourne,' zei Marisa. 'Maar het personeel van de traumahelikopter leek heel competent en geconcentreerd.'

'Dat zijn ze inderdaad en het ziekenhuis is vrij goed. In ieder geval voor de eerste zorg,' zei Lily. 'Rose is er al vaak geweest. Marisa... ik zag dat je naar haar buik luisterde. Wat heb je daar gehoord?'

'Vocht,' zei Marisa aarzelend. 'En haar lever en nieren voelden aan alsof ze opgezwollen waren, Lily.'

Lily hoorde wat ze zei en borg de informatie onmiddellijk op in dat deel van haar hersens dat geen enkel contact onderhield met haar hart. In ieder geval niet tijdens de lange rit naar Melbourne. Ze kon zich nu geen huilbuien veroorloven, anders zou ze misschien van de weg raken en dat mocht niet gebeuren. Rose had haar nodig.

Ze omhelsde Marisa en voelde verbaasd hoe haar nieuwe vriendin zich aan haar vastklampte. Het was net alsof ze haar niet wilde laten gaan.

'Wat is er?' vroeg Lily.

'Ik... ik wou je alleen bedanken. Voor je begrip.'

'Ik begrijp het omdat ik het zelf heb meegemaakt,' zei Lily zacht. 'Er zijn twee soorten mensen op de wereld. Mensen die van mannen zoals jouw echtgenoot en de mijne hebben gehouden en mensen bij wie dat niet het geval is. Het is één ding om een eind te maken aan een relatie. Maar het is iets heel anders om een huwelijk met een psychopaat te verwerken. Ik zie je wel weer als ik terugkom, goed? Ik zou graag het hele verhaal willen horen en je dan het mijne willen vertellen.'

'Bedankt. En doe Rose de groeten.'

'Dat zal ik doen,' zei Lily.

Lily maakte zich op voor de rit. Ze zou een van mannen van de kustwacht moeten vragen of hij haar even bij het winkelcentrum een paar kilometer verderop wilde afzetten. Ze wist bijna zeker dat ze daar weleens een autoverhuurbedrijf had gezien. Ze voelde in haar zak of ze haar huissleutels bij zich had en controleerde om de haverklap of ze haar schoudertas mee van boord had genomen. Ze wist dat ze in een soort shocktoestand verkeerde, want dat overkwam haar iedere keer dat Rose naar het ziekenhuis moest.

De Nanoukmeiden waren ook van boord gegaan en probeerden haar over te halen om hen mee te nemen. De *Tecumseh II* lag aan de vreemde kade en Jude stond samen met zijn bemanning aan dek somber naar de lucht te staren waar de helikopter inmiddels niet meer dan een stipje was.

'Ik moet een auto hebben,' zei Lily tegen Anne.

'Liam regelt dat al,' zei ze. 'Hij kent de commandant van de kustwacht omdat ze allebei van bepaalde technische toestanden gebruikmaken of zoiets en hij zorgt nu dat iemand je naar Hertz brengt. Wil je dat ik met je meerij?'

Lily schudde haar hoofd. 'Nee, ik red me wel.' Ze wilde alleen nog maar zo gauw mogelijk weg. Iedere seconde was er een die ze niet met Rose deelde.

De Nanouks dromden om haar heen en knuffelden haar allemaal tegelijk, alsof ze wisten dat ze geen tijd had om van iedereen apart afscheid te nemen. Maar ze voelde de lichamen van haar vriendinnen en hun dochters tegen haar aan drukken, alsof ze haar zelf op hun schouders naar Melbourne wilden dragen.

'We houden van je, Lil.'

'We zullen aan jullie allebei denken.'

'Je moet wel bellen, hoor lieverd.'

'We sturen je alles wat je nodig hebt.'

'Geef je het meteen door als je iets weet?'

'Dat zal ik doen,' beloofde ze, vastberaden en zonder een traan te laten. Ze putte kracht uit hun steun en liefde. Daarna maakte ze zich los en liep naar het eind van de kade. Het station van de kustwacht, wit met een rood dak en vastgebouwd aan de ronde witte vuurtoren, lag verstopt tussen lage, door de wind geteisterde dennen boven op een kleine heuvel.

Lily had bijna het gevoel dat ze naar adem moest snakken toen ze de trap op liep. Ze had nog een lange reis voor de boeg en daarvan was de autorit het gemakkelijkste deel. Daar was Liam. Hij stond te praten met de commandant in zijn witte uniform. Een jonger lid van de kustwacht had het bevel gekregen om een auto te halen en die reed hij net de halfronde, met grind bestrooide oprit op.

Lily zette het op een lopen. De auto was er al, nu hoefde ze er alleen nog maar in te springen, dan zou die jongeman haar naar Hertz rijden. Ze liep langs Liam heen in de wetenschap dat ze hem hoorde te bedanken, maar daar had ze nu geen tijd voor. Met haar hand op de portierhendel zag ze tot haar ontsteltenis dat de jongeman van de kustwacht het sleuteltje omdraaide en uitstapte.

'Nee,' zei ze, terwijl de paniek toesloeg. 'Alsjeblieft... we moeten meteen weg. Stap in en rij me alsjeblieft naar...'

De jongeman stond haar een beetje schaapachtig en gegeneerd aan te kijken. 'Maar mevrouw...' zei hij.

'Nu meteen, alsjeblieft. Het is heel lief dat je me wilt brengen, maar ik ben al veel te laat, ik moet naar mijn dochter toe!'

'Stap maar in, Lily,' zei Liam terwijl hij het portier voor haar opende.

'O, dank je wel, Liam,' zei ze gehaast. Sjonge, ze was hem toch echt een bedankje schuldig. 'Zeg alsjeblieft tegen hem dat hij me nu meteen weg moet brengen!'

Liam gaf geen antwoord en sloot het portier achter haar. Nu stond hij weer met de twee mannen van de kustwacht te praten. Ze stonden daar maar gewoon te kletsen en de tijd van de chauffeur te verspillen aan god mocht weten wat. Lily keek toe hoe ze met hun drieën door bleven praten, hoe sleutels van eigenaar veranderden... lieve God nog aan toe! Ze kon wel gillen.

Toen Liam het linkerportier opendeed, schoten haar ogen vuur. Bovendien stonden ze vol tranen. Tranen van woede en razernij, opgeroepen door dat stel kerels die gewoon met elkaar waren blijven kletsen, zodat zij nu veel later bij dat kantoor van Hertz zou zijn. En er speelden nog twee dingen mee: de bedorven verjaardag en het feit dat Roses hart het dreigde te begeven.

'Jezus, Liam,' zei ze. 'Ik moet echt weg!'

'Ik weet het, Lily,' zei hij, terwijl hij instapte en zich half omdraaide om het portier met zijn goede arm dicht te trekken. Daarna draaide hij het sleuteltje om en startte.

'Breng jij me nu naar het verhuurbedrijf?' vroeg ze. Ze snapte er niets meer van.

'Nee, naar het ziekenhuis,' zei hij.

'Maar dat is helemaal in Melbourne,' merkte ze op, omdat ze er nog steeds niets van begreep en zat uit te rekenen hoe lang het zou duren om een auto te huren. Ze snapte niet waarom Liam niet doorhad dat ze nog één ding moest doen voordat ze op weg kon gaan naar het zuiden. Naar Rose.

'Dat weet ik.'

'Liam...'

'De commandant is een vriend van me,' zei Liam. 'Dit is zijn privé-auto. Hij heeft hem aan mij geleend zodat ik je naar het ziekenhuis kan rijden.'

Lily was te versuft om te protesteren, maar het begon langzaam maar zeker tot haar door te dringen toen hij de weg naar de vuurtoren opdraaide, gas gaf zodra hij de kans kreeg en met een vaartje in de richting reed van de snelweg naar het zuiden die hen in Melbourne zou brengen. De auto was een sportief model, met vierwielaandrijving en een imperiaal, en de achterbank lag vol met boeien, nylonkabels waar het gedroogde zeewier en de mosselen nog aan vastzaten en een knots van een zaklantaarn.

'Wat moet de commandant zonder zijn auto beginnen?' vroeg Lily.

'Hij zei dat hij de truck wel kon gebruiken.'

'Waarom doe je dit?' vroeg Lily.

'Omdat jij naar Melbourne moet.'

'Dat weet ik ook wel, maar ik had best zelf kunnen rijden.'

'Je moet zo snel mogelijk in Melbourne zijn. En eerlijk gezegd wist ik niet zeker of je wel in staat was om achter het stuur te kruipen.'

'Dat is jouw verantwoordelijkheid niet,' zei Lily.

Liam zei niets, maar trapte het gaspedaal in. Ze kromp in elkaar en hoopte dat ze niet zo ondankbaar was overgekomen als ze in haar eigen oren had geklonken. De kilometers vlogen voorbij in de vorm van een weg die aan de ene kant begrensd werd door dennen en eiken en aan de andere kant langs open water liep. Zelfs vanaf de kust waren de spuitende walvissen in de baai duidelijk te zien. Lily dacht aan Roses gezicht en aan de blik in haar groene ogen toen ze Nanny in de gaten kreeg. Ze kneep haar eigen ogen stijf dicht om dat moment vol verwondering vast te houden.

Toen ze ze weer opendeed, keek ze naar Liam.

'Het spijt me,' zei ze.

'Het is je vergeven,' zei hij. Hij zag eruit alsof zijn aandacht volkomen op de weg was gericht en hij eigenlijk geen zin had om te praten. Zijn ogen waren geconcentreerd en grijsblauw. Af en toe viel het zonlucht door de takken die over de weg hingen, lichtflitsen waarin zijn ogen leken te stralen, donker werden en dan weer begonnen te stralen.

'Nee, ik meen het,' zei ze. 'Dat had ik niet mogen zeggen. Het was niet mijn bedoeling om gemeen te zijn.'

'Is dat geen vertrouwd terrein voor ons?' vroeg hij.

Ze wist dat hij het niet over de snelweg had.

'Ja,' zei ze. 'En daar heb ik altijd spijt van gehad.'

Hij keek even opzij.

'Niet om de redenen die jij denkt,' zei ze. 'Maar omdat ik het niet prettig vind om bij jou in het krijt te staan. Of bij iemand anders.'

'Je staat niet bij mij in het krijt,' zei hij. 'In geen enkel opzicht.'

Lily staarde naar de baai terwijl ze over de kustweg vlogen. Ze wist dat hij de waarheid sprak. Hij had nooit een tegenprestatie van haar verwacht... in geen enkel opzicht. Maar na alles wat Lily voor de geboorte van Rose en voor haar komst naar Cape Hawk had meegemaakt, was ze niet meer in staat om iemand te vertrouwen. Vroeger had ze echt gedacht dat mensen in hun hart goed waren, dat ze elkaar wilden helpen. Met dat idee was ze grootgebracht.

Maar toen ze in Cape Hawk aankwam, lagen dat soort ideeën in duigen. Liam had gewoon de pech gehad, dacht ze, dat hij een van de eerste mensen was die ze ontmoette na haar aankomst in dat vissersdorpje ergens in de rimboe aan de meest noordelijke kust van Nova Scotia.

Ze sloot haar ogen en ging in gedachten negen jaar terug. Zo hoogzwanger dat ze zich nauwelijks kon bewegen. Helemaal over de rooie, in een nieuwe plaats, in een huis waarvan ze zeker wist dat ze het zich niet kon veroorloven, met een rammelkast van een auto die niet alleen een grote beurt maar ook vier nieuwe banden nodig had na haar lange rit naar het noorden, terwijl ze niet eens genoeg geld had om de olie te laten verversen. En terwijl ze daar naast Liam in de auto van de commandant van de kustwacht zat, legde ze haar handen op haar buik. Ze kon zich nog als de dag van gisteren herinneren hoe ze Rose had gedragen.

'Maar er is ook nog een andere reden, snap je,' zei ze terwijl ze haar ogen weer opendeed en hem aankeek.

'Een andere reden waarvoor?'

'Dat ik al die tijd spijt heb gehad.' Ze hield even haar mond om na te denken over de manier waarop ze het onder woorden moest brengen. 'Vanaf het moment dat we elkaar voor het eerst ontmoetten en jij deed wat je hebt gedaan.'

'En wat mag daar dan de reden voor zijn? Dat je spijt hebt?'

'Alleen maar dat ik me niet...' zei ze, terwijl ze hem niet langer aankeek en haar blik door het raampje naar buiten richtte, op de weidse oceaan, de witte zeevogels die erboven rondvlogen en de incidentele rimpeling in het water waarbij wel of niet de rug van een walvis zichtbaar werd. 'Ik gedraag me niet echt aardig tegenover je. In ieder geval niet aardig genoeg.'

'Je gedraagt je prima,' zei hij.

'Nee,' zei ze. 'Dat is niet zo, dat weet ik best.'

Ze bleven nog even zwijgend doorrijden. Ze was blij dat hij niet probeerde haar tegen te spreken. Een ding waarop ze bij Liam altijd kon rekenen, was dat hij rechtdoorzee was. Hij draaide nooit om iets heen. Hij zou nooit proberen haar gerust te stellen door een leugen te vertellen.

Ze keek weer opzij. Waarom had ze vandaag zoveel moeite om uit haar woorden te komen? Wat ze eigenlijk wilde zeggen, was: *Ik mag me dan 'prima' gedragen, maar jij verdient meer. Jij bent vanaf de dag dat je mij, of liever ons leerde kennen echt fantastisch geweest. Rose houdt van je.* Maar dat wilde en kon ze niet tegen hem zeggen.

Dus in plaats daarvan zei ze maar: 'Bedankt dat je me naar het ziekenhuis brengt, Liam.'

Hij gaf geen antwoord, maar ze zag hem glimlachen.

Daarna ging hij nog sneller rijden.

11

Het oude stenen ziekenhuis stond op de top van een heuvel met uitzicht over de haven van Melbourne. Ernaast stond het gedenkteken van de Eerste Wereldoorlog, een kaal brok graniet dat vanuit Queensport was overgebracht. Liam en zijn broer waren hier allebei geboren en hetzelfde gold voor het merendeel van hun neven en nichten. Liam kon zich nog herinneren dat ze hier waren gekomen om Connor, die toen drie dagen oud was, op te halen en mee naar huis te nemen.

Toen ze moesten wachten tot zijn moeder en de baby klaar waren, had zijn vader hem meegenomen naar de vijver waarin het hoge monument weerspiegeld werd en had hem verteld dat zijn overgrootvader in de Eerste Wereldoorlog had gevochten. Liam wist nog goed hoe hij zijn vaders hand had vastgehouden terwijl hij naar het verhaal luisterde. Zijn overgrootvader was op het slagveld zwaargewond geraakt en had veel soldaten zien sneuvelen.

De driejarige Liam was in tranen uitgebarsten bij het idee dat zijn overgrootvader in de oorlog zo gewond was geraakt, ondanks het blije nieuws dat hij er een broertje bij had en dat zijn moeder thuis zou komen.

'Sommige dingen zijn zo belangrijk dat het de moeite waard is om ervoor te vechten,' had zijn vader gezegd terwijl hij hem optilde.

Daar moest Liam nu aan denken, toen hij de auto parkeerde en samen met Lily naar het gebouw liep. Hij was hier in de loop der jaren vaak geweest, voor uiteenlopende redenen. De eerste operatie aan zijn arm had hier plaatsgevonden en hier was Connors lichaam naartoe gebracht. Bovendien was hij hier ook meer dan eens geweest om bij Rose op bezoek te gaan. Hij kende het klappen van de zweep in Melbourne General net zo goed als Lily, dus ze liepen langs de balie in de hal en gingen rechtstreeks naar de afdeling intensive care pediatrie op de derde etage.

Lily leek gespannen, maar ze had zichzelf onder controle. Hij keek toe hoe ze vastberaden en kalm op het knopje van de lift drukte. Er stapten ook enkele artsen en bezoekers in, waardoor Lily en Liam achter in de lift terechtkwamen. Ze was maar net een meter vijftig lang. Misschien haalde ze in haar gympen net de eenéénenvijftig. Ze droeg een spijkerbroek, een geel T-shirt en een donkerblauw katoenen ritsvest met capuchon voorzien van het embleem van de lagere school in Cape Hawk. Liam torende boven haar uit. Hij probeerde zijn blik af te wenden van haar zijdezachte donkere haar.

Toen de deuren opengingen, wrong ze zich tussen de mensen door, met Liam op haar hielen. Het viel hem op dat de mensen in de lift hen allemaal vol medelijden aankeken omdat ze uitstapten bij de IC pediatrie. Maar Lily had niets in de gaten. Ze liep regelrecht naar de microfoon die naast de gesloten afdelingsdeuren op de muur was aangebracht en kondigde zichzelf aan.

'Ik kom voor mijn dochtertje, Rose Malone,' zei ze.

'U wordt meteen gehaald,' klonk een krakende stem door de luidspreker.

Er was maar één raam in de wachtkamer en dat bood uitzicht op het monument en de vijver eronder. Voor een tv waarop een talkshow werd uitgezonden stonden een paar groene stoelen. Kennelijk was er net iets heel grappigs gebeurd, want het ingeblikte gelach klonk oorverdovend. Liam zette het geluid zachter.

Lily bleef voor de IC-deuren staan, wachtend tot ze open zouden zwaaien.

'Waarom ga je niet even zitten?' vroeg hij.

'Dat hoeft niet,' zei ze terwijl ze omkeek. 'Denk je dat ze hier al is? Ik bedacht ineens dat ze haar waarschijnlijk eerst naar de spoedeisende hulp hebben gebracht. Misschien hadden we daar langs moeten gaan.'

'Dat zou de verpleegkundige je dan wel hebben verteld toen je je net meldde,' zei Liam. Ze stond hem nog steeds aan te kijken met ogen die net tussen grijsblauw en grijsgroen in waren. Die kleur deed hem altijd denken aan de grote blauwe reiger die bij zijn vijver thuis woonde. Hij zag de vogel iedere ochtend, vanaf het moment dat de zon opkwam. Lily's ogen waren even rustig en ernstig als de reiger en net zo mooi. Hij deed zijn best om geruststellend te glimlachen, want ze stonden ook bezorgd.

'Je hoeft niet te wachten,' zei ze. 'Ik bedoel, ik weet wel dat je jezelf ervan wilt overtuigen dat alles in orde is. Maar daarna. Je moet de auto van de commandant ook nog terugbrengen.'

'Dat weet ik,' zei hij. 'En dat zal ik ook wel doen. Maar voorlopig blijf ik nog even wachten. Totdat ik weet hoe het met haar gaat.'

'Oké, goed dan,' zei Lily. 'Waarom komt er nou niemand naar de deur?'

'Je staat nog maar een minuut te wachten.'

'Dat is een minuut te lang!'

Het was het eerste teken dat ze zich niet zo rustig voelde als ze eruitzag. Haar stem ging omhoog en haar gezicht betrok.

Liam liep naar de muur en drukte op het knopje.

'Ja?' zei de stem.

'We komen voor Rose Malone.'

'Ja, dat weet ik. Er komt zo iemand...'

'Luister eens goed,' zei hij met de stem van de haaienonderzoeker, de stem die mensen angst aanjoeg, de stem die hij gebruikte om geheime gegevens los te kloppen in Ottawa en Washington, en Harvard en Woods Hole zover te krijgen dat ze hem toegang verschaften tot hun belangrijkste onderzoeksprogramma's. 'Er moet nu meteen iemand komen. Roses moeder staat hier. Er was een feestje ter gelegenheid van haar negende verjaardag toen Rose ineens op stel en sprong naar het ziekenhuis moest, dus haar moeder wil haar nú zien, begrijpt u wel?'

Toen hij zich weer naar Lily omdraaide, zag hij dat haar kin trilde en dat haar reigerogen nog bezorgder stonden. Hij bleef gewoon staan in plaats van haar in zijn armen te nemen, zoals hij eigenlijk het liefst zou willen doen.

'Ze komen eraan,' zei hij.

'Dank je wel.'

Twee seconden later ging de deur open en een lange, jonge verpleegkundige met een klembord in haar hand stond voor hun neus. Ze glimlachte vriendelijk, alsof ze totaal niet onder de indruk was van Liams haaienstem.

'Mevrouw Malone?' vroeg ze.

'Ik wil naar Rose toe,' zei Lily.

'Ga maar mee,' zei de verpleegkundige.

Lily holde langs haar heen naar binnen en de deuren gingen achter haar weer dicht. Liam bleef in de groene wachtkamer staan en zijn hart klopte in zijn keel. Hij maakte zichzelf wijs dat hij ook niet echt had verwacht dat hij mee naar binnen mocht. Hij ging voor het raam staan en staarde naar het monument. Het was hoog en smal, ellipsvormig, met diepe groeven en bovenop een piek. Toen hij drie jaar was, had het er heel groot en streng uitgezien. En dat was nog steeds het geval. Een monument voor mensen die hun plicht hadden gedaan en mensen die waren gesneuveld. Hij kon zichzelf bijna met zijn vader in de schaduw ervan zien staan en voelde weer het verdriet van de driejarige voor een overgrootvader die hij nooit had gekend.

Twee artsen stapten uit de lift, allebei in een witte jas over een groen operatiepak. Ze drukten op de knop en kregen toegang tot de IC. Liams maag draaide zich om toen hij zich afvroeg of ze misschien voor Rose kwamen en met Lily wilden praten.

Toen hij zich weer omkeerde naar het raam, zag hij de blaadjes aan de bomen en een bed vol goudsbloemen aan de voet van het monument. Het was zomer. De schaduw van het gedenkteken werd langer ten teken dat de dag ten einde liep. Hij wierp een blik op zijn horloge. Het was al zeven uur. Ondertussen schoot hem een ander gedeelte van het verhaal over zijn overgrootvader te binnen, het deel dat ging over zijn gezin dat thuis was achtergebleven. Over het wachten en over het feit dat zijn overgrootmoeder niet had geweten of hij ooit weer thuis zou komen.

Hij dacht aan Lily die op de IC moest wachten tot ze te horen kreeg wat er nu met Rose zou gebeuren. Soms was er niets ergers dan wachten.

De verpleegkundige, die Bonnie McBeth heette, liep voor Lily uit over de afdeling. Er lagen baby's en kleine kinderen aan allerlei apparaten, maar Lily had alleen oog voor het meisje in het tweede bed aan de linkerkant: Rose.

Die aanblik werkte als een magneet op Lily's hart. Voordat ze zelfs maar haar gezicht zag, wist ze al dat het Rose was, daar in dat bed: de afmetingen van het lijfje onder de witte honingraatdeken, de grappige manier waarop ze zich altijd met haar rechterhand aan de bedstang vasthield. Daar had je haar kleine vingertjes om de roestvrij-stalen stang. Lily liep om het gordijn heen, pakte de hand en bukte zich om Rose te kussen.

'Mammie,' zei Rose.

'Hallo, lieverd.'

Haar groene ogen namen Lily aanvankelijk scherp op, van top tot teen alsof ze zich ervan wilde overtuigen dat ze er echt was. Maar toen begonnen de oogleden te knipperen en haar ogen rolden weg, voordat ze haar weer aankeken en dichtgingen. Lily wist dat ze morfine had gekregen. Ze hield Roses hand nog iets steviger vast. De apparaten lieten een geruststellend getik horen. Ze lag aan een infuus. Lily controleerde Roses arm, om er zeker van te zijn dat ze geen beurse plekken hadden veroorzaakt bij het inbrengen van de naald. Haar aderen waren soms dun en broos, maar omdat het al een hele tijd geleden was dat ze aan een infuus had gelegen, waren ze nu redelijk gezond. Geen spoor van blauwe plekken of mislukte prik-ken. Lily was een keer knettergek geworden, echt helemaal krank-zinnig, toen ze had gezien dat een prikzuster Rose vier keer achter el-kaar had geprikt zonder een ader te vinden.

Terwijl Rose sliep en Lily haar hand vasthield, stond Bonnie McBeth vlak bij hen. Lily nam haar even op. Ze had Bonnie weleens gezien bij andere bezoeken aan het ziekenhuis, maar ze was nooit Roses verpleegster geweest. Roses voornaamste hartspecialist zat in Boston, dus ze kwam alleen in Melbourne als het een noodgeval was en die hadden ze, godzijdank, de laatste tijd niet vaak meer meegemaakt.

'Ze is tot rust gekomen,' zei Bonnie met een zachte stem. 'We heb-ben haar wat morfine gegeven om haar te kalmeren. Ze was behoor-lijk overstuur toen ze hier aankwam.'

'Dank je,' zei Lily. 'Ze is met de traumahelikopter gebracht.'

'Daar zou iedereen overstuur van raken,' zei Bonnie glimlachend.

Lily knikte. Ze hield nog steeds Roses hand vast.

'Zou u mee willen lopen naar de balie om even met elkaar te kun-nen praten? Ik weet dat het lijkt alsof ze slaapt, maar...'

Lily aarzelde. Ze wilde Roses hand niet loslaten en eigenlijk kon ze dat niet eens. 'Dat maakt niet uit,' zei Lily, bijna op een fluister-toon. 'Rose heeft het voor het zeggen. Ze weet precies wat er aan de hand is. Je kunt gerust hier met me praten.'

Daar leek Bonnie niet echt van op te kijken. Moeders van jeugdige hartpatiëntjes waren geen katjes om zonder handschoenen aan te pakken, maar dat gold in nog veel grotere mate voor de patiëntjes zelf. Toch keerde ze zich af en dat deed Lily ook, hoewel ze Roses hand bleef vasthouden.

'Er staat een aantekening op haar kaart dat ze naar Boston moet voor een VSD-operatie.'

'Ja, dat moet volgende week gebeuren. De oude patch is te zwak geworden.'

'Dat klopt. We hebben haar uiteraard nagekeken zodra ze binnenkwam. Haar hart is vergroot en de druk in haar longen is niet hoog genoeg, vandaar dat ze weer blauw werd. Ze heeft ons wel kunnen vertellen dat ze de laatste tijd een paar blauwe spells heeft gehad en die worden daardoor veroorzaakt.'

Op dat moment kwamen twee artsen naar haar toe om haar te begroeten. Paul Colvin, die Lily wel kende, en John Cyr, die ze nooit eerder had ontmoet, vertelden dat ze hun normale ronde deden en vroegen of Lily zo vriendelijk wilde zijn om even achter het gordijn te wachten.

'Ik blijf liever zitten,' zei Lily.

'Dat begrijp ik wel,' zei Paul Colvin, de oudere arts, een hartchirurg die hier in Melbourne een heel respectabele afdeling had opgebouwd, 'maar we moeten u toch vragen om even naar buiten te gaan. Het duurt maar een paar minuutjes.' Met zijn zilveren haar en vaste blik zou hij een andere moeder misschien geïntimideerd hebben. Maar Lily schudde haar hoofd. Ze wilde Roses hand niet loslaten.

'Alstublieft, dokter,' zei ze. Ze had geen zin om ruzie te maken en dat hoefde ook niet. Hij had al vaker met Lily in de clinch gelegen, dus hij wist wat hem te wachten stond en liet haar zitten.

De artsen luisterden met hun stethoscopen, controleerden apparaten en bekeken de gegevens. Lily was blij dat ze maar met hun tweeën waren en dat Melbourne geen academisch ziekenhuis was. Ze dacht terug aan die keer toen Rose tien maanden was en ze samen in het ziekenhuis in Boston waren, wachtend op het besluit om te opereren. Er kwamen constant studenten langs om haar te onderzoeken. Ze betastten haar overal, luisterden naar haar hart en verdrongen zich om haar heen in hun groene pakken waardoor ze iedere keer begon te huilen. En dan werd ze weer blauw.

Het duurde niet lang tot Lily – hoe onervaren ze ook was met betrekking tot de gang van zaken in een ziekenhuis – haar beklag deed bij de cardioloog en een einde maakte aan het studentenbezoek. Ze had al heel vroeg door dat ze zich als een echte tijgerin moest gedragen en in de loop der jaren was ze alleen maar feller geworden.

Nu hield ze Roses hand vast en keek toe hoe haar dochter wakker werd, naar de artsen keek die met haar bezig waren en vervolgens een blik op Lily wierp alsof ze steun zocht. Lily kneep in haar hand. Rose kneep terug.

Ze genoten van het feit dat ze weer bij elkaar waren. Dat soort doodgewone dingen. Alleen maar de wetenschap dat die ander bij je was, elkaars hand vasthouden en glimlachen. Rose die in slaap sukkelde en als ze wakker schrok, zag dat haar moeder naast haar zat. Lily die het haar van haar voorhoofd streek. Zo meteen zou het tijd zijn om te gaan slapen en Lily was van plan om naast Roses bed te blijven zitten.

Toen de artsen klaar waren, kwam Bonnie weer naar Roses bed toe. Ze had een blad vol medicijnen bij zich en maakte zich op om haar die toe te dienen. Het viel Lily gemakkelijker om Rose een minuutje alleen te laten met Bonnie dan met de beide artsen. Terwijl Bonnie de medicijnen klaarmaakte, liep Lily met dr. Colvin en dr. Cyr mee naar de balie.

'Ze krijgt die aanvallen van cyanose steeds vaker,' merkte dr. Colvin op terwijl hij haar gegevens doornam. 'Ze heeft ons verteld dat ze vandaag ook zo'n blauwe spell heeft gehad.'

'Ja,' zei Lily. 'Dat is de voornaamste reden dat ze binnenkort in Boston geopereerd wordt. De vsd-patch die ze hebben aangebracht toen ze tien maanden was, moet vervangen worden. Hebt u al contact opgenomen met haar chirurg daar? Met dr. Kenney?'

'Ja, meteen nadat ze binnen was gebracht. Hij weet wat er is gebeurd, maar hij werkt tegenwoordig in Baltimore. Hij heeft echter wel een chirurg in Boston aanbevolen en hij wil graag dat u contact met hem opneemt, nadat wij al onze onderzoeken hebben afgesloten.'

'Wat hebt u tot dusver gevonden?'

'Tja, ze lijdt aan chronisch hartfalen. Ze heeft een pulmonair oedeem dat een aanzienlijke zwelling veroorzaakt. We geven haar Captopril en Lasix®. Ik zou haar graag willen katheteriseren, om een beter idee te krijgen hoe haar hart functioneert.'

Lily knikte, versuft, geschrokken en automatisch. Wanneer was ze voor het laatst geschrokken toen ze hoorde dat Rose aan hartfalen leed? Het kwam niet meer zo hard aan als vroeger. Ze wist dat de eindstreep in zicht was, de afdeling cardiologie in Boston waar ze de patch zouden vervangen en haar weer gezond zouden maken, vrijwel zo goed als nieuw. Als ze haar hier maar konden stabiliseren – en dat zou wel lukken – dan konden Lily en Rose zich gewoon aan hun plannen houden en dan zou de komende operatie ook de laatste zijn.

'Wanneer heeft ze de Blalock-Taussig shunt gekregen?' vroeg dr. Cyr.

'Toen ze tien maanden was,' antwoordde Lily.

'In Boston,' zei dr. Colvin.

Lily knikte en begon zich om te draaien omdat ze naar Rose terug wilde.

'Ze is een vechter,' zei dr. Cyr.

Bij het horen van die opmerking kneep Lily haar lippen op elkaar, maar ze was vastbesloten om niet uit te vallen. Ze had het gevoel dat ze op ontploffen stond, en op de een of andere manier zou ze toch van die druk af moeten komen. Dat geklets over wat de juiste procedure was, werkte als een rode lap op haar, alsof elke cel in haar lichaam zich het moment herinnerde dat ze Rose voor het eerst vaarwel moest kussen voordat ze naar de operatiekamer werd gebracht. Daar was ze destijds bijna in gebleven en de herinnering eraan had die uitwerking nog steeds als ze bedacht wat ze allemaal al hadden doorgemaakt en wat hen nu nog te wachten stond.

De artsen gaven haar een formulier dat ze moest ondertekenen en ze zette er een krabbel onder waar zij trots op zouden zijn geweest. En nu weer terug naar Rose...

'Was dat alles?' vroeg ze.

'Ja,' zei dr. Colvin.

'Ik wil graag dat er wordt gestopt met het toedienen van morfine,' zei Lily.

'Ze leek nogal overstuur toen ze binnen werd gebracht,' zei dr. Colvin. 'En we willen haar zo rustig mogelijk houden.'

'Van morfine wordt ze misselijk. En ze vindt het niet prettig om zo wazig te zijn.'

'Maar we willen niet dat ze zich opwindt.'

'Ik ben nu bij haar,' zei Lily. 'Ik denk dat dat wel voldoende is.'

De artsen knikten allebei en dr. Cyr haalde zijn schouders op. Ze snapten er niets van.

Maar dat kon Lily niets schelen. Als zij en Rose het maar begrepen.

12

Thuis in Cape Hawk hadden de feestgangers afscheid van elkaar genomen. De Nanoukmeiden hadden hun auto's volgeladen, waren naar huis gereden, hadden hun gezin een maaltijd voorgezet en hingen nu aan de telefoon of achter de computer om weer contact met elkaar te zoeken. Er werden plannen gemaakt om Nanoukpakketjes voor zowel Lily als Rose te maken, vol met borduurgarens, linnen, boeken, cd's en dvd's en foto's die tijdens het verjaardagsfeestje gemaakt waren, vooral het grote aantal kiekjes dat van Rose was gemaakt terwijl Nanny op de achtergrond lag te spartelen.

Anne Neill had Roses verjaardagstaart zoals beloofd in de vrieskast van het hotel gezet. Ze zat samen met Jude in het restaurant te eten, tussen alle hotelgasten in, terwijl er nauwelijks een woord of een hapje over hun lippen kwam. Jude zag eruit alsof hij in één dag tien jaar ouder was geworden.

'Toen Liam me vroeg om bij dat tochtje als kapitein op te treden had ik dit nooit verwacht. Annie, heb jij weleens gezien dat Rose zo'n zware aanval kreeg? En dat ze zo blauw werd?'

'Nee, lieverd. Echt niet.'

'Wat zegt Lily ervan?'

'Ik heb haar nog niet gesproken. Heeft Liam jou niet gebeld?'

'Nee en hij heeft zijn mobiele telefoon niet aan staan. Wat heeft Lily dan voor het verjaardagsfeestje gezegd?'

'Nou ja, ik wist dat Rosie problemen had. Maar dat leek niets bijzonders, als je haar toestand in aanmerking nam, en na de operatie die ze in Boston zou ondergaan zouden die ook voorgoed uit de wereld zijn.'

'Zou het erger zijn dan Lily denkt? Je weet dat we allemaal van haar houden, het is een fantastische meid – één en al enthousiasme en optimisme – maar... zou ze wat Rose betreft niet in een droomwereld leven, Annie?'

'Lily heeft me een keer verteld dat zij en Rose gewoon gewend zijn aan dingen die andere mensen de stuipen op het lijf zouden jagen, Jude. Waarschijnlijk komt het erop neer dat een hartpatiënt nooit zeker van zijn zaak kan zijn.'

'Ik denk dat we vanavond maar voor hen moeten bidden,' zei Jude. Anne glimlachte tegen hem. Ze wist dat hij iedere avond al voor hen bad, net zoals zij zelf deed. Hij was haar eigen zeekapitein, haar man recht uit de woeste kuststreken van Canada, maar met een hart zo groot als de hele Baai van St. Lawrence.

'Voor alle drie,' vervolgde Jude.

'Drie?'

'Ja, als je Liam ook meerekent.'

Anne knikte. Hoe konden ze Liam nou niet meerekenen? Ze gingen er gewoon stilzwijgend van uit dat hij een intieme rol in Lily's leven speelde. Waarschijnlijk wisten Anne en Jude dat beter dan Liam en Lily zelf. En Rose wist het ook. Ze hadden nooit eerder twee zulke argwanende mensen gekend die op zo'n frustrerende manier met elkaar omgingen.

'Denk je dat ze ooit echt verliefd op elkaar zullen worden?' vroeg Jude. 'Of kan ik net zo goed vragen of we ooit palmen in Cape Hawk zullen hebben?'

'Vroeger dacht ik altijd dat de kans op palmen groter was,' zei Anne.

'Vroeger?'

Anne haalde haar schouders op. 'Hoop doet leven.'

'Waar hoop je dan op, lieve schat van me?' vroeg Jude. Hij stak zijn hand uit over de tafel met alle onaangetaste schotels en legde die op de hare.

'Dat mijn beste vriendin een beetje meer geluk zal krijgen dan ze tot nog toe in het leven heeft gehad,' fluisterde Anne. Toen de serveerster kwam om af te ruimten en aan hen vroeg of er iets mis was met het eten, kon ze geen woord uitbrengen.

Jude gaf antwoord voor hen beiden en zei dat alles in orde was, maar dat ze nog vol zaten van het verjaardagsfeest. Anne dacht aan de onaangeroerde verjaardagstaart en moest het gesteven servetje grijpen om haar ogen te betten. Jude maakte gebruik van de gelegenheid om Liams mobiele nummer weer te bellen, maar hij kreeg opnieuw geen gehoor.

Anne keek over de tafel naar haar man en vroeg zich af wat zich daar in Melbourne afspeelde.

Twee dagen gingen voorbij zonder dat ze iets hoorden. Die avond zaten Marisa en Jessica op de veranda aan de achterkant. Cape Hawk lag zo ver naar het noorden dat het uren langer licht bleef dan in New England. De puntjes van de dennennaalden leken met goud beschilderd en krekels tsjirpten in de bossen. Ze zaten tegen elkaar aan gedrukt op de bovenste tree van het trapje. Vanaf het moment dat Rose wegvloog in de helikopter had Jessica niet meer gelachen en ook niet veel gezegd.

Na Roses verjaardagsfeestje was er iets in Marisa gebroken en ze wist dat ze eerlijk moest zijn tegenover haarzelf en haar dochter en dat ze de echte verjaardag van Jess ook moest vieren – gewoon met hun tweetjes. Wat kon dat nu voor kwaad? Ze was, nee, ze waren allebei al zo lang op hun hoede geweest. Toen ze eerder op de dag boodschappen deden, had Marisa Jessica naar de boekwinkel gestuurd om een boek uit te kiezen dat ze wilde lezen, zodat zij zelf een taart kon kopen. Nu liep Marisa naar de keuken terwijl Jessica zat te kijken naar de sterren die een voor een aan de hemel verschenen.

Toen ze weer buiten kwam, droeg ze een taart met negen brandende kaarsjes. 'Lang zal ze leven,' zong ze en aan het eind van het liedje was er bijna een glimlach op Jessica's gezicht verschenen.

'Ik dacht dat we mijn echte verjaardag dit jaar niet zouden vieren, mam.'

'Nou, mooi wel. Kom op, schat... blaas de kaarsjes uit en doe een wens!'

Jessica haalde diep adem en blies. De negen kaarsjes gingen in één keer uit. Na alle gebeurtenissen van de afgelopen dagen was Marisa extra dankbaar voor het feit dat haar dochter gezond was en zulke gewone dingen kon doen als het uitblazen van de kaarsjes op een verjaardagstaart. Ze sneed de taart aan terwijl Jessica de bordjes aangaf.

'Weet je wat ik heb gewenst, mam?'

'Wat dan, schat?'

'Dat Rose weer snel thuiskomt.'

'Dat is een mooie wens.' Marisa hield zich in toen de woorden nog maar net over haar lippen waren. Wat zou een lelijke wens zijn?

Ze dacht aan Ted, die alles beoordeelde naar zijn eigen opvattingen. Mooie wens, lelijke wens.

'Denk je dat ze gauw thuiskomt?'

'Dat weet ik niet,' zei Marisa. 'We kunnen alleen maar hopen en bidden dat dat het geval zal zijn.'

Jessica knikte en ze begonnen tegelijkertijd aan hun stuk taart. Marisa herinnerde zich met een steek in haar hart dat haar moeder altijd de verjaardagstaarten voor haar en haar zusje Sam zelf had gebakken. Ze had ze versierd met prachtige roze rozen van glazuur en hun namen er in roze letters op gezet met behulp van een speciale banketbakkersspuit. Wat zou Jessica allemaal missen nu ze geen naaste familie meer had?

Op het verjaardagsfeestje van Rose had ze het gevoel gehad dat ze samen één grote familie vormden... Lily en Rose en al die vreemden die aan het eind van de dag bijna zusjes van haar waren geworden. Terwijl ze op de kade stonden toe te kijken hoe Rose overgeheveld werd in de traumahelikopter had een vrouw die Marisa nog maar net had leren kennen haar hand gepakt. Daarna hadden ze allemaal zwijgend gezien hoe Rose wegvloog. Doreen had Marisa's ene hand vastgehouden en Jessica haar andere. En Jessica stond weer hand in hand met Allie en zo gingen ze het hele rijtje af.

Op dat moment had Marisa een opwelling van kracht gevoeld, die haar had aangezet om deze verjaardagstaart voor haar dochter te kopen. Ze kneep even in Jessica's schouder en drukte een kus op haar kruintje.

'Het is heel duur als je naar het ziekenhuis moet, hè?' vroeg Jessica.

'Ja,' zei Marisa. Vooral als je op de vlucht bent en geen zorgverzekering hebt, dacht ze. Ze was ervan overtuigd dat Jessica dacht aan die keer dat ze vlak nadat ze uit Weston waren vertrokken was gevallen en gehecht moest worden. Marisa had contant moeten afrekenen... betalingen via de zorgverzekering waren te gemakkelijk te achterhalen.

'Hartoperaties zijn veel duurder dan hechtingen, hè?'

'Een stuk duurder.'

Jessica knikte. Ze at haar taart op terwijl de zon helemaal onderging, waardoor het bos donkerpaars werd, met schaduwen die door de opkomende maan werden opgeworpen. Een avondvogel krijste ergens in de bomen, lange schorre kreten die voorafgingen aan de jacht.

'Mam,' zei Jessica met volle mond. Ze kauwde, slikte en veegde haar mond af. 'Ik wil iets voor Rose doen.'

'Ik weet niet of ze wel bezoek mag hebben,' zei Marisa terwijl ze terugdacht aan de keer dat ze in Johns Hopkins dienst had gedaan op de IC pediatrie met al die zieke kinderen. Ze wist dat Jessica daar niet toegelaten zou worden. 'Maar ik denk dat je wel een kaart voor haar kunt maken, dan kan haar moeder die aan haar geven.'

'Ik wil meer doen dan alleen maar een kaart.'

'Wat dan bijvoorbeeld?'

'Ik wil geld inzamelen zodat het ziekenhuis haar weer helemaal beter kan maken. Mam... waarom moet Rose hartafwijkingen hebben? Waarom werd ze zo blauw?' vroeg Jessica terwijl ze begon te huilen. 'Ik wil niet dat ze doodgaat!'

Marisa trok haar op schoot en wiegde haar heen en weer terwijl ze haar probeerde te troosten. Jessica huilde hete tranen, precies zoals ze had gedaan toen haar vader stierf en toen ze zag hoe haar jonge hondje gedood werd. Marisa's ogen werden ook vochtig. Ze dacht aan al die zieke kinderen die ze bij haar werk had gezien en aan al het verdriet dat ze had gevoeld toen ze hen zo had zien lijden. Ze had haar best moeten doen om afstand te leren nemen. Dat probeerden ze je tijdens je opleiding ook wel bij te brengen, maar Marisa had daarnaast de steun van hulpgroepen en haar familie nodig gehad. Het was de moeilijkste opgave die ze ooit had gehad en nu leek het alsof ze er toch geen baat bij had gehad.

Met Jessica in haar armen wenste ze dat ze haar kon troosten met het verlies van haar vader, de wetenschap dat Rose zo ziek was en het feit dat ze had gezien hoe Ted Tally vermoordde. Marisa wist dat ze tot alles bereid was om haar dochter te beschermen en te behoeden voor de bittere realiteit van het leven. Ze dacht terug aan de kinderafdeling, waar ze negen jaar geleden haar dochter in haar armen had gehouden, gewikkeld in een roze dekentje. De baby was zo klein geweest en het dekentje zo zacht. Maar Marisa's herinnering aan dat moment was heel heftig... ze had zo'n intense liefde gevoeld dat ze wist dat ze haar dochter ten koste van alles zou beschermen.

Ze had zich vaak afgevraagd of ze ooit zoveel van iemand zou houden dat ze bereid was om voor die persoon te sterven. Of ze in ijskoud water zou springen om hem of haar te redden of voor een wild dier zou gaan staan om haar leven te geven. Toen ze haar baby in haar armen had, was die twijfel verdwenen. Terwijl ze daar op de achterveranda zat, herinnerde ze zich het gevoel van liefde dat haar had bekropen, en hoe ze had gezworen dat ze haar kleine meid tegen alle kwaad zou beschutten en tegen iedereen die haar niet goed gezind was.

Maar toch kon ze Jessica niet beschermen voor het diepe verdriet dat ze voelde nu haar beste vriendin zo ziek was.

'Mam?' vroeg Jessica terwijl ze in haar ogen wreef. 'Gaat Rose dood?'

'Haar moeder doet haar uiterste best om dat te voorkomen. Ze wordt uitstekend verzorgd.'

'Maar je weet het niet zeker?'

Marisa schudde haar hoofd. Ze keek in Jessica's bruine ogen, streek het haar van haar hoge voorhoofd en dacht aan Jessica's vader. Zijn dood was voor hen allebei zo'n ontzettende klap geweest en ze kon het bijna niet verdragen dat Jessica nu dezelfde angst weer moest doorstaan voor Rose. 'Nee, lieverd. We weten het gewoon niet.'

'Er gebeuren zoveel akelige dingen,' fluisterde Jessica. 'Het is net zoiets als toen Ted Tally de trap af schopte omdat ze een beetje blafte.'

'Maar ook goede dingen, Jess. Ik wil dat je aan de goede dingen denkt.'

'Ik moet Rose helpen,' zei Jessica. Ze sprong op alsof ze geen tijd meer te verliezen had.

'We kunnen toch voor haar bidden, lieverd. En kaarten voor haar maken...'

Jessica schudde haar hoofd. 'Dat is niet genoeg. Ik wil geld inzamelen, zodat Rose beter gemaakt kan worden. Ik wil niet dat ze doodgaat, net als pappie of Tally. En ik begin er meteen aan.' Ze was niet in staat geweest om het leven van haar hondje te redden, maar ze was niet van plan om haar vriendin de rug toe te keren.

Marisa knikte. De hordeur viel achter Jessica dicht, waardoor Marisa alleen op de veranda achterbleef. De gedachten maalden door haar hoofd. Misschien kwam het door de grote gebeurtenis dat haar dochter hier in hun schuilplaats jarig was, of door de schok dat Rose op stel en sprong naar het ziekenhuis had gemoeten. Haar werk op psychiatrische afdelingen had haar geleerd dat oude trauma's door de vreemdste dingen weer boven konden komen drijven. Na de tijd die ze met Ted had samengewoond, wist ze uit ervaring hoe gemakkelijk ze verdoofd kon raken, zich af kon sluiten en alleen nog maar diep onder de dekens weg wilde kruipen. Zo had ze zich tot nu toe steeds gedragen.

Maar nu gebeurde er iets heel anders. Ze voelde een rilling door haar lichaam gaan, als een soort onderhuids riviertje. Ze dacht aan Paul, Jessica's vader, en huiverde. De koele avondlucht maakte dat ze zich alert voelde. Ze hoorde de vogel in het bos opnieuw krijsen, alsof hij zijn aanwezigheid kenbaar wilde maken. Terwijl Marisa toekeek, vloog hij weg, op brede vleugels die hoog boven de grond wiekten. Ze hoorde de vleugelslagen toen hij opvloog en zag de gele ogen. Een uil.

In de maanden na april, toen ze samen met Jessica van huis was vertrokken, had ze zich een opgejaagd dier gevoeld. Een andere naam, een ander huis en zelfs een ander land. Ze had haar dochter opgepakt en weggehaald bij alles wat hen lief was. Hoeveel slapeloze nachten had ze zich niet schuldig gevoeld omdat ze haar dochter dat had aangedaan? Iedere nacht had ze met haar armen om het kussen gebeden dat Paul haar dit zou vergeven.

En vanavond had ze het gevoel dat dat inderdaad zo was. Marisa voelde haar kracht terugkeren. Het feit dat ze hand in hand had gestaan met de Nanoukmeiden, dat ze met haar eigen ogen had gezien hoeveel ze van Lily hielden, en de wetenschap dat Lily op de een of andere manier begreep wat Marisa en Jessica doormaakten... Het waren allemaal factoren die ervoor zorgden dat Marisa was veranderd.

Dus toen ze die uil zag – met zijn gloeiende gouden ogen en die dodelijke klauwen – was ze niet bang geworden. En in plaats van zich te realiseren dat Jessica en zij nog steeds gezocht werden door een man voor wie ze idioot genoeg nog steeds begrip probeerde op te brengen, was ze bekropen door een gevoel van opwinding en macht. Ted had zich op een slinkse manier toegang tot haar leven verschaft door net te doen alsof hij haar wilde helpen met het beleggen van het geld dat Paul had nagelaten. Hij was een zakelijke kennis van Paul die bovendien lid was van dezelfde golfclub, en daarmee had hij Marisa's vertrouwen weten te winnen. Hij had Pauls vriendschap misbruikt om Marisa en Jessica beter te leren kennen.

Maar het probleem was dat Paul Ted niet had gekend. Niet echt. Niet zoals Marisa hem kende. Het leven schonk mensen soms vreemde en gevaarlijke kansen. Ted had de mensen van wie Paul het meest had gehouden verschrikkelijk veel schade berokkend. Ze sloot haar ogen, luisterde naar de uil en dacht na over zichzelf en Jessica en Lily en Rose. Het begon haar langzaam maar zeker te dagen.

Jessica liep naar haar slaapkamer en keek op naar het kruisbeeld. Ze sloeg een kruisje en ging toen naar haar favoriete Mariabeeldje, want ze had er meer dan één. Dit was Maria die in haar blauwe gewaad met een kroon van gouden sterren blootsvoets op een slang stond. Jessica keek neer op de slang die er echt angstaanjagend uitzag. Hij had zijn bek wijd open, zodat je de gele giftanden en zijn roze keel kon zien. Maar Maria had hem met haar blote voeten doodgetrapt. Jessica controleerde iedere keer voor de zekerheid of de slang nog steeds dood was. Ze kuste Maria's gezicht.

Daarna pakte ze *De leeuw, de heks en de kleerkast* op. Dat was niet alleen haar lievelingsboek, maar ook van Rose. Ze hield ervan omdat er zoveel tovenarij, geheimen, slechte dingen en vooral goede dingen in voorkwamen. Ze dacht dat Rose er wel om dezelfde redenen van zou houden, maar zoals dat gaat bij meisjes die net negen zijn geworden hadden ze er eigenlijk nooit over gepraat.

Terwijl ze in het boek bladerde, een gebonden exemplaar dat ze twee jaar geleden van haar tante Sam voor Kerstmis had gekregen, vond ze een tekening van Aslan, de lieve wijze leeuw. Jessica keek in zijn trieste, begrijpende ogen en voelde hoe haar hart sneller begon te kloppen. Ze raakte de tekening aan, dacht aan Rose die hulp nodig had en zei: 'Pappie.'

In het boek had Aslan zich gevangen laten nemen en doden, zodat de kinderen en alle inwoners van Narnia – het betoverde, geheime land aan de andere kant van de kleerkast – in vrijheid konden leven. En als hij dan weer tot leven kwam en opstond van de stenen tafel, liepen de rillingen Jessica altijd over de rug en kon ze haar tranen niet inhouden. Het was net alsof ze gewoon niet kon geloven dat iemand zo dapper en oprecht kon zijn.

Vóór Ted had Jessica wel in moed en oprechtheid geloofd. Haar eigen vader leek heel veel op Aslan. Maar hij was gestorven en het laatste wat hij tegen Jessica had gezegd was: 'Ik zal vanuit de hemel op je neerkijken en voor jou en je moeder zorgen. Ik zal nooit echt weg zijn, liever, ik blijf altijd op je passen. Roep me maar als je me nodig hebt.' Jessica had zo lang mogelijk zijn hand vastgehouden, tot de dokter en haar moeder haar voorzichtig weg hadden getrokken. Daarna was haar moeder nog een tijdje alleen met hem geweest en toen ging hij dood.

Ted kwam meteen daarna. Nou ja, er zat misschien wel bijna een jaar tussen, maar Jessica had het heel gauw gevonden. Ze kon zich herinneren dat ze in haar vaders kast zijn geur nog opsnoof. Als ze daar in het donker met haar gezicht tussen zijn pakken ging staan en haar ogen dichtdeed, kon ze hem weer terughalen. Dan was ze omgeven door de geur van zijn zweet, zijn sigaretten en gewoon van hém. Als ze daar stond, herinnerde ze zich ook weer wat hij tegen haar had gezegd: *Ik zal nooit echt weg zijn... Ik zal altijd op jou en je moeder passen...*

En als Jessica dan zijn geur inademde, wist ze dat hij de waarheid had gesproken. Hij was bij haar en beschermde haar. Ze trok het liefst de deur bijna helemaal dicht, zodat niemand haar in de kast zou zien staan en ze helemaal alleen met hem kon zijn. Ze ging iedere dag op een ander plekje staan. Hoewel het eigenlijk geen grote kast was, leek het een heel andere wereld, net zoals de kast in het boek.

Jessica had ook alle zakken van haar vader doorzocht, iedere keer van een ander pak. Hij was een zakenman geweest die wist hoe belangrijk het was om er goed uit te zien. Vandaar dat hij zeven pakken had gehad plus vijf sportcolbertjes en een heleboel broeken. Zijn zakken waren een soort schatkist voor haar. Aanvankelijk was alles wat ze vond opwindend en betoverend. Een paar muntjes, een visitekaartje, zijn zilveren St.-Christoffelpenning die helemaal dof was geworden, een verdwaald kaartje uit zijn adressysteem, stukjes zilverpapier van een pakje sigaretten en het bidprentje van zijn moeder.

Na een poosje begon alles minder betoverend te worden. Als ze in de linkerzak van zijn ruitjespak keek, wist ze dat ze zijn portemonnee, lucifers en zijn afsprakenboekje zou vinden. Of ze stak haar hand in de achterzak van zijn groene golfbroek en daar zat dan die met grasvlekken besmeurde tee in, plus een kort geel potloodje om de score bij te houden. En als ze op haar tenen ging staan om in de borstzak van zijn blauwe zomerblazer te voelen, vond ze een foto van zichzelf op de kleuterschool en een zakrozenkrans.

Zelfs zonder de opwinding en het verwachtingsvolle gevoel over de dingen die ze zou vinden, bracht Jessica in die tijd haar gelukkigste uurtjes tussen de pakken van haar vader door. Ze rook de geur van haar vader en wist dat hij echt had bestaan, dat hij echt op aarde was geweest. Dat hij niet zomaar een engel of een geest was die vanuit de hemel omlaag keek, maar dat hij had gepraat en had rondgelopen, dat hij dat fotootje van haar op de kleuterschool had bewaard, mooie pakken had gedragen en af en toe vergat om zijn zakken leeg te halen. Soms stond ze daar gewoon weggedrukt tussen de zuivere scheerwol en het zomerse katoen om hem te vertellen wat ze die dag had gedaan en dan hoorde ze hem antwoorden.

Op een keer had haar moeder de kastdeur opengedaan terwijl Jessica erin stond. Jessica had haar adem ingehouden, zodat haar moeder haar niet zou zien. Niet omdat ze dacht dat haar moeder boos zou zijn, maar omdat ze dacht dat ze misschien verdrietig zou worden. Zelfs op haar zevende had Jessica al geweten hoe triest haar moeder het zou vinden om haar daar tussen de pakken van haar vader te zien staan. Maar ze had zich geen zorgen hoeven te maken. Haar moeder was gewoon even blijven staan voordat ze de deur dichtdeed en wegliep.

Misschien vond haar moeder het wel fijn om hetzelfde te doen, had Jessica gedacht. Om terug te gaan in de tijd en te bedenken hoe fijn ze het hadden gehad toen hij nog leefde en al die mooie pakken had gedragen. Misschien kon haar moeder net als Jessica zijn stem horen als ze in de buurt was van zijn pakken.

En toen was Ted gekomen.

Haar vader kende hem van de golfclub. Ted werd zijn effectenmakelaar en hij had met succes een deel van het geld van hun familie belegd. Jessica kon zich herinneren dat ze haar ouders vaak over Ted had horen praten. 'Zonder Ted hadden we het nooit klaargespeeld,' zei haar vader iedere keer als het over de uitbreiding van zijn zaak ging. 'Hij is een godsgeschenk,' antwoordde haar moeder dan. O, Ted was echt een wonder geweest. Hij had haar vader geholpen zodat hij een kantoor in Boston had kunnen openen in plaats van in het afgelegen Dorchester en voor het geld gezorgd waarmee een nieuw computersysteem kon worden gekocht, meer mensen in dienst konden worden genomen en een ziektekostenverzekering kon worden afgesloten.

Jessica wist nog goed dat ze zich allerlei dingen over Ted had afgevraagd voordat ze hem leerde kennen. Hoe werkten aandelen eigenlijk? Waarom ging de familie naar iemand toe die ze nauwelijks kenden en gaven ze hem hun geld om er meer voor terug te krijgen? Het had bijna ongelooflijk mooi geleken, een echte weldaad. Was het echt mogelijk dat iemand er zijn werk van maakte om op de spaarcenten van een familie te passen en hen te helpen nog meer te verdienen? Ze had het een keer aan haar vader gevraagd en toen had hij gezegd: 'Hij is een slimme man, lieverd. Hij heeft op de beste scholen gezeten om te leren hoe de zakenwereld in elkaar zit en hij kiest alleen aandelen uit waarvan hij denkt dat ze meer waard zullen worden.'

'Maar hij is echt aardig, hè?' had ze gevraagd, omdat ze zich niet kon voorstellen dat Ted anders in hun leven zou passen.

Daar had haar vader om moeten lachen. 'Ja, hij is een geweldige vent. Iedereen mag Ted. Hij heeft heel veel vrienden en hij is de vicevoorzitter van de Rotary Club in de stad waar hij woont.'

Jessica wist niet wat de Rotary Club was, maar ze vond dat het heel opwindend klonk. En wat haar vader had gezegd had heel logisch geklonken. Ted moest wel een fantastische vent zijn. Het was heel moeilijk om aan geld te komen, want haar ouders maakten zich voortdurend zorgen over dingen als de hypotheek, de kosten van de auto, het uitbreiden van de zaak en een universitaire opleiding voor haar als het zover was. Als zij hun spaarcentjes aan Ted toevertrouwden, was Jessica ook bereid hem te vertrouwen. Haar vader had ook een keer gezegd dat hij 'echt buitengewoon edelmoedig was', omdat hij zoveel vrijwilligerswerk deed voor arme kinderen.

Nu slaakte Jessica een diepe zucht toen ze keek naar het trieste gezicht van de leeuw in *De leeuw, de heks en de kleerkast*. Ze wenste dat Aslan uit het boek zou stappen om met haar te praten. Ze wenste dat haar vader uit de hemel zou afdalen om haar te vertellen wat ze moest doen. Als Ted 'echt buitengewoon edelmoedig' was geweest, dan wist Jessica eigenlijk niet goed of ze wel geld voor Rose moest inzamelen. Ze wilde in geen enkel opzicht op Ted lijken.

Maar het probleem was, dat ze heel goed wist dat haar vader niet meer met haar kon praten. Niet sinds die dag vlak nadat Ted bij hen ingetrokken was. Jessica was uit school thuisgekomen en naar de kast gegaan. Niet omdat ze overstuur was vanwege Ted. Nou ja, misschien een klein beetje overstuur, maar eigenlijk wilde ze gewoon net als altijd met haar vader praten. Het was lente en ze had een geweldige bal gevangen bij de honkbalwedstrijd.

Ze had hem zelfs meegebracht. Haar moeder en Ted waren in de keuken. Ze had hun de bal ook kunnen laten zien, maar ze rende langs hen heen de trap op, rechtstreeks naar de kast van haar vader. Ze trok de deur open en...

Al zijn pakken waren weg.

In plaats daarvan hingen Teds kleren in de kast. Pakken, colberts, broeken en jassen. Plus zijn ochtendjas. Zelfs als ze nu aan dat moment terugdacht, had Jessica nog het gevoel dat haar borst in elkaar klapte. Ze raakte haar hart aan en ging op het bed zitten. Terwijl ze naar Aslans gezicht keek, begon ze stil te snikken. *Maria, Jezus, God...* Toen ze had gezien dat Rose weer blauw was geworden en met de helikopter naar het ziekenhuis moest worden gebracht, had ze daar meteen aan moeten denken. Dat de mensen van wie ze hield altijd weggingen. Haar vader, Rose... Hoewel haar vader nooit echt weg was gegaan, niet tot de dag dat Ted en haar moeder zijn pakken hadden weggehaald.

'Vertel me wat ik moet doen,' fluisterde ze, terwijl ze op haar knieen zonk.

Buiten klonk het gekrijs van uilen die op jacht waren. Sinds de sneeuw weg was, had ze dat iedere nacht gehoord. Soms luisterde ze extra goed, alsof ze dan kon verstaan wat ze zeiden. Ze staarde naar de tekening in haar lievelingsboek en luisterde naar de uilen, terwijl ze ondertussen in zekere zin zat te bidden, hoewel ze eigenlijk haar vader om raad vroeg.

Als er ooit een dag was geweest waarop hij weer bij haar kon komen dan was het nu, op haar echte verjaardag.

Ted had hem weggejaagd. En vanwege Ted had ze nu een verzonnen naam, een verzonnen verjaardag en een verzonnen levensverhaal.

Alleen haar vader wist wie ze werkelijk was. Alleen hij kon haar grote wensen vervullen. Vroeger had haar moeder dat ook gekund, maar die tijd was voorbij. Haar moeder was nog maar een geest, een magere, bange, gewonde geest die door Ted was achtergelaten. Zij en Jessica waren gewoon de botten die waren uitgespuugd door het wilde beest waarmee ze hun leven hadden gedeeld.

Ted had vaak zo boos geleken. En toen had hij Tally, haar hondje, vermoord. Jessica had het idee gehad dat hij eigenlijk haar moeder en haar ook had willen vermoorden. Hij was helemaal niet edelmoedig. Haar vader had het niet vaak mis gehad, maar in dat opzicht had hij zich vergist. Dat was het eerste dat Jessica vanavond tegen hem wilde zeggen.

'Je moet niet boos worden, pappie, maar je hebt je vergist. Ted was helemaal niet edelmoedig. Hij wilde ons alleen maar verdriet doen, anders niet. Hij heeft ons alles afgepakt. Nou ja, bijna alles.'

Buiten krijste een uil in het bos en Jessica glimlachte... haar vader gaf antwoord.

'Wil je me helpen om Rose te helpen, pap? Alsjeblieft? Ik wil niet dat ze nu al naar de hemel gaat. Help me, pap. Ik wil haar bij me houden. Ik wil dat ze in leven blijft.' In gedachten zag ze haar vader in de hemel staan, samen met de heilige Agatha, de heilige Agnes en Jeanne d'Arc.

Toen de uil opnieuw krijste en een tak met een klap op de grond viel, wist Jessica wat haar te doen stond: ze had inspiratie gekregen. Als het weer licht werd, ging ze meteen naar het bos. En dan zou ze terugkomen met een geheime schat, waarmee ze geld kon verdienen voor Rose.

13

Het was de bedoeling dat Rose stabiel genoeg zou worden om haar naar Boston te vervoeren, dus dat was het enige waar Lily aan kon denken. Liam had twee kamers voor hen geboekt in de Holiday Inn aan de haven, onder aan de heuvel waarop het ziekenhuis stond. Ze had tegen hem gezegd dat hij terug moest naar huis, maar hij had gezegd dat hij pas ging als Rose niet langer op de intensive care hoefde te blijven. Ondertussen had hij met zijn vriend geregeld dat hij zijn auto voor onbepaalde tijd mocht houden. En hij kon zijn onderzoek naar het migratiegedrag van de diverse vissen ook via zijn laptop doen.

Lily haalde haar schouders op. Ze wist niet waarom hij bleef rondhangen. Ze zag hem nauwelijks en omdat hij geen familielid was, mocht hij niet op bezoek bij Rose. Ze wist dat ze dankbaar moest zijn voor zijn steun, maar eerlijk gezegd was ze zo moe en zo kapot als ze 's avonds terugkwam in haar hotelkamer, dat ze nauwelijks genoeg energie had om een kopje soep te bestellen en voor de tv op te eten.

De eerste vier ochtenden had hij in de receptie op haar staan wachten om haar naar het Melbourne General op de top van de heuvel te rijden. Het was koel en mistig weer geweest, met ochtendnevels die boven het water en de stad bleven hangen. Het vijf minuten durende ritje verliep steeds zwijgend, want als Lily uitkeek over de met een laagje zilver beklede haven dacht ze na over alles wat ze nog aan Roses artsen en verpleegsters moest vragen.

Maar op de vijfde dag was de mist opgetrokken en er stond een stralende zon aan de hemel. Toen Lily de receptie in liep, stond Liam op om haar te begroeten. Ze stak haar hand op.

'Hoor eens, dit is echt onzin,' zei ze. 'Het is lekker weer, de mist is weg. Ik ga lopend naar het ziekenhuis en ik vind dat jij terug moet gaan naar Cape Hawk.'

'Het is een mooie ochtend voor een wandeling,' beaamde hij.

'Ik ben blij dat je er ook zo over denkt.'

'Mooi. Dan loop ik wel met je mee,' zei hij.

'Nee, Liam!' zei ze. 'Er ligt thuis werk op je te wachten. En de commandant moet zijn auto terughebben. Het gaat veel beter met Rose.'

'Ze ligt nog steeds op de intensive care,' zei hij.

'Ik heb het idee dat ze haar vandaag overbrengen naar de gewone kinderafdeling,' zei Lily. 'Het gaat echt een stuk beter met haar. Het vocht rond haar hart is vrijwel weg en haar longen hebben weer bijna het normale formaat.'

'Dus de Lasix® doet zijn werk,' zei hij.

'Ja,' zei Lily, een beetje verbaasd dat hij de naam wist van het vochtafdrijvende middel dat Rose kreeg, of dat ze haar dat voorgeschreven hadden. Ze praatte eigenlijk alleen met artsen over dat soort bijzonderheden.

'Dus je denkt dat ze haar vandaag naar de gewone afdeling overbrengen?' vroeg hij.

'Ja,' zei Lily.

'Mooi,' zei hij. Hij knikte glimlachend. Lily had het idee dat ze de opluchting in zijn ogen kon zien. De last die hij zelf op zijn schouders had genomen, wat dat ook mocht zijn, was weggevallen en nu kon hij weer terug naar de haaien en de walvissen in Cape Hawk. Ze bleven elkaar daar midden tussen de heisa in die drukke hotelreceptie even lachend aankijken en toen ze naar het zonovergoten bordes liepen, raakte hij haar arm aan.

'Goed,' zei ze. 'Bedankt voor alles. En wil je Anne ook bedanken omdat ze me die koffer met kleren heeft gestuurd? Vertel haar maar dat het een briljant idee was om ze met de man van de wasserij mee te geven. Ik kreeg ze toen hij de schone tafellakens voor het hotel kwam afleveren.'

'Misschien moet je haar zelf maar even bellen,' zei Liam.

Wat krijgen we nou, dacht Lily. Was het echt te veel moeite om zijn schoonzusje die boodschap van Lily over te brengen? 'O, natuurlijk,' zei ze. 'Ik dacht alleen dat je haar in het hotel wel zou zien.'

'Als ik daar naartoe ga, ja. Maar vandaag nog niet.'

'Je zou toch naar huis gaan?'

Liam schudde zijn hoofd. 'Nee,' zei hij. 'Niet voordat alles in orde is met Rose.'

'Liam!'

'Het heeft geen zin om met me in discussie te gaan, Lily,' zei hij. 'Of je het nou leuk vindt of niet, ik blijf. Kom op, als je geen zin hebt om met de auto te gaan dan loop ik met je mee naar het ziekenhuis. Laten we maar gauw gaan, want ik weet dat je de ochtendronde van de artsen niet wilt missen.'

Lily opende haar mond om iets te zeggen, maar in plaats daarvan begon ze gewoon de steile weg op te lopen naar het Melbourne General. Liam wandelde zwijgend naast haar. Zelfs hier in de stad was heel goed te merken dat ze in Nova Scotia waren. De geur van dennen hing in de lucht en vanuit de haven dreven scheepvaartgeluiden omhoog. Scheepsbellen, scheepshoorns en scheepsmotoren. Boven hun hoofden krijsten de meeuwen. Ze dacht terug aan haar eerste dagen in Nova Scotia, negen jaar geleden. Toen was Liam ook bij haar geweest.

'Waarom doe je dit?' vroeg ze.

'Dat weet je wel,' zei hij.

'Maar het slaat nergens op. Niet na al die tijd.'

'Voor mij wel.'

'Hoor eens, ik weet wat je hebt gezegd. Ik geloof dat die woorden in mijn hart gegrift staan. Ik zal je eeuwig dankbaar blijven. Maar dat is inmiddels al zo lang geleden.'

'Denk je dan dat beloften na verloop van tijd verjaren?' vroeg Liam.

Lily wist niet wat ze daarop moest antwoorden. In ieder geval niet iets dat ze hardop wilde zeggen. Om eerlijk te zijn dacht ze inderdaad dat beloften verjaarden. En ook door andere dingen ongeldig konden worden. Daarvan waren meer dan genoeg voorbeelden op de wereld: stukgelopen huwelijken, verbroken beloften, veranderde gedachten en veranderde gevoelens. Het was veel gemakkelijker om beloften te verbreken dan om je eraan te houden, dat stond vast.

De heuvel was zo steil dat ze pijn in haar kuiten begon te krijgen. Ze kwamen mensen tegen die de heuvel af liepen, op weg naar hun werk. Het stadspark lag op de top en ze liepen tussen twee stenen hekken door naar binnen. Het verkeer reed vanaf het noorden Melbourne binnen via het park. Terwijl ze verder liepen, kwamen ze langs een lange rij auto's. Lily had al jaren geleden de gewoonte laten varen om alles om zich heen scherp op te nemen – kentekenplaten, gezichten – en tegelijkertijd haar eigen gezicht te verbergen. Soms wenste ze weleens dat iemand haar gezien had. In bepaalde slapeloze nachten kon ze echt verlangen, zelfs hunkeren naar een laatste confrontatie.

Ze liepen snel het pad op dat hen door de rozentuinen van het park leidde. Er hing een zoete bloemengeur in de lucht, vermengd met de geur van vers gespitte aarde. Lily dacht aan haar eigen tuin, waarvoor de rozen uit haar jeugd de inspiratie hadden gegeven. Rose was dol op graven, planten en snoeien en soms – als Rose ziek was en alleen maar stil in een ziekenhuisbed kon liggen – schonk de gedachte aan rozenstruiken Lily troost. Struiken die de hele winter rust moesten houden om in de zomer weer te kunnen bloeien. Rose zou ook weer opbloeien.

Plotseling besefte ze dat Liam niet meer naast haar liep. Ze stopte, keek om en zag hem stilstaan. In eerste instantie reageerde ze ongeduldig. Ze had echt geen tijd om hier te blijven staan en de rozengeur op te snuiven. De artsen waren inmiddels aan hun ronde begonnen en ze wilde hen spreken.

'Wat doe je?' vroeg ze, terwijl ze terugliep.

Maar Liam gaf geen antwoord. Hij stond daar maar en staarde, over de rozen en door de dennen, naar een vijver in het bos. Lily probeerde zijn blik te volgen. Ze zag dat de vijver omringd was door hoog, groen moerasgras. Het water was donker en leek groenbruin in de schaduw van de hoge dennen en de eiken. Aan de andere kant van de vijver stond het monument van de Eerste Wereldoorlog. Het drong nu pas tot Lily door dat het water van de vijver aan de voet van het monument waarschijnlijk uit deze landelijke, minder verzorgde plas water kwam.

'Waar kijk je naar, Liam?' vroeg ze.

'Daarnaar,' zei hij wijzend. 'Je moet heel goed kijken. Ze houdt zich schuil in de schaduw.'

Aan de rand van het water bevond zich een blauwe reiger. Het was een grote vogel die zo roerloos stond dat het dier op een standbeeld leek. De ochtendzon viel door de bomen en het hoge gras en tekende de lange poten, de lange gebogen nek en de spitse snavel scherp af. De houding van de reiger was uiterst waakzaam, alsof de vogel op iets heel belangrijks stond te wachten.

'Ze is schitterend gecamoufleerd,' zei hij. 'Ze wil er zeker van zijn dat niemand haar ziet tot ze klaar is.'

'Waarom denk je dat het een "zij" is?' vroeg Lily.

'Dat weet ik niet,' zei Liam, terwijl hij haar recht in de ogen keek.

'Het kan ook een mannetje zijn.'

'Ja, waarschijnlijk wel.'

'Liam, we hebben thuis massa's reigers. Wat is er zo speciaal aan dit beest?'

Hij keek op haar neer. Hij had donkerblauwe ogen met rondom rimpeltjes die hem vermoeid en bezorgd deden lijken. En toch waren die ogen zelf even helder als die van een jonge knul, vooral in dit ochtendlicht. Lily knipperde met haar ogen en fronste.

'Ze staat midden in een stadspark,' zei hij. 'Vind je dat niet opmerkelijk?'

'Een stadspark in Nova Scotia,' zei ze. 'Dat is niet hetzelfde als een stadspark ergens anders. Maar jij bent een wetenschapper,' vervolgde ze schouderophalend. 'Dus het zal wel bij je werk horen om aantekening te maken van natuurfenomenen.'

'Als je het zo formuleert,' zei hij, terwijl hij haar nog strakker aankeek, 'dan heb je waarschijnlijk wel gelijk.'

'Kom nou,' zei ze ongeduldig. 'Kunnen we alsjeblieft een beetje opschieten?'

'Een natuurfenomeen,' mompelde hij.

Lily voelde een briesje dat vanaf de haven omhoogdwarrelde. Het waaide over de vijver, door de bomen – waardoor de takken en het gras begonnen te ritselen – en het streek door Lily's haar. En hoewel het warm was, huiverde ze toch. De reiger verroerde zich niet, net zomin als Liam. Hij stond Lily nog steeds aan te kijken en weigerde zijn ogen af te wenden.

'Ga nou maar mee,' zei ze. 'Ik ben al te laat.'

'Ik weet het,' zei hij.

En de manier waarop hij dat zei, bezorgde haar opnieuw koude rillingen. Daarom zette ze het op een lopen en holde het park uit, naar het bordes van het Melbourne General Hospital. Ze sloot zich aan bij de stroom zorgverleners – artsen, verpleegkundigen, assistenten en therapeuten – die door de dubbele deuren naar binnen liepen. Er waren nauwelijks ouders van patiënten bij, want het was nog veel te vroeg om op bezoek te gaan.

De man van de bewakingsdienst zag dat Lily geen badge droeg en gaf haar een teken dat ze moest blijven staan. Maar ze had al te veel tijd verspild, dus zwaaide ze alleen maar naar hem en sprong in de volgende lift. Uit haar ooghoeken zag ze nog net dat Liam door de bewaker in de kraag werd gegrepen om aan de tand te worden gevoeld. Vreemd genoeg voelde Lily een steek in haar hart toen de deuren dichtgleden.

Ze werd platgedrukt door twintig andere mensen, maar daar was Liam niet bij. Hij was helemaal met haar meegelopen naar de top van die steile heuvel, hij had haar de reiger laten zien en hij had niets gezegd toen ze die denigrerende opmerking had gemaakt over het aantekening maken van natuurfenomen. Het rare was dat ze toch het gevoel had dat híj degene was die een binnenpretje had.

En ze snapte ook niet waarom het haar zo speet dat ze zonder hem in de lift was gestapt. Hij had haar geen moment in de steek gelaten. Hij deed echt ontzettend zijn best om zich aan die stomme belofte te houden, ook al had zij destijds helemaal niet gewild dat hij die aflegde. Misschien zou het nu tot hem doordringen dat ze hem daar nooit aan zou houden. Wat haar betrof, had hij zich er ook nooit aan hoeven houden.

Waarom vond ze het dan zo vervelend dat hij nu niet bij haar was? Ze zette het gevoel van zich af en stapte uit op de verdieping waar Rose lag, op de ic van pediatrie.

14

'Neem me niet kwalijk,' zei de bewaker, 'maar mag ik uw pasje zien?'

'Mijn pasje?' vroeg Liam terwijl hij zag hoe de liftdeuren achter Lily dichtgingen.

'Het pasje waaruit blijkt dat u hier in het ziekenhuis werkt.'

'O,' zei Liam, 'ik werk hier niet.'

'Maar bezoek wordt pas vanaf elf uur toegelaten, meneer. Het is nu kwart voor negen. De artsen moeten eerst hun rondes lopen.'

'Ik kom voor iemand die op de IC pediatrie ligt,' zei Liam. 'Volgens mij zijn de bezoekuren daar flexibeler.'

'Ja, dat klopt, meneer. Bent u een familielid?'

'Eh, nee. Ik ben een goede vriend van de familie.'

'Maar op die afdeling worden alleen familieleden toegelaten, meneer. We houden ons daar streng aan de regels. Heel streng.'

Liam knikte. Hij wist heus wel dat het geen zin had om met de bewaker in discussie te gaan. Maar hij moest toch naar boven, hij moest naar Lily en Rose toe. Hij knikte naar de lift. 'Ik was bij die mevrouw die net in die lift is gestapt.'

'Dat kleine donkerharige vrouwtje dat zich niets van mij aantrok? Dat me gewoon negeerde?' vroeg de bewaker met opgetrokken wenkbrauwen.

'Eh, dat zou best kunnen.'

'Die mevrouw. Die iedere ochtend langs me heen loopt alsof ik lucht ben. Alsof ik hier niet sta. Ja, dat klopt, ik heb u weleens samen met haar gezien. U viel me op vanwege...' Hij hield net op tijd zijn mond.

'Vanwege mijn arm,' zei Liam. 'Zit daar maar niet over in.'

'Nou, vanmorgen heb ik u dan toch te pakken gekregen. In ieder geval een van u beiden.'

Ja, degene van ons die geen natuurfenomeen is, dacht Liam terwijl hij in gedachten Lily als een waterhoos door die drukke entreehal zag spuiten. Met de snelheid van een wervelwind en een nog grotere kracht. Af en toe raakte ze het wateroppervlak om nog meer kracht op te doen voordat ze verder wervelde, op weg naar Rose.

'U mag in de entreehal op uw vriendin wachten,' zei de bewaker streng. 'Maar zonder pas mag ik u niet alleen naar de ic laten gaan.'

'Hoe kom ik aan zo'n pas?'

'Van een dokter. En u hebt ook toestemming nodig van een van de ouders of van de patiënt. U kunt beter hier wachten.'

'Juist,' zei Liam. 'Bedankt.'

Maar in plaats daarvan liep hij naar buiten. Hij stak de straat over, liep naar de vijver en keek omhoog naar het monument. Hij raakte het met zijn goede hand aan en bedacht hoe vreemd het was dat een stuk steen al die mensen van wie hij had gehouden had overleefd: zijn ouders en Connor. Nu keek hij over de vijver naar de plas aan het uiteinde. Hij tuurde naar de schaduwen, op zoek naar de reiger.

Als ze er nog stond, was ze zo goed verborgen dat hij haar niet kon zien.

Lily had niet lang genoeg stil willen staan om te kijken. Dat was typisch iets voor natuurkrachten. Ze hadden het veel te druk om hun doel te bereiken. Wervelwinden, waterhozen, hittegolven en Lily Malone. Niets was in staat om haar ook maar twee seconden bij Rose weg te houden, zelfs niet de poëtische aanblik in dit stadspark van een blauwe reiger in dezelfde kleur als Lily's ogen.

Liam liep langzaam naar de westkant van de langwerpige vijver. Hij bleef in de schaduw, niet omdat de zon zo warm was, maar omdat hij niet wilde opvallen. Hij, zijn broer en Jude waren er altijd prat op gegaan dat ze in staat waren wilde dieren te besluipen. Ze konden heel stilletjes tussen een groep vinvissen door zwemmen zonder dat de dieren opschrokken. Connor was een keer zelfs naar een beloega toe gezwommen en had haar rugplooi aangeraakt. En ze hadden een keer midden in de winter het spoor van een stel sneeuwuilen gevolgd en waren erin geslaagd ze tot op minder dan vijf meter te benaderen.

Hij had de trilfunctie van zijn mobiele telefoon ingeschakeld en controleerde het toestel voor alle zekerheid nog een keer. Hij hoopte dat Lily hem op zijn minst zou bellen als er verandering in Roses toestand was.

Het was niet de eerste keer dat hij Lily met een natuurkracht had vergeleken. Het was in feite zelfs de aanleiding geweest voor hun hele onstabiele, ongedefinieerde en volslagen verwarrende relatie. In gedachten ging hij negen jaar terug, naar de allereerste keer dat hij haar had ontmoet.

Ze was de stad in komen rijden in een roestige oude Volvo met gaten in de vloer en een motorkap die letterlijk met een stuk touw was dichtgeknoopt. Ze had haar haar heel kort geknipt en droeg een bril die ze eigenlijk helemaal niet nodig had. Zijn familie had het in Cape Hawk min of meer voor het zeggen, dus in eerste instantie had ze te maken gekregen met Camille, zijn tante, de 'grande dame' van de familie en eigenaresse van Makelaardij Neill. Lily was op zoek geweest naar een huis. Camille had het zo'n vreemde toestand gevonden – een knappe, jonge en, o ja, hoogzwangere vrouw, duidelijk een Amerikaanse, die op zoek was naar een huis in Cape Hawk – dat ze de zaak tijdens het familiediner op vrijdagavond wilde bespreken. Hoewel ze kennelijk had geprobeerd haar dikke buik onder een laag loshangende kleren te verbergen, kon iedereen zien dat ze in verwachting was.

'Goedkoop,' meldde Camille. 'Dat is haar belangrijkste voorwaarde, dat heeft ze letterlijk gezegd.'

'Waar is haar man?' had Jude, Camilles zoon, gevraagd.

'Hij is een visser,' zei Camille. 'En hij blijft telkens wekenlang weg.'

'Op welke boot?'

'Dat heb ik haar ook gevraagd. Daar deed ze nogal vaag over, om het zo maar eens te zeggen. Wat denken jullie, zou hij een drugssmokkelaar zijn?'

'Waarschijnlijk is hij de bevelhebber van de maritieme heroïnehandel,' zei Liam. Hij had helemaal niet bij het etentje willen zijn – dat wilde hij nooit – maar die avond had zijn tante erop gestaan dat hij ook kwam. Hij zat naast Anne en voelde dat ze hem een por met haar elleboog gaf. Maar ze raakte zijn prothese, dus iedereen aan tafel hoorde de knal.

'Doe niet zo grof, Liam,' zei Camille terwijl ze haar schoondochter nijdig aankeek. 'Eerlijk gezegd is dat precies de reden waarom ik wilde dat je er vanavond ook bij zou zijn.'

'Mijn ervaring met drugssmokkelaars?'

'Nee. Omdat ze op zoek is naar iets goedkoops en ik meteen moest denken aan de blokhut die achter jouw huis staat.'

Liams maag kromp samen. Het gebouwtje was aanvankelijk een schuur geweest, waarvan Connor en hij hun fort hadden gemaakt toen ze nog klein waren. Twee kamers die door zijn ouders in de loop der jaren omgebouwd waren tot een redelijk gastenverblijf.

'Ik dacht dat je haar die misschien zou willen verhuren. Maar dan moet je volgens mij wel eerst kennis met haar maken. Als je een verkeerd gevoel krijgt, of je hebt het idee dat er inderdaad iets verdachts is aan haar en haar man, nou ja, dan kunnen we wel iets anders voor haar zoeken. Weet je wat ik denk?'

'Nee,' zei Anne. 'Vertel maar op, Camille.'

'Ik denk dat er helemaal geen man is. Volgens mij is ze een ongetrouwde moeder!'

'Wat schandalig,' zei Anne.

Nu was het Liams beurt om haar een por te geven. Maar Camille nam haar serieus en knikte ernstig. 'Precies. Volgens mij is ze naar Canada gekomen om gebruik te maken van ons gezondheidsstelsel. Dat in de vs is ronduit slecht. Ik vind het geen prettig idee om een oplichter de helpende hand te bieden...'

'Maar liever dat dan een echtgenoot die drugs smokkelt,' zei Liam.

'Dat is volkomen waar, lieve jongen. Goed, dan laat ik het verder aan jou over. Momenteel logeert ze in het hotel. Kamer 220. Haal je haar op om haar het huis te laten zien?'

'Vergeet niet je revolver mee te nemen,' zei Jude. 'Voor het geval dat.'

'Doe niet zo bot,' zei zijn moeder en wenkte toen naar de serveerster dat ze de dessertbordjes weg kon halen.

Toen Liam op het punt stond om naar kamer 220 te lopen, hield Anne hem tegen.

'Het was leuk om je vanavond weer eens aan tafel te hebben. Jude had net gezegd dat je bijna een vreemde begon te geworden.'

'Het is moeilijk om weerstand te bieden aan een vrijdagavond bij Camille,' zei Liam grinnikend.

'Ik weet het. Ik heb gemerkt dat mijn hele week daaromheen draait,' zei Anne. 'Volgens mij wordt het probleem alleen maar veroorzaakt door het feit dat ze Camille Neill werd toen ze met Frederic trouwde.

Dat klinkt nogal grappig. Je zou er een hele soap omheen kunnen bouwen.'

Ze grinnikten en keken om zich heen om er zeker van te zijn dat ze niet werden afgeluisterd door de spionnen van Camille, haar favoriete kelners en kamermeisjes.

'Maar even serieus,' zei Anne. 'Waar heb je uitgehangen? Ben je waanzinnig verliefd geworden op die juffrouw die hier afgelopen zomer onderzoek deed naar haaien?'

Liam schudde zijn hoofd. 'Nee, dat was gewoon een collega uit Halifax.'

'Ze was knap. En ze zag je helemaal zitten, Liam. Dat viel zowel Jude als mij op.'

'Hmmm,' zei Liam.

'Nou ja, in ieder geval begin je niet tegen me te grommen, zoals je meestal doet als ik naar je liefdesleven vraag. Ik wou dat je het had. Ik vind je de aardigste van mijn hele schoonfamilie.'

'Dat geldt ook voor jou,' zei hij. 'Goed, dan ga ik nu maar doen wat me is opgedragen.'

'O, natuurlijk. Een onderzoek instellen naar de mysterieuze, ongetrouwde drugshandelaarster.'

Liam was de hal ingelopen zonder te weten wat hem te wachten stond. Hij wilde de zaak alleen zo snel mogelijk achter de rug hebben. Het hotel was groot, met allerlei hoekjes en gaatjes en twee lange vleugels. Kamer 220 was helemaal aan het eind van een daarvan, op de eerste verdieping. Aan de kant van het hotel die uitkeek op de parkeerplaats van de werknemers in plaats van op de baai van Cape Hawk.

Hij klopte, maar niemand deed open. Daarom klopte hij nog een keer en keek op zijn horloge. Halfnegen. Zou ze al slapen? Na het eten was er in Cape Hawk nauwelijks iets te doen. Misschien was ze wel een eindje gaan wandelen. Hij boog zich over naar de deur en hoorde zachte geluidjes.

Hij bleef met ingehouden adem luisteren. Aanvankelijk dacht hij dat het de tv was, want achter de deur hoorde hij een hoge, ijle stem die nauwelijks menselijk klonk. Het leek meer op het klagende geluid van zeevogels. Of op het zingen van een walvis, dat werd opgepikt door onderwatermicrofoons. Maar toch sprak dat geluid Liams hart aan op een manier waaruit hij wel moest opmaken dat het toch heel menselijk was en dat de vrouw zat te huilen.

Liam had één keer eerder iemand op die manier horen huilen: zijn moeder op de dag dat Connor om het leven was gekomen. Hij tilde zijn hand op om nog een keer te kloppen, maar hield zich toen in. Het verdriet van de vreemde vrouw was te groot en te intiem om haar te storen. Vandaar dat hij zich terugtrok en besloot om het de volgende ochtend nog een keer te proberen.

Maar dat was niet nodig.

Camille had een boodschap achtergelaten op zijn kantoor: *Je hoeft je niet druk meer te maken over die huurster. Ze heeft ergens anders onderdak gevonden.*

Liam was opgelucht. Wat zich daar in die kamer had afgespeeld was te veel voor hem. Hij had zich de hele avond afgevraagd wat er aan de hand zou zijn en hij had zichzelf gewaarschuwd dat hij zich nergens mee moest bemoeien. Het zou trouwens helemaal niet moeilijk zijn om zich op de vlakte te houden, want daar was Liam een meester in. Vraag het maar aan die haaienonderzoekster uit Halifax over wie Anne het had gehad. Julie Grant. Ze stuurde hem nog steeds brieven... althans, dat had ze gedaan tot de laatste, waarin ze schreef: *Geef me maar een seintje als je erachter bent gekomen dat mensen beter gezelschap zijn dan haaien. Ik dacht dat we een kans hadden, maar nu weet ik dat ik me vergist heb. Vaarwel.*

Liam had gemerkt dat het minder hartenpijn veroorzaakte als je je afzijdig hield, zelfs – of misschien wel juist – van de mensen van wie je het meest hield. Na Connors dood was zijn moeder verdwenen. Niet in lichaam, maar in geest. Ze was steeds stiller, eenzamer en afstandelijker geworden, tot ze alleen achterbleef met haar fles. Ook al had Liam zijn uiterste best gedaan om haar weer tot leven te wekken en haar eraan te herinneren dat ze nog een zoon had, ze wilde gewoon niet luisteren. Toen hij aan zijn arm geopereerd moest worden, had zijn vader hem naar het ziekenhuis gebracht. Zijn moeder kon het niet eens opbrengen om op bezoek te komen in het ziekenhuis waar was vastgesteld dat Connor dood was.

En nu, terwijl hij langs de vijver liep, keek Liam om naar datzelfde ziekenhuis. Lily en Rose waren daarbinnen. Aan de buitenkant leek Lily in ieder geval een heel andere moeder dan de zijne. Maar hij had het vermoeden dat ze eigenlijk precies hetzelfde waren. Twee vrouwen die zoveel van hun zieke kinderen hielden, dat hun hele leven daardoor in beslag werd genomen.

De reiger stond er nog steeds, op precies dezelfde plek waar hij haar met Lily had gezien. Terwijl hij rustig in de schaduw bleef, liep Liam nog een paar passen verder. De reiger verroerde zich niet. Ze volhardde in haar elegante pose, met haar blauwe nek gebogen en haar gele snavel omlaag wijzend. De plas leek zo glad als een spiegel, maar de reiger zag toch iets bewegen en stak met een snelle beweging toe. Toen ze haar kop oprichtte, had ze een zilveren vis in de bek.

Liam keek toe hoe ze die naar binnen slikte en vervolgens weer in dezelfde houding ging staan. Hij voelde een golf van verbazing bij het aanschouwen van de werking van de natuur, ongeveer hetzelfde gevoel dat hij kreeg als hij naar het natuurfenomeen Lily keek.

Hij ging ervan uit dat de bewaker op een gegeven moment toch even pauze zou gaan nemen en trouwens, het was al bijna tijd voor de normale bezoekuren.

Vandaar dat hij zich omdraaide en terugliep naar het ziekenhuis, om de belofte te houden die hij volgens Lily nooit had hoeven doen en waarvan ze zelfs liever wilde dat hij zich er niet aan zou houden alleen maar omdat hij vond dat hij geen andere keus had.

Rose had in de loop der tijden al heel wat moeilijke momenten overwonnen en vandaag was geen uitzondering. Toen haar moeder opdook, was ze al overgebracht naar de afdeling kinderchirurgie. Ze ademde goed, ze had meer dan twee kilo vocht verloren en haar hart, haar longen en al haar andere organen hadden alweer bijna normale afmetingen. Waarom kostte het haar dan zoveel moeite om te lachen? Zelfs een glimlachje leek al te veel gevraagd.

'Wat is er aan de hand, schattebout?' vroeg haar moeder, die naast haar bed stond.

'Niets.'

'Weet je dat zeker? Je lijkt een beetje overstuur.'

Rose probeerde haar lippen omhoog te krullen. Het was geen echte glimlach, want het kwam niet van binnenuit. Maar ze wilde niet dat haar moeder zich zorgen zou maken. Van de dokters en de therapeuten kreeg ze altijd te horen dat alle gevoelens 'prima' waren en dat ze daar 'eerlijk' over moest zijn, zelfs als het om gevoelens ging waar je niet op zat te wachten: ongelukkig, verdrietig, boos, gekwetst, van die dingen. Maar het enige waar Rose niet tegen kon, was als haar moeder van die bezorgde rimpels in haar voorhoofd had, dus deed ze net alsof ze lachte.

'Mam,' zei ze, 'heb je dr. Colvin al gesproken?'

'Ja. Hij vertelde me dat je heel goed vooruitgaat. En ik weet dat hij dr. Garibaldi in Boston heeft gebeld om te overleggen wanneer je daar naartoe kunt.'

'Ik wil niet naar Boston, mam.'

'Maar lieve schat...'

Rose balde haar vuisten. Haar vingertoppen waren gevoelloos, dat was altijd zo omdat haar hart het bloed niet snel genoeg rondpompte. Ze had rare vingertopjes, die eigenlijk een beetje op peddeltjes leken. Ze probeerde de glimlach om haar mond te houden, maar vanbinnen werd ze helemaal slap.

'Het is zomer,' zei ze. 'Jessica's eerste zomer in Cape Hawk. Ik heb nu al in het ziekenhuis gelegen. Ik wist dat dat moest en ik had erop gerekend, maar nu heb ik er genoeg van. Genoeg van het ziekenhuis. Ik wil plezier maken, mam. Samen met Jessica.'

'Dat weet ik wel, liever. En dat zal ook heus gebeuren. Daarom moet je die operatie ondergaan... om een nieuwe patch te krijgen, zodat je net zoveel plezier kunt maken als je wilt.'

Rose keek haar alleen maar aan. Ze wilde haar moeder graag geloven. De afgelopen jaren had ze al zo vaak in het ziekenhuis gelegen. Ze kon zich de keer toen ze een jaar of vijf was nog goed herinneren. Toen had ze een nieuwe klep gekregen. Met als gevolg endocarditis, een bacteriële infectie waar mensen met hartproblemen gevoelig voor zijn. Ze had maanden in het ziekenhuis gelegen waar ze haar via een infuus antibiotica toedienden. Daardoor waren haar lever en nieren bijna geruïneerd en haar haar was helemaal uitgedroogd. Ze had eruitgezien als een stropop.

'Dan zal Jessica een nieuwe boezemvriendin vinden,' zei ze.

'Helemaal niet.'

'Hoe weet je dat?'

'Wie zou er nou een betere boezemvriendin kunnen zijn dan jij?'

'Iemand die niet in het ziekenhuis ligt.'

'Lieverd, waarom ben je zo somber?'

Rose haalde diep adem, maar het kostte haar steeds meer moeite om te blijven glimlachen. Hoe kon ze nou niet somber zijn? Haar verjaardagsfeestje was zo fantastisch geweest, wonderbaarlijk... en toen had haar hart het begeven. De medicijnen zorgden ervoor dat ze stabiel bleef, maar ze voelde zich constant wazig. En in plaats van de zomer in Cape Hawk door te brengen moest ze nu naar een ander ziekenhuis, het grote in Boston. Jessica zou haar waarschijnlijk gewoon vergeten.

'Dat was een domme vraag, hè?' zei haar moeder.

'Nee,' zei Rose. 'Helemaal niet. Het spijt me.'

'Rose, je moet nooit ergens spijt van hebben. Je hebt al zoveel achter de rug en we vragen je steeds maar opnieuw om nog meer mee te maken. Het is geen wonder dat je...'

De stem van haar moeder trilde en ze klonk zo triest dat Rose dacht dat ze in tranen uit zou barsten. Maar op datzelfde moment keek ze over haar moeders schouder en zag iets in de deuropening staan dat een echte lach op haar gezicht bracht, de allereerste van die dag.

Dr. Neill stond op de drempel met een grote bos ballonnen in zijn hand. Allemaal felle kleuren, het leek wel een regenboog.

'Dr. Neill!' riep ze.

'Ha, die Rose,' zei hij terwijl hij recht naar haar toe liep en zich over haar heen boog om haar voorhoofd te strelen. 'Hoe gaat het met mijn kleine meid?'

'Ik ben zo blij dat u er bent,' zei ze, terwijl ze haar ogen bijna niet durfde te geloven. Waarom had haar moeder daar niets over gezegd?

'Natuurlijk ben ik er. Je bent een wonder, Rose. Ik dacht dat je nog steeds op intensive care lag, maar toen ik het aan de balie vroeg, zeiden ze dat ik je hier kon vinden.'

'Bent u al in het ziekenhuis sinds ik hier werd gebracht?' vroeg Rose.

Hij knikte. Rose wierp haar moeder een verbaasde blik toe, maar haar moeder stond gewoon naast het bed en speelde de vermoorde onschuld.

'Hoe zit het dan met Nanny en al die andere walvissen, dolfijnen en haaien? U moet toch de wacht over hen houden?'

'Nanny heeft me verteld dat dit veel belangrijker was.'

'Walvissen praten niet!'

'Nou ja, Nanny en ik spreken een bepaalde taal,' zei hij. 'Ik kan het niet goed uitleggen aan mensen die dat niet kunnen...'

Rose stak haar hand uit en raakte zijn prothese even aan met een van haar vierkante vingertjes. Ze voelde een soort tinteling.

'Ik geloof dat ik die ook spreek.'

'Ja, dat denk ik ook,' zei hij.

'Ik heb het gevoel dat ik er niet echt bij hoor,' zei haar moeder. 'Reigers, walvissen... Is er ook iemand die met mij mensentaal kan spreken?' Rose hoorde wel wat ze zei, maar dit was iets tussen haar en dr. Neill. Ze wist dat hij begreep hoe het was om in het ziekenhuis te liggen en bang te zijn dat ze nooit beter zou worden, dat ze altijd een buitenbeentje zou blijven. Ze stak haar wijsvinger op. Hij bleef ernaar kijken, naar het topje dat breder was dan de rest. Ze zag zijn blik naar de naald van het infuus glijden, in de rug van haar hand. En ze zag ook dat hij naar de katheter keek die van haar naar de zak naast het bed liep en ze schaamde zich helemaal niet. Ze wenste dat hij haar op zou pakken, alsof hij haar vader was.

'Ik ben vandaag niet blij,' zei ze.

'Nee,' zei hij.

'Ik ben bang.'

Hij knikte en zakte op zijn knieën naast het bed om haar in de ogen te kijken. De ballonnen botsten boven zijn hoofd tegen elkaar. Hij bond de touwtjes aan de stangen van het bed, maar met één hand lukte dat niet zo goed. Rose hielp hem. Hun vingers raakten elkaar en ze glimlachte. Ze was nog steeds bang, maar omdat hij bij haar was, kon ze toch weer lachen.

'U hebt ballonnen voor me meegebracht,' zei ze.

'Ja, dat klopt.'

'Ik dacht dat ballonnen slecht waren. Omdat ze, als je het touwtje loslaat, misschien naar de zee drijven en erin vallen. Dan zouden de zeeschildpadden kunnen denken dat het kwallen zijn en ze opeten. En dan gaan ze dood.'

'Je hebt helemaal gelijk, Rose. Je zou een heel goede oceanograaf zijn. Daarom wist ik ook dat ik die ballonnen best aan jou kon geven.'

'Omdat ik aan de zeeschildpadden denk?'

'Ja,' zei hij en pakte haar hand. 'Daarom.'

Rose deed haar ogen dicht en voelde dat haar polsslag snel en licht was. Ze dacht aan al die dingen die op verschillende manieren in bescherming genomen moesten worden. Haar moeder, omdat ze zich anders zorgen zou gaan maken. De zeeschildpadden, omdat ze anders ballonnen op zouden eten. Zijzelf, omdat ze zo bang was voor wat haar verder nog te wachten stond. Waarvoor zou dr. Neill beschermd moeten worden? Dat wist ze niet. Maar ze wist wel dat er iets zou zijn en ze kneep even in zijn hand om hem te laten weten dat hij op haar kon rekenen.

15

Het warme weer was in Cape Hawk gearriveerd, waardoor het meer op de zomers begon te lijken die Jessica kende. Iedere ochtend hingen er nevels over de kliffen en de dennen die vervolgens in de zon oplosten. De zon was meedogenloos en er stond helemaal geen wind meer. Jessica droeg een korte broek over haar badpak, maar in plaats van te gaan zwemmen was ze hard aan het werk.

Ze had een jutezak in haar ene hand en raapte met haar andere hand gevallen dennennaalden op. Dat was een smerig werkje, haar vingers waren kleverig van de hars, maar ze bleef gewoon doorgaan. Ze liep gebukt rond door de achtertuin zonder ook maar een centimeter over te slaan. Gevallen blaadjes of twijgjes liet ze gewoon liggen, het ging haar alleen om de lange naalden van de Weymouthden.

Af en toe liep ze onder een Canadese den of een spar door, bomen met kortere naalden. Die waren ook goed, zo lang het maar naalden waren. Ze vond ook een heleboel dennenappels, kleintjes die sprekend op poppenbijenkorfjes leken. De kegels van de Canadese den waren ideaal en heel compact, met alle blaadjes strak over elkaar, net als bij een roos. Als ze die vond, gingen ze in een tas die ze over haar schouder droeg. De kegels van de Weymouthden waren langer en de punten hadden een zilverkleurige glans van de hars. Die liet ze liggen.

Terwijl ze de achtertuin en de onderste rand van het heuvelachtige bosgebied achter haar huis afstroopte, dacht ze voortdurend aan Rose. Wat zou ze nu doen? Zou ze al beter worden? Gisteravond had een van de Nanouks haar moeder gebeld en ze had gehoord waar ze het over hadden. De boodschap was nog hetzelfde: *Rose houdt zich staande,* en dat klonk niet slecht, maar eigenlijk ook niet echt goed. Daarna had Jessica gezien hoe haar moeder via het internet de site van het Johns Hopkinsziekenhuis had opgezocht, om daar met een zorgelijk gefronst voorhoofd iets na te kijken.

Jess probeerde zichzelf wijs te maken dat het niet uitmaakte wat al die grote mensen dachten. Zij was voor Rose aan het werk. En het kon haar niets schelen dat ze pijn in haar rug had en dat haar vingers jeukten. Ze had in Boston op een katholieke school gezeten en de nonnen hadden hun verhalen verteld over Sint-Agnes en Sint-Agatha en ook over Jeanne d'Arc, allemaal jonge meisjes, martelaressen die geleden hadden voor de Heer. Verhalen over boetekleden, spijkerbedden en onthoofd worden. Jessica had ze aanvankelijk maar flauw gevonden. Vooral zo'n boetekleed. Dat scheen nogal te kriebelen, maar ze had geen idee wat ze zich daarbij moest voorstellen. Een omgekeerde bontjas of zo?

Maar toen was ze na gaan denken. Misschien zat er toch wel wat in dat martelaarschap. Nou ja, niet dat onthoofden, maar die andere dingen. Die oude heiligen hadden een boel last gehad van demonen. Een Ierse non die ze eigenlijk wel een beetje griezelig vond, had niets liever gedaan dan verhalen vertellen over de duivel. 'De incarnatie van Lucifer waart over deze aarde,' zei ze dan met die krassende stem van haar. 'Hij bestaat net zo goed als jij of ik. We komen hem iedere dag tegen en we moeten ons uiterste best doen om hem uit ons leven te bannen!' Jessica had de zuster geloofd en ze begon te piekeren... Als ze bereid was om te lijden of iets op te offeren, dan kon ze Ted misschien uit het huis verdrijven.

De eerste week had ze geprobeerd de kaneeltaartjes te laten staan. Maar Ted bleef gewoon en vertoonde niet de minste neiging om op te krassen. Jessica begon andere dingen te proberen, zoals geen toetje bij de schoollunch. Of schoenen aantrekken die eigenlijk te klein waren, zodat haar tenen pijn gingen doen. Op de kale houten vloer neerknielen en net zolang blijven zitten tot niet alleen haar knieën maar ook haar rug en haar heupen pijn deden. Ze had geen spijkerbed, maar ze probeerde wel een nacht in de badkuip te slapen.

Toen haar moeder haar daar vond, dacht ze dat ze aan het slaapwandelen was geweest. Ze bracht Jessica heel snel naar bed, voordat Ted het in de gaten kreeg. Ted hield niet van ongebruikelijke dingen. Hij zou het feit dat Jessica in de badkuip had liggen slapen op de een of andere manier als een klap in zijn gezicht beschouwen. De kans bestond dat hij was gaan schreeuwen, maar hij had ook zijn mond kunnen houden... met van die kille, kwaadaardige ogen. Dan kon

Jessica hem bijna horen sissen: 'Waarom probeer je me op deze manier te kwetsen?'

Dus toen de badkuip niet langer tot de mogelijkheden behoorde en ze nog steeds geen spijkerbed had, besloot Jessica om dan maar andere lakens te gebruiken. Niet meer die zachte roze met de witte lammetjes, maar die harde, die zo schuurden en die haar moeder per ongeluk in de opruiming had gekocht. Ze voelden helemaal niet lekker tegen haar huid. Ze begon ook haar benen met spelden te bekrassen. Ze schepte er meestal een grimmig genoegen in om die kleine bloedspatjes op de goedkope lakens te zien. Haar moeder dacht dat ze gewoon een paar muggenbeten kapot had gekrabd.

Jessica zou er nooit achter komen of haar martelaarschap resultaten had afgeworpen... Ted werd er niet door uit het huis verdreven. En Tally werd er niet door gered. Dat was de avond dat haar moeder besloot dat het genoeg was geweest. Toen Ted het kleine hondje zo had geschopt dat ze erin bleef, had haar moeder in het holst van de nacht hun spullen gepakt, haar in de auto gezet en was weggereden.

Nu was ze bezig dennennaalden te verzamelen en ze bleef even staan voor een platte steen waarop ze vorige week een kousenbandslang had zien liggen zonnen. Het diertje had zijn roze bek opengesperd en tegen haar gesist en hoewel het heel klein was, had het Jessica toch meteen aan Ted herinnerd en haar aan het schrikken gemaakt.

Jessica wenste dat de slang nu ook tevoorschijn zou komen. Dan zou ze er met haar blote voeten op stappen en hem doden, net zoals Maria had gedaan. Ze wilde alle slangen, alle demonen, alle boze tovenaars en Ted verdrijven om Rose weer beter te maken. Dat was de enige manier. Ze liep langzaam verder door het dennenbos om nog meer dennennaalden te verzamelen ook al werd haar hand warm en kleverig en kreeg ze pijn in haar rug, toen ze ineens een blauwe flits in de bomen zag.

Eerst dacht ze dat het Maria was die haar dieper het bos invoerde, maar toen ze omhoogkeek naar de takken van een spar kwam ze tot de ontdekking dat het alleen maar een Vlaamse gaai was. Een felgekleurde Vlaamse gaai met een prachtige kuif. Hij leek helemaal niet op Maria.

Toen Jessica drie grote zakken vol dennennaalden had, vond Marisa het tijd om met haar naar de stad te gaan. Ze reden naar de haven en zetten de auto bij *De Steekproef* neer. Marisa zag tot haar blijdschap dat de deur op een kier stond, dus de winkel was open. Heel even werd ze bekropen door een gevoel van opwinding bij de gedachte dat Lily weer thuis en aan het werk was. Maar toen ze samen met Jessica naar binnen ging, zag ze dat Marlena achter de toonbank stond, terwijl Cindy de voorraad bij vulde.

'Hallo, meiden,' riep Marlena. 'Hoe gaat het ermee?'

'Prima,' zei Marisa. 'Hebben jullie nog iets van Lily gehoord?'

'Anne heeft haar gesproken. Ze kwam ons koffie met muffins brengen en vertelde dat Rose met sprongen vooruitgaat. Ze is bijna al het overtollige vocht kwijt en ze overwegen nu om haar over een paar dagen naar Boston te vliegen.'

'Dat is een goed teken,' zei Marisa.

'Jij bent verpleegkundige, hè?' zei Cindy. 'Dat hebben we van Anne gehoord. Stel je voor, iemand met een medische opleiding in ons midden!'

'Ja, dat klopt,' zei Marisa. Het was een fijn idee dat de Nanoukmeiden het over haar hadden gehad en haar in hun 'midden' hadden opgenomen.

'Wat hebben al die complicaties volgens jou te betekenen?' vroeg Marlena. 'Die arme Rosie, dat ze dat allemaal moet meemaken.'

'Tetralogie van Fallot is een gecompliceerde aandoening,' zei ze. 'Maar wel te genezen, vooral als de patiënt nog jong is.'

'Ik ken Lily al vanaf het jaar dat Rose werd geboren,' zei Marlena. 'Ik kan me niet herinneren dat er ooit een tijd is geweest dat ze niet naar een of ander ziekenhuis of een specialist moest.'

'Boston, Melbourne en zelfs een keer naar Cincinnati,' zei Cindy.

'De afdeling pediatrische cardiologie in Cincinnati is de beste in het hele land,' zei Marisa.

'Ik kan me nog herinneren dat wat ze daar deden iets te maken had met "de grote vaten". Ik dacht eerst dat het iets met wijn te maken had, maar het betekende dat er iets mis was met de longslagader van Rose,' zei Marlena.

'Ja, dat klopt. Die was te nauw en toen moest er een verbinding worden gemaakt tussen de longslagader en de aorta,' zei Cindy.

'Wat is een aorta?' vroeg Jessica, terwijl ze daar stond met een zak vol dennennaalden.

'Dat is de slagader die het bloed vanuit de linkerkamer van het hart naar het lichaam pompt,' legde Marisa uit.

'En hadden ze die verkeerd aangelegd in het ziekenhuis?' vroeg Jessica.

'Nee, lieverd,' zei Cindy. 'Dat was al zo bij de geboorte. Het is gebeurd toen ze nog in de baarmoeder zat. Niemand weet waarom, maar die ene slagader was te nauw.'

'Bedoel je dat God haar dat heeft aangedaan?' vroeg Jessica diep verontwaardigd.

Marisa voelde een knellende band om haar hoofd, alsof ze op het punt stond een migraineaanval te krijgen. Maar dat was het niet, het was het idee dat Jessica op het punt stond een van haar religieuze woedeaanvallen te krijgen. Ze zag het gezicht van haar dochter rood worden van verontwaardiging, waardoor ze meteen terug moest denken aan de manier waarop Jessica zich afzette tegen Ted met zijn bedilzucht en boosheid. In plaats van boos op haar te worden, of op Ted, werd Jessica altijd woedend op God.

'Nou, ik zou niet willen zeggen dat God haar dat áángedaan heeft,' zei Marlena. 'Eerder dat Hij in zijn oneindige wijsheid en beleid het destijds een goed idee vond. Wij begrijpen alleen niet waarom.'

'Wat is dat voor wijsheid en beleid om een baby een verkeerde slagader te geven?' wilde Jess weten.

'Jessica,' zei Marisa waarschuwend.

'Ik meen het. Het slaat nergens op.'

'Maar God hoeft zich niet aan de logica te houden,' zei Marlena een beetje zenuwachtig. Marisa kon zien dat ze haar ideeën over de twee nieuwste Nanoukmeiden bijstelde.

'Dat klopt,' zei Cindy. 'Het is één groot mysterie. Een idioot mysterie. En je zou best kunnen zeggen dat God haar dat heeft aangedaan, Marlena. Je klinkt alsof je nogal in de war bent en om eerlijk te zijn ben ik dat zelf ook wel een beetje. Wie kan nou begrijpen waarom zoiets gebeurt? Als je denkt aan hoeveel onze Rosie al heeft geleden...'

'Het is gewoon verschrikkelijk,' zei Marlena. 'Al vanaf de tijd dat ze zo'n klein blauw baby'tje was...'

'Het is waarschijnlijk niet God die haar dat heeft aangedaan,' zei Jessica. 'Het zal de duivel wel zijn geweest.'

'Hou nou op, Jess,' zei Marisa die voelde dat ze bleek wegtrok. Als Jessica eenmaal begon over God, de duivel en Ted, dan moest je je bergen.

'God doet mensen geen verdriet,' zei Jessica. 'Daar geloof ik niks van.'

Marisa keek haar met grote ogen aan. Ze dacht aan alle ziekte en ellende waarmee ze in de loop der jaren geconfronteerd was. De verwondingen, de ziekten, de aandoeningen, de gevolgen van geweld. Hoewel ze Jessica godsdienstig had opgevoed, was haar eigen geloof langzaamaan minder geworden, om een dieptepunt te bereiken aan het eind van haar relatie met Ted. 'Ik geloof, dus help me met mijn ongeloof,' had ze ooit gebeden. Nu geloofde ze alleen nog in de wetenschap.

'Gods wegen zijn ondoorgrondelijk,' zei Marlena. 'Maar ik ben het in dit geval met Jessica eens. Ik geloof ook niet dat God Rose of iemand anders wil laten lijden. De volgende keer dat alle Nanouks bij elkaar zijn zal ik daar eens over beginnen. Misschien moeten we het maar in onze statuten opnemen.'

'Dat lijkt me een goed idee,' zei Cindy lachend. 'Wij, de Nanoukmeiden van het Koude Noorden verklaren hierbij dat God niet aangesproken kan worden op enige vorm van verdriet of lijden.'

'Zover zou ik niet willen gaan,' zei Marlena verdedigend. 'Ik geloof alleen niet dat hij het opzettelijk doet.'

'Wat ruikt hier trouwens zo lekker?' vroeg Cindy terwijl ze haar wenkbrauwen optrok en over iets anders begon. 'Het is net alsof we hier midden in de bossen zitten.'

'Dennennaalden,' zei Jessica.

'Waar zijn die voor?'

'Nou, om geld in te zamelen voor de ziektekosten van Rose.'

'De hemel weet dat Lily best wat steun kan gebruiken,' zei Marlena. 'Maar wat hebben dennennaalden daarmee te maken?'

'Ik wil Cape Hawk-dennenkussens maken en die verkopen.'

Marisa zei niets en keek toe hoe Jessica uitlegde wat ze van plan was. Het was haar eigen idee geweest om naar De Steekproef te komen en alle benodigdheden in Lily's winkel aan te schaffen. Ze wisten dat de Nanoukmeiden de zaak openhielden en allemaal op verschillende dagen hun steentje bijdroegen.

'Waar wil je die verkopen, lieverd?'

'Aan de toeristen die meegaan op de walvistochten.'

'Dennenkussens,' zei Cindy.

Jessica knikte. 'Die zullen helemaal naar Cape Hawk ruiken. Naar alle dingen die het hier zo bijzonder maken... De bossen, de dennen, vogels, walvissen... Ik dacht dat ik er kleine tekeningetjes op kon borduren van Nanny, of van de uilen die in het bos achter mijn huis wonen, of van de haviken die op richels in de rotsen nestelen... Gewoon op de stof, samen met de woorden "Cape Hawk" of misschien zelfs "Beterschap, Rose".'

'Heb je al vaak geborduurd, lieverd?' vroeg Marlena.

'Ik heb het nog nooit gedaan,' zei Jessica trots en met opgeheven hoofd. Kennelijk liet ze zich daardoor niet ontmoedigen, het was gewoon iets dat ze onder de knie moest krijgen. Marisa keek naar Marlena en Cindy om te zien hoe zij zouden reageren. Ze hielden allebei hun gezicht in de plooi. Maar ze wisten niet hoe vastberaden Jessica kon zijn, en hoe groot haar hart was.

'Het zal wel even duren voordat je het echt goed kunt,' zei Cindy.

'En nog langer voordat je direct op de stof kunt borduren,' zei Marlena. 'En dan moeten de kussens nog gemaakt worden.'

De tranen schoten Marisa in de ogen. Ze zag Jessica daar staan met haar grote zak vol kleverige dennennaalden en zwarte vingers van de hars. Marisa voorzag dat haar lieve schat van een dochter urenlang ijverig zou moeten borduren. Maar Jessica bleef recht overeind, zonder zich door de aarzelende reactie van Marlena en Cindy af te laten schrikken. Daarvoor was haar liefde voor Rose te groot. Plotseling schoot Marisa iets te binnen. Nadat Paul was gestorven was ze een keer naar zijn kast gegaan omdat ze iets zocht, wat wist ze niet eens meer. En midden tussen zijn pakken had ze een bobbel gezien, met daaronder de dunne beentjes van Jessica. Ze stond daar gewoon, tussen de pakken van haar vader. Ze had zo ontzettend veel van haar vader gehouden en dat was de enige manier die ze had kunnen bedenken om bij hem te zijn. Marisa wist dat het kussenproject op hetzelfde neerkwam. Het was een manier om bij Rose te zijn.

'Ik zal wel helpen om het haar te leren,' zei Marisa.

'Dank je wel, mam,' zei Jessica.

'Ik ook,' zei Marlena. 'Ik geef handwerkles op de middelbare school, maar jij krijgt gratis les van me, lieve meid.'

'Ik ga nog een stapje verder,' zei Cindy. 'Ik zal zelf kussens gaan borduren! En ik durf te wedden dat de rest van de Nanouks dat ook best wil doen. Ik zal Anne en Doreen bellen, neem jij dan Suzanne en Alison voor je rekening.'

'Prima. Maar in dat geval kunnen Jessica en ik ons misschien beter op het maken van de kussensloopjes concentreren... ze uitknippen en in elkaar zetten.'

'En ze vullen met dennennaalden als ze klaar zijn!' zei Jessica. 'En ze verkopen, natuurlijk...'

'Ik wed dat Anne het wel goed zal vinden als we er een paar in de souvenirwinkel van het hotel leggen.'

'Maar dan moet Camille daar ook achter staan.'

'Wie is Camille?' vroeg Marisa.

'Ooo... Camille Neill,' zei Cindy. 'De matriarch van de familie. Moeder, grootmoeder en overgrootmoeder van vier generaties Neill. Stel je maar een kruising voor van Catharina de Grote van Rusland en de Boze Heks met een vleugje Lauren Bacall in de commercials van Fancy Feast. Zij is officieel eigenares van het hotel en de walvisboten.'

'Indrukwekkend,' zei Marisa.

'Ja. En ze is niet echt dol op Lily.'

'Hoe kan iemand nou niet dol zijn op Lily?' vroeg Marisa.

'Nou ja, dan moeten we terug naar het eerste jaar dat ze hier woonde. Het heeft iets te maken met Liam.'

'Met Kapitein Haak?' vroeg Jessica.

'Zo noemen de kinderen hem, maar hij is echt heel aardig. Hij is op dit moment in Melbourne, bij Lily en Rose.'

'Echt waar?' zei Marisa. 'Hebben ze...'

'Iets met elkaar? Dat weet eigenlijk niemand,' zei Cindy. 'Maar er wordt vaak over gekletst. Gewoonlijk doen ze net alsof ze elkaar niet kunnen uitstaan.'

'Maar als er een probleem is met Rose, staat Liam meteen klaar om te helpen,' zei Marlena.

'Nu staan we te roddelen,' zei Cindy. 'En als Nanoukmeiden is dat beneden onze waardigheid.'

'We roddelen niet,' zei Marlena verontwaardigd. 'Het is gewoon belangstelling voor de medemens. We houden van Lily en we willen dat ze gelukkig wordt.'

'Met Liam Neill?' vroeg Marisa.

'Ik denk dat we nu genoeg gezegd hebben,' zei Cindy somber. 'Laten we maar meteen met die kussens beginnen. Ongebleekte mousseline of linnen, Jessica? Dit is jouw project. Wij zijn je assistenten.'

'Ik hoop alleen dat die heks-mevrouw ons toestemming geeft om ze in de souvenirwinkel en op de boten te verkopen,' zei Jessica.

'Dan zou ik maar gaan bidden,' zei Marlena. 'Want dat is de enige manier om het hart van Camille Neill te vermurwen.'

16

Patrick Murphy reed via afslag 90 de I-95 af en belandde op het drukste parkeerterrein dat hij ooit had gezien. Zo afgeladen met auto's uit alle mogelijke staten, touringcars en motorhomes, dat er binnen loopafstand van het Mystic Aquarium geen parkeerplaats meer te vinden was. Uiteindelijk zette hij de auto aan de andere kant van het kleine winkelcentrum op een plekje dat hij net voor de neus van een mevrouw in een minivan wegkaapte.

Tien minuten later stond hij samen met honderd andere mensen in de rij te wachten tot hij naar binnen kon. Platgedrukt tussen een gezin van vijf personen uit Hartford en een stel uit Philadelphia dat op huwelijksreis was, luisterde hij stiekem mee met de gesprekken om hem heen. Het oplossen van misdaden was nog steeds zijn favoriete tijdverdrijf en hij vond het leuk om zoveel mogelijk over iedereen die hij ontmoette te weten te komen zonder dat ze beseften dat ze afgeluisterd werden.

Na een paar minuten was de moeder van het vijfkoppige gezin met de jongste op weg gegaan naar het toilet en de vader maakte gebruik van de gelegenheid om zijn mobiele telefoon tevoorschijn te halen en iemand te bellen die hij 'lieve meid' noemde. Achter hem hoorde hij de kersverse echtgenoot tegen zijn bruid zeggen dat de aandelen die hij als huwelijksgeschenk van haar vader had gekregen de avond ervoor in koers waren gestegen en dat hij vond dat ze eigenlijk beter een huis konden kopen dan huren.

Beide voorvallen bevestigden de overtuiging die hij al sinds mensenheugenis koesterde. Het enige dat nodig was voor goed politiewerk was een ingewortelde nieuwsgierigheid naar de aard en het gedrag van de mens. Maar toen stapte hij het aquarium binnen – waar de bijzonder koele airconditioning een zegen was na de verzengende hitte buiten – en werd meteen weer geconfronteerd met de eenvoudige reden die hem hierheen had gebracht.

Hij vroeg waar hij de abonnementenafdeling kon vinden en bedacht dat hij zich nu al meer dan negen jaar beijverde om de oplossing te vinden van een zaak die zo muurvast zat als hij nooit eerder had meegemaakt. Al die ingewortelde nieuwsgierigheid omtrent de menselijke aard had hem geen stap verder gebracht in het geval van de verdwijning van Mara Jameson. Hij kon net zo goed de rest van zijn leven doorbrengen met het bidden van Weesgegroetjes in de hoop dat hem een mooie, vette aanwijzing in de schoot zou vallen.

Hele bendes kinderen draafden in het rond en bezorgden hem hoofdpijn. Het was een schitterende, zonnige dag, wat spookten die kids hier uit? Toen hij jong was, kreeg hij van zijn ouders een knuppel en een bal in zijn handen gedrukt, of een vishengel, met de mededeling dat hij maar buiten moest gaan spelen en niet voor etenstijd thuis hoefde te komen. Maar terwijl hij met de meute meeliep, merkte hij dat hij onwillekeurig geboeid raakte door de verlichte aquaria, de scholen vissen en de palingen die tussen de groene planten door kronkelden en hij begon zich te ontspannen.

Patrick sprak de taal der vissen. Terwijl hij naar deze exemplaren keek, bedacht hij hoe fantastisch het zou zijn om op open water in een boot te zitten terwijl al deze vissen onder hem zwommen. Sandra had dat nooit begrepen. Zij had gedacht dat vissen niets meer was dan aan dek zitten met een hengel en een biertje in je hand. Ze had niet begrepen dat het net zo goed om de wolken in de lucht ging, om het voortdurend van kleur veranderende water en om de scholen vis die aan de oppervlakte kwamen. Het was één groot mysterie, maar dan wel een schitterend mysterie... heel anders dan de raadsels die Patricks hart dag in dag uit verscheurden.

Heel anders dan Mara Jameson.

De aquaria verschaften hem dus enig inzicht in wat zich onder water afspeelde en toen hij daar genoeg van had, dwaalde hij door de gang op zoek naar de administratie. Een receptioniste vroeg of ze hem kon helpen en hij zei hopelijk wel, hij wilde graag iemand van de abonnementenafdeling spreken. Een paar minuten later kwam een knappe blonde vrouw naar hem toe.

'Hallo, ik ben Viola de la Penne,' zei ze. 'Onderdirectrice van de abonnementenadministratie.'

'Hoi,' zei hij. 'Ik ben Patrick Murphy.' Hij zweeg even. Dit was het moment waarop hij haar het liefst zijn oude politiepenning onder de neus had gedrukt om haar te laten weten dat hij het gezag vertegenwoordigde. In plaats daarvan zei hij: 'Ik ben een gepensioneerd rechercheur van de staatspolitie.'

'O, en nu u al die vrije tijd hebt, wilt u zich abonneren op het aquarium... en u misschien zelfs als vrijwilliger aanbieden!' zei ze. Uit haar twinkelende blauwe ogen maakte hij op dat ze hem voor de gek hield. Dat hoopte hij tenminste. Hij hoopte toch echt dat hij er te hard en te ervaren uitzag om kinderen rond te leiden langs de zeehonden.

'Ik wou maar dat ik daar tijd voor had,' zei hij met een half glimlachje.

'Bedoelt u dat er nog steeds misdaden opgelost en hardrijders in de kraag gevat moeten worden, dat soort dingen?'

'U slaat de spijker op de kop, mevrouw,' zei hij.

'Ik ben pas tweeënveertig,' zei ze. 'Maakt me dat al een "mevrouw"?'

'Wel voor een gepensioneerde smeris, vrees ik.'

'Hmmm. Dat is een ontnuchterend idee. Wat kan ik voor u doen, rechercheur in ruste Murphy?'

Hij grinnikte omdat ze hem lik op stuk gaf.

'Ik wil graag iets meer weten over een abonnement,' zei hij. 'In dat opzicht had u gelijk. Alleen gaat het niet om mij, maar om een vriendin van me die het cadeau gekregen heeft.'

'Hoe heet ze?'

'Maeve Jameson.'

'Was er een probleem met de categorie van het abonnement? Wil ze misschien een uitgebreidere service?'

'Nee, geen enkel probleem. Het enige is, dat het anoniem was. Degene die het haar heeft gegeven, wilde dat geheim houden. Ik vroeg me af of u me kon helpen dat raadsel op te lossen. Maeve wil de persoon in kwestie absoluut bedanken. Zo is ze nu eenmaal.'

'Dat kan ik me best voorstellen. Natuurlijk moet ik ook rekening houden met de wensen van de gever, maar ik denk niet dat het kwaad kan om het even na te kijken.'

Patrick liep achter haar aan het kantoor in, dat helemaal vol hing met familiefoto's. Een man aan boord van een zeilboot en een mooie, donkerharige dochter. Viola ging achter haar computer zitten en begon in haar files te zoeken. Patrick probeerde opzij te buigen zodat hij mee kon kijken op het scherm, maar dat lukte niet zonder dat ze het zou merken, dus hij staakte zijn pogingen.

'Aha, hier hebben we het,' zei Viola.

'Hebt u ook een naam?'

'Eerlijk gezegd niet en dat maakt het voor mij gemakkelijker om u nee te verkopen. Ik heb hier een aantekening waarin staat dat het geschenk absoluut anoniem moest blijven... precies zoals u zei.'

'Maar er moet toch ergens genoteerd staan wie het abonnement cadeau heeft gedaan? Ook als u me dat niet kunt vertellen?'

Viola schudde haar hoofd terwijl ze nog steeds naar het scherm tuurde. 'Nee. Het enige dat ik hier heb, is dat de gever zeker wilde weten dat we hier nog steeds beloega's hadden. Dat schijnt nogal belangrijk te zijn geweest... Ik denk niet dat het kwaad kan om dat aan u door te geven.'

'Beloega? Dat is toch kaviaar?'

'Het is eveneens een witte dolfijn, rechercheur in ruste, die ook wel witte walvis wordt genoemd, een van de weinige soorten die in gevangenschap kunnen leven. We hebben hier in het aquarium al jarenlang beloega's. Mensen die inmiddels allang volwassen zijn, kunnen zich nog goed herinneren hoe opgewonden ze waren toen ze voor het eerst een walvis zagen, hier in onze aquaria. Er is ook een show, met Snowblind en Snowflake, die over een kwartier begint. Misschien vindt u het wel leuk...'

'Snowblind en Snowflake?'

'Ja. Ik zei al dat beloega's wit zijn.'

'Hm.'

Patrick stond even na te denken. Misschien hield Maeve van walvissen of dolfijnen, en dan met name van beloega's. Of misschien had ze Mara de walvissen laten zien toen ze nog klein was. Of misschien had een van haar ex-leerlingen haar gewoon een cadeautje willen geven. Of misschien was het gewoon een vergissing en was het een cadeautje geweest van haar verzekeringsagent, of van haar groenteman, of van haar verrekte garage.

'Hoe heeft die persoon betaald? Hebt u het nummer van een creditcard in uw archief?'

'Het abonnement is contant betaald. Ik heb hier alleen een aantekening dat het bedrag niet helemaal klopte. Het was te veel, nadat ik het bedrag omgerekend had.'

'Omgerekend?'

'Van Canadese naar Amerikaanse dollars,' zei Viola. 'Het bedrag werd betaald in Canadese dollars.'

'Hebt u de envelop bewaard?'

Viola schudde glimlachend haar hoofd. 'Sorry. Ik wist niet dat we aan de tand zouden worden gevoeld voor het doorgeven van een cadeautje.'

Patrick glimlachte terug. Heel even dacht hij dat ze met hem zat te flirten. Maar ze droeg een trouwring en ze had overal foto's van haar gezin hangen. Hij begon zo uit de roulatie te raken, dat hij niet eens meer het verschil tussen een gezellig gesprekje en flirten onderscheidde. Sandra had hem vaak genoeg voorgehouden dat hij hopeloos was... in meer dan één opzicht.

'Luister,' zei Viola, 'om u een beetje te troosten zal ik zorgen dat u de dolfijnenshow bij kunt wonen.'

'Dolfijnen?'

'Ja, en Snowflake en Snowblind doen daar ook aan mee. Dan kunt u zelf zien wat beloega's zijn en hopelijk aan mevrouw Jameson doorgeven dat het de moeite waard is om ernaar te komen kijken.'

Patrick bedankte haar, gaf haar een hand en pakte het kaartje aan. Wie had Maeve dat abonnement cadeau gedaan en wat hadden beloega's daarmee te maken?

Hij liep naar het dolfinarium en ging tussen een stel mensen uit Brooklyn zitten. Ze hadden een busreis geboekt, en door naar de vrouwen naast hem te luisteren kwam hij erachter dat bij de tocht naar Seaport het aquarium en een diner plus show in het casino waren inbegrepen. Een van de vrouwen was gescheiden, de ander was weduwe. De weduwe zei dat haar kleinkinderen dol waren op dolfijnenshows.

Patrick zat met samengeknepen ogen naar het bassin te kijken. Hij dacht aan Maeve, die haar kleindochter zo ontzettend miste, en haar achterkleinkind dat Mara verwachtte zelfs nooit had gezien. Wat had hij hier eigenlijk te zoeken? Doorgaans was hij er voor vijfennegentig procent van overtuigd dat Edward Hunter haar had vermoord en dat hij haar lichaam ergens verborgen had waar het nooit zou worden gevonden. Maar die resterende vijf procent was genoeg om

Patrick zover te krijgen dat hij de meest idiote aanwijzingen natrok, tot in het dolfinarium aan toe.

Een of andere zeebioloog nam plaats op een podium en begon zijn verhaal af te steken over tuimelaars en andere soorten dolfijnen, en toen kwamen er een paar tevoorschijn – welke soort wist Patrick eigenlijk niet – die als een stel circusdieren in de lucht sprongen en allerlei kunstjes deden. In een toeter happen, ringen vangen en met een strandbal spelen. Hij kon zich nog herinneren dat hij met Sandra naar Sea World was geweest. Ze had een witte korte broek aangehad met een blauw haltertopje en ze was verbrand. Patrick had haar schouders ingesmeerd met zonnebrandcrème en was eigenlijk liever meteen teruggegaan naar het hotel. Nu dwong hij zichzelf om op te letten. Sugar, een van de dolfijnen, landde met een enorme plens waardoor de helft van de toeschouwers meteen kletsnat was.

Daarna verdwenen de dolfijnen en de vent die als spreekstalmeester optrad, klonk ineens heel serieus. Patrick vond het maar triest dat zo'n wetenschapper zich ertoe verlaagde om dolfijnen kunstjes te laten doen. Hij raakte er gewoon gedeprimeerd van. Maar toen dook er iets op uit het water, een enorm wit beest dat haar snuit omhoogstak. Patrick schrok ervan, zo groot was het. Een walvis, een echte walvis, midden in een aquarium in Mystic, Connecticut. 'Dat is Snowflake, onze oudste beloega,' zei de spreekstalmeester. 'Haar zus, Snowblind, heeft vandaag vrij en hoeft niet op te treden. De zusjes komen uit noordelijke wateren, langs de kust van Canada, en we...'

Sommige kinderen in het publiek klonken teleurgesteld. Patrick stond op en schuifelde langs de vrouwen uit Brooklyn, terwijl hij nog een laatste blik op de witte walvis wierp. Haar ogen leken helder en ernstig. Patrick voelde dat ze hem volgden naar de deur en toekeken hoe hij naar buiten liep. Het was een heel rare gewaarwording om nagekeken te worden door een walvis.

De wetenschapper had gezegd dat de beloega's uit Canada kwamen. Viola had gezegd dat het geld voor het abonnement uit Canada was gekomen. En nu vroeg Patrick zich af of er iets over Canada in het dossier van Mara Jameson te vinden zou zijn. Hij moest terug naar de boot om zijn oude aantekeningen door te spitten.

Maeve was niet lekker. De hitte had Hubbards Point bereikt, waardoor alles en iedereen – met inbegrip van Maeve en haar rozen – zich zo slap als een vaatdoek voelde. Ze stond in de achtertuin met de tuinslang de gele gieter te vullen toen ze een autoportier hoorde dichtslaan. Dat zou Carla's zoon wel zijn, die met zijn kinderen langskwam om te gaan zwemmen, dacht ze. Ze leunde tegen het verweerde houten huis en liet het koude water uit de slang over haar voeten lopen. De kraan zat op de hoek van het huis, vlak naast een kleine cirkel van cement. Mara had het altijd leuk gevonden om schilderijtjes te maken van verschillende soorten materiaal. Ze had lappendekentjes gemaakt, kussentjes, geborduurde wandtapijten en petitpoint boekenleggers. Maar hier was ze echt heel trots op geweest. Maeve had haar geholpen met het mengen van het cement dat ze vervolgens in een cirkel met een diameter van dertig centimeter hadden gegoten. Daarna had Mara schelpen, stukjes glas en een groot schijnbot in het cement gedrukt. Het zag er nog steeds heel mooi uit.

'Hallo, Maeve,' zei de zachte, bekende stem die ze de laatste jaren alleen over de telefoon had gehoord.

Maeve schrok zich een hoedje. Het was Edward, met een glimmend blauw tasje in zijn handen. Ze zag dat hij nog steeds lang, breedgeschouderd en vol zelfvertrouwen was. Hij was gekleed in een wit overhemd en een gestreken kakibroek. Geen riem, geen sokken. Gepoetste bruine instappers. Een Rolex-horloge, dat Mara nog voor hem had gekocht met een deel van haar erfenis. Bij de aanblik van het horloge draaide haar maag zich om en ze moest zich letterlijk vasthouden aan het huis. Ze keek op naar zijn ogen. Nog steeds diezelfde kille zwarte en toch vurige ogen. IJskoud en tegelijk gloeiend, de akeligste ogen die ze ooit had gezien. Achterovergekamd donker haar en een gebruind gezicht. Dankzij de golfbaan. Of misschien was het in deze tijd van het jaar dankzij de tennisbaan. En het was ook best mogelijk dat hij een jacht had gekocht zodat hij daar nu zijn bruine huid aan dankte.

'Edward. Wat kom je doen?' vroeg ze. Ze klonk zo koel dat hij ervan afzag om haar wang te kussen.

'Ik moest voor zaken in de buurt zijn,' zei hij.

'O ja? In Hubbard's Point?' Ze keek om zich heen. Het strand, rotsen, zout water, rozen en een wensput. 'Hier valt weinig te doen.'

'Het was ook niet echt in Hubbard's Point. In Black Hall, Silver Bay en Hawthorne. Ik heb klanten in alle drie de steden.'

'Wat ben je toch succesvol. Drie van de meest welvarende gemeentes aan de kust van Connecticut. Je hebt altijd geweten waar je nieuwe mogelijkheden kon vinden.' De woorden schroeiden haar tong bijna. Tijdens het onderzoek had iemand haar horen zeggen dat hij een roofdier was en dat Mara voor hem niet meer dan een prooi was geweest.

'Ja, ik ben inderdaad succesvol,' zei hij, terwijl hij haar strak aankeek. Hij kon het niet nalaten om de handschoen op te pakken. Voor Edward was alles een uitdaging. Maeve wist dat ze hem, als ze dat wilde, binnen de kortste keren op de kast kon hebben. In plaats daarvan telde ze tot tien en glimlachte.

'Je moeder zal wel heel trots zijn,' zei ze. 'Dat je zoveel bereikt hebt.'

Zijn kaak trilde. Lieve hemel, wat was hij toch doorzichtig. Maeve kon de radertjes bijna zien draaien. Zou hij haar dwars door de ruit slaan, of net blijven doen alsof hij een afgestudeerde corpsbal was? Maeve zou met geen woord ingaan op het feit dat het inderdaad een gespeelde houding was, omdat Mara had ontdekt dat hij helemaal niet op Harvard en de Columbia Business School had gezeten. Jammer genoeg maakte dat voor zijn beroep als effectenmakelaar niets uit. Helaas kon hij niet uit zijn ambt worden gezet, of op een andere manier op de vingers worden getikt.

'Ja, daar is ze inderdaad trots op,' zei hij.

'Uiteraard is ze dat. En hetzelfde zal wel voor je nieuwe vrouw gelden.' Maeve dacht aan wat Patrick haar had verteld. Dat zijn huwelijk schipbreuk had geleden. Edward vertrok zijn gezicht.

'Hoe gaat het met je?' vroeg hij, zonder te happen.

Maeve glimlachte vriendelijk en zei niets.

Hij wachtte nog een paar seconden. Toen het tot hem doordrong dat ze niet van plan was om antwoord te geven, knikte hij kort, alsof hij de vraag niet gesteld had. Ze bleven als een stel kemphanen tegenover elkaar staan. Had hij werkelijk het lef gehad om zich hier te vertonen? Op de laatste plek waar Mara bij leven was gezien? Maeve merkte dat haar aandacht onwillekeurig naar de tuin dwaalde, naar het enige vlakke gedeelte waar een tent had kunnen staan. Het stuk grond lag in feite half in haar tuin en half in die van Clara.

Voor de bruiloft van Mara en Edward, deze maand elf jaar geleden, hadden ze op die plek een gezellige geel met wit gestreepte tent laten neerzetten, compleet met strijkkwartet. Er hadden overal tafels gestaan met lichtgele kleedjes, witte houten stoelen en vaasjes met rozen en wilde bloemen uit Maeves tuin en uit die van Clara.

Iedereen uit Hubbard's Point was op de bruiloft geweest. Al Mara's jeugdvrienden: Bay McCabe, Tara O'Toole, Dana en Lily Underhill en al die andere, inmiddels volwassen jongeren uit de Point. Maeve had collega's van school uitgenodigd, andere gepensioneerde leraren en leraressen, plus een paar die nog steeds lesgaven op de middelbare school en haar oude directeur, haar kamergenootje van Connecticut College die uit Chicago was overgevlogen en een paar vrienden van haar zoon en schoondochter. Aida Von Lichen, de zus van Johnny Moore, was gekomen, en zijn dochter Stevie – van wie Mara nog les had gehad in kunstgeschiedenis – had een liefdesgedicht van Johnny voorgelezen.

Aan Edwards kant van het middenpad zaten lang niet zoveel mensen. Dat had een waarschuwing moeten zijn, dat begreep ze nu pas. Maar destijds was het alleen maar nog een reden geweest om medelijden met hem te hebben. Zijn zus had geen vrij kunnen krijgen, zijn moeder had longontsteking en zijn vader had het geld voor het vliegticket dat Edward hem had gestuurd verzopen. Het was allemaal zo intens triest, dus Mara had zich extra ingespannen en heel hard haar best gedaan om ervoor te zorgen dat al haar en Maeves vrienden extra aardig voor hem waren en hem genoeg aandacht schonken.

Al die dingen spookten nu door Maeves hoofd terwijl ze naar Edward staarde. Ze voelde haar vingers letterlijk jeuken, zo graag wilde ze hem zijn ogen uitkrabben. Tot Mara was verdwenen had ze nooit geweten dat ze in staat was om iemand zo oprecht, zo intens en zo uit het diepst van haar hart te haten. Achteneenhalve maand zwanger, haar eigen schattebout, haar geliefde Mara, ineens van de aardbodem verdwenen...

'Zullen we die plichtplegingen maar achterwege laten?' zei ze nu. 'Wat kom je doen?'

'Ik heb nog een paar dingen van Mara gevonden waarvan ik dacht dat jij ze wel zou willen hebben,' zei hij terwijl hij het tasje tegen zijn borst drukte. 'Ze hebben een tijdje bij de politie gelegen, maar die heeft ze aan mij teruggegeven. Ik heb ze in de kofferbak gelegd tot ik de gelegenheid had om ze even langs te brengen.'

'Ik hoef die spullen niet,' zei ze.

Hij keek haar met grote ogen aan. Maeves lippen trilden. Ze wendde zich af en richtte de tuinslang op de wortels van de rozen die tegen de zijkant van het huis groeiden. Het waren dikke, winterharde struiken met witgele rozen en ze stonden momenteel vol in bloei. Ze kon het niet opbrengen om omhoog te kijken, waar de meeste bloemen zaten. Het klimrek reikte bijna tot aan het slaapkamerraam... het raam van wat vroeger Mara's kamer was geweest en wat, zo hadden ze samen besloten, de kinderkamer zou worden als ze met de baby kwam logeren.

'Ik weet zeker dat je ze wel wilt hebben,' drong hij aan.

'Hmmm,' zei ze quasi-onverschillig. Haar handen trilden, zo graag wilde ze kijken wat er in het tasje zat. Maar Maeve had dankzij Mara een paar dingen over Edward geleerd. Ze kon zich nog herinneren dat Mara een keer op bezoek was geweest toen ze net zwanger was. Langzaam maar zeker begon de waarheid omtrent Edward aan het licht te komen, hoewel Mara zich daar met alles wat ze in zich had tegen verzette. Ze wilde de illusie van een gelukkig huwelijk hooghouden, het idee van een stel dat dolgelukkig was met het kind dat ze verwachtten. Dat gold in ieder geval voor Mara.

'Ik snap er niets van, oma,' zei ze. 'Zodra ik hem laat merken dat ik iets leuk vind of er vol verwachting naar uitkijk, is het net alsof hij het me wil afpakken. Zoals gisteravond bijvoorbeeld. Hij heeft de hele lente al gezegd dat hij met me in de Hawthorne Inn wilde gaan eten. Maar de eerste keer was ik ziek, daarna was ik veel te moe en vervolgens heb ik zo hard moeten werken dat ik gisteren eigenlijk voor het eerst echt zin had om uit eten te gaan. We waren al helemaal aangekleed en stonden klaar om de deur uit te gaan toen hij ineens van gedachten veranderde. Hij keek me aan en zei dat hij toch geen zin had. Dat híj nu te moe was om te gaan.'

'Misschien was dat wel waar,' had Maeve gezegd. Ze kon zich nu wel voor haar hoofd slaan, maar destijds had ze gewoon geprobeerd Mara te helpen en hem het voordeel van de twijfel te geven.

'Nee,' had Mara gezegd terwijl ze begon te huilen. 'Hij liet mij thuiszitten en ging zelf golfballetjes slaan op One Hundred Acres.'

Maeve kon zich die tranen van Mara maar al te goed herinneren. Ze staarde naar het water dat uit de slang spoot en dacht dat Mara heel wat huilbuien gehad moest hebben zonder dat haar grootmoeder het wist. Ze kon bijna voelen dat Edward stond te trappelen van ergernis.

'Dit zijn die spullen van Mara,' zei hij nog een keer. 'Ik dacht dat jij ze wel...'

'Leg ze maar bij de deur,' zei ze.

'Jij bent haar grootmoeder,' zei hij. 'Ik had het idee dat je juist blij...'

Maeve keek naar de wortels van de rozenstruiken. Er stond een koel briesje vanaf de Long Island Sound. Zou Edward nog weleens denken aan de keren dat hij samen met Mara was gaan zeilen? De keren dat ze zich hier op dit zelfde plekje met deze zelfde slang hadden afgespoeld? Maeve hoorde een hordeur dichtslaan en nog geen dertig seconden later dook Clara op, helemaal buiten adem.

'Hallo, Edward.'

'Ha, mevrouw Littlefield. Goh, wat ziet u er goed uit. Ik heb u al in geen tijden meer gezien!'

'Ja, dat is al een hele tijd geleden,' zei Clara op een toon die naar Maeves smaak net een tikje te vriendelijk was.

'Ik kwam langs om een paar dingen van Mara aan Maeve te geven, maar ze schijnt ze niet te willen hebben.'

'Geef ze dan maar aan mij,' zei Clara en op hetzelfde moment dat de tas van eigenaar verwisselde, voelde Maeve vanbinnen iets knappen... Het was alsof de touwtjes die haar overeind hadden gehouden doorgesneden werden en ze ineens in een lappenpop veranderde.

'Het is al zo lang geleden,' zei Edward. 'Ik dacht dat we er nu wel een punt achter konden zetten. In juni en juli van elk jaar, vlak na het tijdstip waarop Mara verdween, mis ik haar ontzettend. Ik zweer jullie dat ik er nooit echt overheen ben gekomen. Ik dacht gewoon dat we nu misschien eens konden praten...'

'Negen jaar, drie weken en zes dagen,' zei Maeve.

'Maar als we nu eens konden praten...'

'Dat lijkt me niet zo'n goed idee,' zei Clara. 'Ga nou maar weg, Edward.'

'Ik logeer in de Hawthorne Inn,' zei hij. 'Nog drie dagen. Ik woon tegenwoordig in de buurt van Boston, maar ik moet hier in de omgeving een paar zaken afwikkelen... voor het geval je van gedachten verandert, Maeve.'

'Bedankt dat je die spullen van Mara hebt gebracht,' zei Clara zo kil als ze kon, hoewel ze echt de liefste vrouw ter wereld was. Op hetzelfde moment hoorden ze een metaalachtig geluid. Het was de boiler onder het landhuisje die automatisch opstartte. Wat raar, dacht Maeve. Ze had helemaal geen warm water gebruikt.

'Wat was dat?' vroeg Edward.

'Dat gaat je niets aan,' zei ze.

'Ik zou het maar even laten nakijken,' zei hij, maar Maeve deed net alsof ze niets hoorde. Ze wendde haar blik af tot ze Edwards auto hoorde starten. Daarna keek ze wel op. Het was een grote zwarte Mercedes met een Massachusetts-kenteken. Ze bleef hem gadeslaan terwijl hij een donkere pilotenbril opzette en even in het spiegeltje keek. Toen reed hij achteruit de vluchthaven op en reed weg.

'Hij kijkt nog steeds iedere keer dat hij de kans krijgt in de spiegel,' zei Clara. 'Ik weet nog dat jij, toen Mara hem voor het eerst mee naar huis bracht, zei dat je hem niet vertrouwde omdat hij zichzelf geen moment uit het oog verloor.'

'Ze hield van hem.'

'En dat heb jij geaccepteerd. Waarom wilde je dat tasje niet van hem aanpakken?'

Maeve veegde de tranen uit haar ogen. 'Omdat ik bang was dat hij van gedachten zou veranderen als hij zag hoe graag ik het wilde hebben.'

'Maar hij was helemaal hiernaartoe gereden om het aan jou te geven.'

'Jij kent Edward niet zoals ik hem ken,' zei Maeve. 'En dat geldt voor bijna iedereen.'

'Hij kwam op mij altijd zo charmant over,' bekende Clara. 'En kwetsbaar. Zelfs vandaag... ondanks alles wat we van hem weten.'

Maeve knikte. Haar maag draaide zich om. Edward had het met zijn charme en zijn vriendelijke manier van doen een eind geschopt in de wereld. Hij kon mensen als Clara nog steeds een rad voor ogen draaien. Alleen Patrick Murphy had dwars door hem heen gekeken. Zelfs toen hij een aanklacht wegens moord boven zijn hoofd had hangen was Edward er nog in geslaagd om nieuwe klanten te werven. Mensen waren kort van memorie, vooral als ze te maken kregen met charmeurs als Edward.

'Laten we maar naar binnen gaan,' zei Maeve. Ze hoorde opnieuw dat bonkende geluid, dat afkomstig was van de boiler. Ze moest niet vergeten de loodgieter te laten komen. 'Ik kan nauwelijks wachten. Hou alsjeblieft mijn hand vast, Clara.'

'Voel je je niet in orde?'

'Ik wil alleen maar zien wat er in dat tasje zit,' zei Maeve met een gevoel alsof ze flauw zou vallen. De tranen glinsterden in haar ogen bij het besef dat ze op het punt stond dingen te zien en aan te raken die van Mara waren geweest.

17

Liam was teruggereden naar Cape Hawk om de commandant zijn auto terug te geven, de post na te kijken, een paar veranderingen aan te brengen in een van zijn programma's die de stranden ten oosten van Halifax in de gaten hielden – de omgeving waar vorige maand de aanval van de grote witte haai had plaatsgevonden – en kleren en andere dingen voor Lily op te halen.

Hij reed langs het hotel waar hij met Anne had gesproken, die naar Lily's huis was geweest. Ze pakte de zak met vuile kleren aan en gaf Liam een tas met schone terug. Ze stonden bij de balie en Anne wilde alle bijzonderheden horen. Er was die avond opnieuw een band ingehuurd en hun Keltische muziek drong tot in de receptie door.

'Rose gaat iedere dag met sprongen vooruit,' zei hij. 'Morgen wordt ze naar Boston overgebracht. Volgens de artsen is ze er klaar voor.'

'Goddank,' zei Anne. 'Hoe houdt Lily zich?'

'Met haar gaat het prima,' zei Liam, die de waarheid voor zich hield. Maar kennelijk verried de blik in zijn ogen hem, want Anne liep om de balie heen om hem even te knuffelen.

'Geef die maar uit mijn naam aan haar door,' zei ze, terwijl ze hem stijf vasthield.

Hij knikte en dacht bij zichzelf dat hij in dat geval de vlag zou uithangen. Hij zou niet alleen dwars door een dertig centimeter dik harnas van kevlar heen moeten, maar ook het bijpassende krachtveld uit moeten schakelen. Lily had een huid waar een mannetjeshaai nog een puntje aan kon zuigen. Toch beloofde hij Anne dat hij haar goede wensen over zou brengen. Op hetzelfde moment viel zijn oog op een doos die op de balie stond.

'Wat is dat nou?' vroeg hij wijzend naar een bordje met de tekst 'Help onze roos opbloeien'. Er hingen foto's van Rose bij, op school, op haar verjaardagsfeestje en samen met Lily.

'O!' zei Anne. 'Dat zou ik bijna vergeten. De boezemvriendin van

Rose, Jessica Taylor, kwam drie dagen geleden met dat idee aanzetten en de Nanouks zijn er meteen op ingesprongen. We verkopen kussentjes gevuld met dennennaalden om geld voor Rose in te zamelen. Je weet wel... dennengeur is echt iets van Nova Scotia en de bezoekers vinden het fantastisch. De meisjes zijn de hele nacht opgebleven om ze te maken.'

Liam pakte er een op. Er was met groene zijde een tekening van Nanny op geborduurd, met daaronder de woorden 'Breng Rose Thuis'. En het rook onmiskenbaar naar dennen. Anne liet hem het geldkistje zien, waar twintig dollar in zat. 'We hebben er al vier verkocht. Mensen die hun rekening komen betalen nemen er meteen een mee.'

'Ik neem er ook een,' zei hij.

'Jij mag er gratis eentje meenemen,' zei ze. 'Je doet al meer dan genoeg voor de goede zaak.'

'Ik wil liever betalen,' zei hij.

Ze nam het geld bijna met tegenzin aan. En toen ze hem het wisselgeld teruggaf, overhandigde ze hem tegelijkertijd een zakje. Hij zag dat er sieraden in zaten, gemaakt van kleine dennenappeltjes die goud gespoten waren. Een paar setjes oorbellen, wat halskettinkjes en een ring.

'Die heeft Jessica voor de verpleegsters gemaakt,' zei Anne. 'Om er zeker van te zijn dat Rose goed behandeld wordt.'

'Dat is een boezemvriendin om in te lijsten,' zei Liam, die er trots op was dat Rose dat soort genegenheid en trouw opriep. Maar eigenlijk keek hij er niet van op. Ze was vanaf de dag van haar geboorte iets bijzonders geweest.

Op dat moment kwam Camille de hoek om. Ze had het jaar ervoor een lichte beroerte gehad en liep met een stok. Het gezicht onder het witte haar met de blauwe spoeling was als altijd ongenaakbaar. Liam wist dat ze het moeilijk had gehad nadat haar man in Ierland was verdronken.

'Liam, lieve jongen,' zei ze terwijl ze naar hem toe liep om hem een kus te geven. 'Waar heb jij gezeten?'

'In Melbourne,' zei hij.

'In Melbourne? Heb je een nieuw vriendinnetje in de stad?' vroeg ze glimlachend.

'Nee,' zei hij met een gebaar naar het bord met de foto's van Rose. 'Ik ben daar met Lily en Rose.'

Camilles glimlach verdween als sneeuw voor de zon. 'Weet je, ik heb altijd het idee gehad dat de balie niet de juiste plek is om geld in te zamelen. Onze gasten moeten al genoeg betalen voor hun verblijf hier, zonder ze een schuldcomplex te bezorgen door te proberen geld van hen los te kloppen voor een plaatselijk liefdadig doel.'

'Het is voor Rose,' zei Liam terwijl hij haar strak aan bleef kijken. 'Niet voor een of ander liefdadig doel.'

Ze lachte een beetje nerveus. Hij was heel lang en hij had net zijn haaienstem opgezet tegen zijn eigen tante. Maar daar trok hij zich niets van aan, want ze had zelf ook haar op de tanden.

'Lieverd, toch. Je zou haast gaan denken dat ze jóúw dochter was. Als ik niet zeker wist dat ze bij aankomst in de stad al zwanger was, zou ik bijna argwaan krijgen.'

'Ze is mijn dochter niet,' zei Liam rustig.

'Maar je geeft wel om haar. Het is werkelijk heel roerend. Tja, weet je... Nu ga ik iets zeggen dat me niet in dank zal worden afgenomen, maar als de plaatsvervangster van je lieve ouders en als de enige van hun generatie die nog in leven is, moet me toch iets van het hart. Ik krijg sterk de indruk dat de aandacht die jij aan de dames Malone schenkt je ervan weerhoudt om vrouwen van je eigen stand te ontmoeten. Intelligente, hoogopgeleide vrouwen die dolgraag met zo'n knappe jongeman zouden willen trouwen!'

'Vrouwen van mijn eigen stand?' vroeg hij met het gevoel dat hij – zoals zo vaak als hij met zijn tante praatte – midden in een of andere Victoriaanse roman terecht was gekomen. Hij wist trouwens heel goed dat deze bijzonder gecompliceerde vrouw ook geld had gestort in het trustfonds dat hij al jaren geleden, zodra bekend was welke problemen ze had, voor Rose had opgericht.

'Ja. Je weet vast wel wat ik bedoel. Je hebt een academische titel! Je bent doctor!'

'Luister,' zei Liam hoofdschuddend, 'ik moet terug naar Melbourne. Bedank Jessica maar voor haar pogingen om geld in te zamelen.'

Annes ogen twinkelden. 'We weten allemaal wie er hier voor Rose zorgt.'

'Ssst,' zei Liam.

'Die dennenkussentjes mogen best blijven liggen, hoor,' viel Camille hen in de rede. 'Ze zijn op een bepaalde manier heel charmant. Niemand zal kunnen zeggen dat Camille Neill zo'n keiharde tante is dat ze zich zelfs tegen die kussentjes verzet!'

'Dank je, Camille,' zei Anne terwijl ze achter haar rug stiekem tegen Liam knipoogde. 'Je bent een echte weldoenster.'

'Ze heeft gelijk, tante Camille,' zei hij terwijl hij haar knuffelde.

'Laten we niet overdrijven,' zei Camille, die heel even haar hoofd tegen Liams schouder legde voordat ze weer verder strompelde.

'Vrouwen van je eigen stand,' zei Anne lachend. 'Dat klinkt als een idiote kruising van Jane Austen en *Debbie in Dallas*.'

Liam grinnikte en probeerde alles met zijn goede arm op te pakken. Anne schoot hem te hulp, maar ineens hield ze op en klopte op zijn wang.

'Je bent echt een fijne vent, Liam Neill. Net zo'n kanjer als je neef Jude.'

'Bedankt,' zei hij.

'Mijn vriendin Lily is een harde noot om te kraken, maar geef de moed niet op.'

'Zo staan de zaken niet tussen ons,' zei Liam. 'Het gaat mij alleen om Rose.'

'Tuurlijk,' zei Anne. 'Maar vergeet niet wat ik tegen je heb gezegd. Geef de moed niet op. Ze heeft je nodig, Liam. Dat is altijd zo geweest.'

Liam schudde zijn hoofd en probeerde niet te laten merken hoe haar woorden hem raakten. Daar was hij trouwens een meester in – in het verbergen van zijn gevoelens – dus keek hij haar boos aan en hing de tas over zijn schouder.

'Echt waar,' zei Anne. 'Vanaf het moment dat ze hoogzwanger in deze stad opdook. Doe haar de groeten maar.'

'Oké,' zei Liam, die op de een of andere manier niet in staat was te lachen, ook al twinkelden Annes ogen nog zo uitnodigend. Hij begon het dennenkussentje in de tas te proppen.

Anne keek omlaag en wees naar het geborduurde prentje. 'Weet je dat niemand Nanny meer heeft gezien na de verjaardag van Rose?' zei ze. 'Jude zegt dat alle walvisboten haar proberen te vinden, maar ze is er gewoon niet meer.'

'Meen je dat? Als ze hier in de zomer is aangekomen blijft ze toch meestal tot de eerste sneeuw valt.'

'Dat weet ik. Jude vindt het ook heel raar.'

Ze namen afscheid en Liam ging ervandoor. Hij liep het hotel uit en wandelde over de parkeerplaats naar zijn truck. Hij had de auto van zijn vriend weer afgeleverd op het station van de kustwacht en daarna een lift gekregen van de vuurtorenwachter. Nadat hij was ingestapt reed hij in zuidelijke richting over de rotsachtige weg en keek uit over de baai. Hij zag de zwarte ruggen van diverse vinvissen op weg naar de voederplaatsen. Glimmend zwart waar ze boven het wateroppervlak uitstaken, onzichtbaar eronder.

Zijn laptop stond op de stoel naast hem en hij trok het apparaat op schoot om bepaalde gegevens in te toetsen. Op het scherm begonnen groene en paarse bolletjes te knipperen. Er waren veel haaien in het gebied rond Halifax, meer dan normaal. De paarse bolletjes, die op grote witte haaien duidden, waren daar in overvloed aanwezig. Liam tikte 'ZZ122' in en wachtte tot het groene bolletje van Nanny zou beginnen te knipperen, maar er gebeurde niets. Hij voerde de code opnieuw in, maar er volgde nog steeds geen reactie. Zou haar zender kapot zijn? De batterijen waren een paar maanden oud, hij was van plan geweest die deze zomer te vervangen als Jude hem dicht genoeg in de buurt zou kunnen krijgen. Zijn maag kromp samen toen hij aan de roofvissen dacht. In deze baai wemelde het van de haaien, daarvoor hoefde hij niet eens naar de purperen bolletjes te kijken. Plotseling herinnerde hij zich hoe gretig Gerard Lafarge op Roses verjaardag door zijn verrekijker naar Nanny had staan turen. Je had roofdieren in alle soorten en maten. Hij werd misselijk als hij eraan dacht.

Hij belde Judes mobiele nummer.

'Hoi, waar heb jij in vredesnaam gezeten?' vroeg Jude die meteen opnam toen hij Liams naam op zijn schermpje had zien verschijnen.

'In het ziekenhuis.'

'Hoe is het met hen?'

'Ze houden zich sterk, zoals altijd. Luister... ik hoorde van Anne dat geen van jullie boten Nanny heeft gezien.'

'Dat klopt,' zei hij. 'Ze is verdwenen.'

'Zal ik je eens iets vertellen? Ik heb gezien dat Lafarge haar in de gaten hield. Hij heeft de pest aan me en hij kent mijn gevoelens ten opzichte van beloega's en dan vooral ten opzichte van haar.'

'Het lijkt me belangrijker dat hij je gevoelens ten opzichte van Rose kent en hij heeft met zijn eigen ogen gezien hoe dolenthousiast Rose en haar vriendinnen waren toen ze Nanny tijdens haar verjaardagstochtje zagen. De vuile smeerlap.'

'Denk je...'

'Verdomme. Ik acht hem tot alles in staat. Ik zal mijn voelhoorns eens uitsteken. Een deel van zijn bemanning zit regelmatig in de bar van het hotel. Misschien kan ik iets uit hen lospeuteren.'

Liam bedankte zijn neef en verbrak de verbinding. Het was hoog tijd dat hij op weg ging naar Melbourne. Hij liet zijn laptop aan staan en tikte de opdracht in dat er een geluidssignaal moest worden gegeven als ZZ122 opdook. En de kilometers leken steeds langer te worden naarmate de computer bleef zwijgen.

Het was een onverdraaglijk idee dat ze Nanny kwijt konden raken. Hij moest onmiddellijk aan Connor denken, maar vooral aan Rose. Hoe moest hij het aan Rose vertellen als er iets met Nanny was gebeurd?

Dat kon hij niet. Dat was iets waarvoor zelfs de ruwe, harde haaienonderzoeker niet genoeg moed zou kunnen opbrengen.

Lily bleef naast Rose zitten toen ze in slaap was gevallen. Het zonlicht stroomde door het raam naar binnen. Ze was de hele dag nog niet buiten geweest, je zou bijna gaan vergeten dat het zomer was. Ze had haar handwerk tevoorschijn gehaald – ze zat altijd te borduren in het ziekenhuis, dat was een van de redenen dat ze zoveel dingen afmaakte – en vond troost in het insteken en doortrekken van de naald in het borduurlinnen, de zich herhalende beweging die zoveel leek op ademhalen of het kloppen van een hart. Na een paar minuten deed ze haar ogen dicht en wat ze in gedachten voor zich zag, waren zomerse beelden van jaren geleden, uit haar jeugd.

Een tuin vol rode rozen, oranje daglelies en kamperfoelie waarvan de zoete geur zich mengde met de scherpe zilte zeelucht... Anders dan de zilte lucht in het rotsachtige Cape Hawk was de lucht van de zeemist uit haar jeugd vermengd met de geur van de strepen van eb en vloed op een zandstrand en het zoetige aroma van verval uit de vlakke moerasvlakten. Niet dat daar geen rotsen waren... dat was wel degelijk het geval. Lange granieten hellingen die omlaag glooiden naar het water aan de voorkant van het huisje, de plek die zolang ze zich kon herinneren haar thuis was geweest. En de vrouw die van haar had gehouden en haar had groot gebracht... Lily deed haar ogen open. Niet aan denken, prentte ze zichzelf in. Dat was te moeilijk, te pijnlijk. Ze keek naar Rose en naar al die draden en buisjes waarmee ze in verbinding stond met allerlei apparaten, en ze wist dat als ze aan die andere tijd in haar leven ging denken ze alles wat ze nog voor de boeg had niet meer zou kunnen doorstaan. Dan zou ze instorten. De repeterende beweging van haar handen had een geruststellende uitwerking toen ze weer verderging met borduren.

Liefde had haar tot bepaalde beslissingen gedreven. Er waren zelfs mensenlevens in gevaar geweest. Lily was groot geworden met de detectiveverhalen van Nancy Drew. Ze had verhalen gehoord over mensen die verdwenen of een andere identiteit aannamen. Daarbij ging zoveel verloren... families werden opgeofferd, relaties, de liefde tussen generaties. Maar er bleven ook dingen bewaard... letterlijk mensenlevens. Het kwaad waarde rond over de aarde en Lily had het zelf meegemaakt. Niemand zou haar hebben geloofd, want zijn masker was zo doeltreffend. Hij kon zo goed verbergen hoe hij in werkelijkheid was.

Ze dacht aan Scott Peterson en zijn misdaad die niet zo lang geleden voor grote krantenkoppen had gezorgd. Zelfs de familie van Laci, zijn vrouw die hij om het leven had gebracht, had hem aanvankelijk de hand boven het hoofd gehouden. Lily was ervan overtuigd dat Laci niet had geweten dat ze vermoord zou worden, tot ze opkeek en haar man zag met zijn handen om haar keel. Hoe had Lily haar omgeving aan het verstand kunnen brengen dat ze tot alles bereid was – tot álles – om te voorkomen dat haar en Rose hetzelfde lot zou wachten als Laci en haar baby, Conner?

Ze schudde die gevoelens van zich af, keek neer op haar half voltooide borduurwerk en dacht aan Liam. Ze vroeg zich af waar hij uithing en waarom hij nog niet terug was. Hij zou alles ophalen wat ze voor Boston nodig had, want zonder die spullen kon ze niet eens weg. Ze maakte zichzelf wijs dat het alleen daarom ging. Ze miste hem helemaal niet, ze had zijn steun of die van iemand anders niet nodig. Ze kon altijd op de Nanoukmeiden rekenen en Liam had al veel meer gedaan dan strikt noodzakelijk was. Maar verder kwam alles zoals altijd neer op Lily en Rose.

Omdat Rose inmiddels vast in slaap was, legde Lily haar handwerk neer en stak haar hand uit en legde die op de borst van haar dochter. Alleen maar met haar vingertoppen, gewoon omdat ze het hart wilde voelen kloppen. Ze dacht terug aan de tijd dat Rose nog maar een paar dagen oud was. De geboorte was zonder problemen verlopen, Lily had haar thuis gekregen. Alles was prima. Ze was dolgelukkig, opgelucht omdat ze in veiligheid waren, maar ontzettend triest in de wetenschap dat haar grootmoeder de baby niet zou kunnen zien, nu niet. En ze wist niet of dat er ooit nog van zou komen. De eerste keer dat ze Rose in bad had gedaan...

Lily had de wasbak vol laten lopen en de warmte van het water met haar elleboog gecontroleerd, precies zoals haar grootmoeder haar had laten zien tijdens de eerste maanden van haar zwangerschap, toen ze alles moest leren en het idee dat ze een baby zou krijgen nog zo ongelooflijk en nieuw was. Het was net alsof haar grootmoeder naast haar stond en zei dat ze het prima deed.

Terwijl ze Rose vasthield en vol liefde op haar neerkeek, had ze dat kleine borstje aangeraakt. Wat had ze toen onder haar vingertoppen gevoeld? Niet het geruststellende kloppen van het hartje, het leek meer op trillen, of op het spinnen van een kat. Maar de volgorde was heel anders, want terwijl katten tegelijkertijd ademen en spinnen, leek dit gevoel elke hartenklop te volgen. Rose, ondergedompeld in het warme water, keek op naar Lily alsof ze genoot van haar eerste badje, dus Lily probeerde haar ongerustheid van zich af te zetten. Maar het bleef haar dwarszitten en ze controleerde voortdurend of ze het nog steeds voelde.

Pas een paar dagen later kreeg Rose haar eerste blauwe spell.

Liam was op bezoek gekomen, zoals hij iedere dag sinds Roses geboorte had gedaan. Lily had zich een beetje gegeneerd omdat ze wist wat hij die nacht had gezien en gehoord, maar stiekem was ze toch wel blij dat hij kwam.

De dagen waren lang, dus het was nog licht toen hij langskwam na zijn dagelijks werk aan boord van het researchschip. Hij bestudeerde het gedrag van de haaien voor de surfstranden ten oosten van Halifax, maar hij haastte zich iedere dag terug naar Cape Hawk om te controleren of alles in orde was met Rose en Lily.

De zon zakte achter de dennen, en langgerekte schaduwen namen bezit van het in een gouden schijnsel gehulde huisje. Lily voelde zich te prettig om een lamp aan te doen, ze bleef in de schemering zitten om Rose de borst te geven. Toen Liams truck over het stenen pad ratelde, sloeg ze een dekentje om Rose heen en wachtte tot ze hem de veranda op hoorde lopen.

Liam had boodschappen meegebracht. Het bezorgde Lily een onbehaaglijk gevoel omdat hij er geen geld voor wilde aannemen en ze eigenlijk niet wist wat hij van haar wilde. Nadat ze uit het hotel vertrokken was, waren ze elkaar in de stad tegengekomen en toen hij haar zag, een onbekende zwangere vrouw, begreep hij meteen dat zij de vrouw was die hij in haar hotelkamer had horen huilen. Hij vertelde haar dat ze daar een paar boeken had laten liggen en vroeg of hij die in haar nieuwe huis langs mocht brengen. Het was puur toeval geweest dat hij daarvoor precies de avond had uitgekozen waarop Rose werd geboren en haar tijdens de weeën aantrof.

Daarna had hij haar eigenlijk nooit meer alleen gelaten. Hij kwam iedere dag langs. Lily kreeg van hem te horen dat ze de winkelruimte naast zijn kantoor mocht huren om er een zaak te beginnen als ze dat wilde. Bovendien bracht hij etenswaren en luiers voor haar mee en zei dat ze hem pas terug hoefde te betalen als ze haar hoofd boven water kon houden.

Lily gaf Rose aan hem voordat ze de boodschappen wegruimde. Dat leek wel het minst wat ze kon doen, want hij voelde zoveel genegenheid voor de baby die hij zelf ter wereld had helpen komen. En als ze naar hem keek en zag hoe hij haar met zijn ene goede arm tegen zijn borst drukte, sprongen de tranen in haar ogen. Dat soort tederheid leek eigenlijk voorbestemd voor de vader van een baby, maar Roses vader zou haar nooit leren kennen. Hij zou haar nooit onder ogen krijgen en als het aan Lily lag, zou hij nooit van haar bestaan weten.

'Lily!' riep Liam.

Zijn stem was kalm, maar de klank ervan maakte dat Lily de tas op de grond zette en meteen naar hem toe liep.

'Wat is er aan de hand?' vroeg ze.

Rose had een benauwde uitdrukking op haar gezichtje en ze ademde twee keer zo snel als normaal. Aanvankelijk bleef het nog verborgen in de purperen schaduw van de dennen die door het raam naar binnen viel en de kamer in paarse en leigrijze tinten hulde, maar toen Lily het licht aandeed, zag ze dat Rose blauw was.

'Wat moet ik doen?' vroeg ze in paniek.

'Kalm blijven,' zei Liam. 'Ze ademt... haar keel wordt niet dichtgeknepen of zo. We moeten de kinderarts bellen.'

Lily's handen trilden zo dat hij het nummer moest opzoeken van de dokter in Port Blaise die Anne had aangeraden. Lily was al een keer bij hem geweest om Rose te laten onderzoeken en toen was alles in orde. Maar tijdens dat telefoongesprek begon dr. Durance allerlei vragen te stellen die Lily echt bezorgd maakten.

'Heeft Rose het benauwd? Is ze lastig geweest? Eet ze wel goed? Zweet ze tijdens of na de voeding? Heeft haar huid een blauwe tint?'

'Ja,' moest Lily op al die vragen antwoorden. Ontkennen had geen zin meer en alles leek zich plotseling te concentreren op dat vreemde gevoel onder haar vingertoppen. Ja, ja, ja... Ze vertelde de dokter over dat gevoel en hij zei: 'Dat lijkt verdacht veel op een hartruis.'

Was dat iets ernstigs? Nee toch? Lily kon zich een meisje op school herinneren dat ook last had gehad van een hartruis. Ze had het als excuus gebruikt om niet naar gym te hoeven, anders niet. Groeiden kinderen daar niet overheen? Toen ze dat aan dr. Durance vroeg, zei hij: 'Meestal wel.'

Daarna kreeg ze te horen dat ze met Rose langs moest komen. Dat was de eerste keer geweest dat Liam erop stond om mee te gaan, en Lily was te bezorgd om zijn aanbod af te slaan. Hij reed en Lily had Rose in haar armen.

Dr. Durance onderzocht het meisje, ontdekte een hartruis en verwees Rose meteen voor verder onderzoek naar het regionale medisch centrum. Daar werd een doppler-echocardiogram gemaakt, waarbij diverse dingen konden worden waargenomen. Ze konden Roses hart in haar kleine borstje zien kloppen, de dikte van de hartwand werd opgemeten en de aders werden gecontroleerd.

Lily wist dat het onderzoek net zoiets was als de echo's die tijdens haar zwangerschap thuis in New England waren gemaakt. Ze wist dat de dokter een transducer tegen Roses borst zou houden en Lily hoopte dat hij niet zou vergeten die voor te verwarmen. Ze wist dat de hoogfrequente geluidsgolven die naar de borst werden gestuurd afbeeldingen produceerden van het hart en andere inwendige organen. Nu, negen jaar later, liet ze haar hand op Roses borst liggen terwijl haar dochter sliep. Ze dacht eraan hoe geboeid Rose was geraakt door het fenomeen geluidsgolven. Ze vond het prachtig om de foto's te verzamelen die de artsen voor haar printten en had op school zelfs een project gedaan waarin ze uitlegde dat echoscopie op hetzelfde principe was gebaseerd als het gezichtsvermogen van een vleermuis in het donker: geluidsgolven die weerkaatst werden door allerlei voorwerpen. Als Lily en Rose 's avonds in Cape Hawk de vleermuizen in de bossen hoorden piepen, bezorgden de diertjes hun een gevoel van geruststelling in plaats van angst.

Nog steeds met haar hand op Roses borst herinnerde Lily zich hoe bij die eerste echo's Tetralogie van Fallot was geconstateerd, vier ernstige hartafwijkingen. Ze kwam te weten dat de blauwe tint van Roses huid veroorzaakt werd door cyanose – blauwzucht – als gevolg van een verminderde bloedtoevoer naar de longen. Het werd ook wel het blauwebabysyndroom genoemd, maar dat was niet meer dan een symptoom. De oorzaak was Tetralogie van Fallot. Het klonk haar als een monster in de oren en dat was het ook, een vierkoppig, verschrikkelijk woest beest dat dodelijk zou zijn als het genegeerd werd. Openhartchirurgie bleek noodzakelijk en dus vloog Lily met haar jonge dochtertje naar Boston, naar een van de beste hartklinieken in het land. En Liam had betaald.

'Dat kan ik niet accepteren,' had Lily vol paniek gezegd.

'Je zult wel moeten,' had Liam geantwoord. 'Het is niet voor jou, het is voor Rose.'

En hij had haar verrast door in het ziekenhuis op te duiken vlak voordat Rose onder narcose werd gebracht. 'Ik moet mijn kleine meid zien,' zei hij.

Lily moest zich beheersen om niet te gaan gillen. *Mijn kleine meid...* Dat was iets dat Roses vader hoorde te zeggen. De emoties die maar net in bedwang konden worden gehouden kregen de overhand. Lily was huilend de kamer uitgerend.

'Wat is er aan de hand, heb ik iets fouts gezegd?' vroeg Liam die achter haar aan was gekomen.

'Je bent haar vader niet,' snikte ze. 'Waar maak je je druk om, waarom ben je hier?'

'Natuurlijk maak ik me druk, Lily. Ik heb geholpen haar op de wereld te zetten.'

'Dat had nooit mogen gebeuren,' huilde Lily terwijl ze in een hoekje van de gang stonden en de mensen gewoon langsliepen zonder aandacht aan hen te schenken. Ze waren op kindercardiologie en moeders die over hun toeren raakten, was hier iets doodgewoons.

'Wat had nooit mogen gebeuren? Dat ik erbij was?'

Lily snikte met het gevoel dat ze ieder moment zou instorten. Toen ze weeën begon te krijgen op de avond dat Rose was geboren, had Liam een door God gezonden engel geleken. Lily was alleen, in de rotsachtige wildernis van het noordelijkste puntje van Nova Scotia, weggevlucht voor een man die haar had willen vermoorden, de vader van haar baby. Ze had in de keuken op de grond gelegen, verscheurd door de pijn en luidkeels schreeuwend omdat ze wist dat ze geen enkel gevaar liep, want niemand kon haar horen.

En toen was Liam binnengekomen. Hij had de boeken die hij bij zich had op de grond laten vallen, was naar haar toe gekomen en naast haar op zijn knieën gaan zitten... Een volkomen vreemde, die haar in het uur van de hoogste nood bijstond.

'Wat wil dat zeggen, dat ik het veiliger vond om mijn baby in mijn eentje te krijgen dan mensen om hulp te vragen?' had ze gezegd.

'Dat je niemand had die je kon vertrouwen,' was zijn antwoord.

'Ik kende niemand. Ik wist niet of hij misschien naar me op zoek was en informaties had ingewonnen... Ik was bang dat iemand het hem zou vertellen.'

'Je was helemaal alleen, Lily.'

Lily had hem in zijn ogen gekeken... Slechts Liam wist hoe alleen ze eigenlijk was. Hij wist het, omdat hetzelfde voor hem gold.

Ze kon niet met hem praten over de dromen die ze over hem had gehad... Prachtige dromen over een eenarmige man die zich over haar heen boog terwijl de tranen over zijn wangen liepen. Die haar in zijn armen hield en haar ondersteunde terwijl ze daar op de keukenvloer beviel. Hij had Rose opgevangen toen ze naar buiten kwam, haar in zijn goede arm genomen en aan Lily overhandigd.

Sinds ze een paar weken eerder bij haar man was weggegaan, had

Lily alleen maar over monsters gedroomd. Angstaanjagende monsters die steeds van gedaante verwisselden en haar levend wilden opeten. Lily was getrouwd geweest met een knappe, charmante man. Een rasverkoper, die iedereen alles aan kon smeren. Hij had een smetteloze glimlach, met stralend witte tanden in een volmaakt gebit. Maar in haar dromen had hij dat volmaakte gebit gebruikt om haar tot bloedens toe te bijten en haar leeg te zuigen... precies zoals hij in het werkelijke leven haar bankrekeningen had leeggezogen.

Hij had Lily's hart gebroken. Ze dacht terug aan alle leugens die hij had verteld. Aan de manier waarop hij er steeds weer in slaagde haar het gevoel te geven dat al hun problemen door haar werden veroorzaakt. Ze was te veeleisend, te bezitterig en te nieuwsgierig, had hij tegen haar gezegd. Iedere keer dat ze vermoedde dat hij haar bedroog of dat hij ergens anders was dan hij had voorgegeven, werd dat tegen haar gebruikt. Toen ze uiteindelijk de waarheid ontdekte, lag haar hart in duizend scherven.

In Lily's dromen zag haar knappe echtgenoot er doodeng uit en was de door haaien verminkte Liam lief en mooi. Het leven kon zo verwarrend zijn.

Op die dag in het ziekenhuis had Lily in een hoekje staan huilen terwijl de warme adem van Liam over haar nek streek.

'Niet huilen, Lily,' had hij gefluisterd. 'De artsen hier zijn de beste die er zijn. Ze is in goede handen...'

'Volgens mij heb ik haar die hartkwaal bezorgd,' fluisterde ze.

'Hoe? Dat kan toch niet.'

'Dat weet je maar nooit,' zei ze vol paniek. 'Ik maakte me constant zorgen toen ik nog bij hem was, bij Roses vader. Af en toe had ik het zo benauwd dat ik dacht dat ik een hartaanval zou krijgen. Ik was bang en ik had het gevoel dat ik binnenstebuiten was gekeerd. En al die tijd droeg ik de baby bij me en die leed onder de gevolgen.'

'Van je emoties? Welnee.'

'Ik had eerder bij hem weg moeten gaan,' huilde Lily.

'Lily... ik weet niet wat er is gebeurd, waarom je bent weggegaan. Ik wou dat je me dat wilde vertellen.'

'Dat kan ik niet,' zei ze. Ze was bang dat ze al te veel had gezegd. Haar man was altijd zo voorzichtig geweest en had er goed op gelet dat hij alles in het geniep deed. Hij had haar nooit geslagen, niet één keer. Hij had haar zelfs nog nooit een blauwe plek bezorgd. Ze had nooit de politie kunnen bellen, omdat de dingen die hij deed niet strafbaar waren. Wel moorddadig, maar niet strafbaar. Niemand zou Lily geloven als ze zei dat haar man een moordenaar was.

'Dat kun je wel,' drong Liam aan. 'Ik ben tot alles bereid om je te helpen... Je bent al bij hem weggelopen. Ik zal helpen om ervoor te zorgen dat hij je nooit meer kwaad kan doen.'

'Je begrijpt het niet,' zei Lily. 'Ik kan niet terugvallen op de wet. Als je nooit het slachtoffer bent geworden van huiselijk geweld, dan begrijp je het gewoon niet. Hij was een roofdier.'

'Ik geloof je.'

'Maar geloof je dan ook dat Rose hier is vanwege alles wat ons voor haar geboorte is overkomen? Want dat is echt waar. We lijden allebei aan een gebroken hart.'

'Als jij dat denkt,' zei Liam ernstig terwijl hij zijn hand tegen haar gezicht legde, 'dan geloof ik je.'

'Dank je wel.'

'Maar luister nu ook eens naar mij, Lily. Wat hij je ook heeft aangedaan, ik wil dat je één ding heel goed in je oren knoopt. Jij en Rose kunnen altijd op mij rekenen, tot in lengte der dagen. Wat je ook nodig hebt, ik zal zorgen dat je het krijgt.'

'Maar dat kan ik niet...'

'Als je het niet voor jezelf doet, doe het dan voor Rose,' zei hij. 'Ik ben bioloog, geen arts. Maar ik weet één ding: jullie staan allebei in mijn hart gegrift vanaf het moment dat ik hielp om Rose ter wereld te brengen. Ik had nooit gedacht dat ik dit ooit over mijn lippen zou kunnen krijgen, Lily. Ik ben nooit getrouwd geweest, nooit verloofd en ik heb geen kinderen. Al die dingen spelen ook niet mee in de verhouding tussen ons, maar ik zal jullie voor de rest van mijn leven trouw blijven. Zo is het gewoon.'

'Liam...'

'Zo is het gewoon,' zei hij nog een keer, met een vaste en ernstige blik in zijn blauwe ogen. 'Of je het nu leuk vindt of niet.'

En daarna had de dokter hen naar binnen geroepen. Het was tijd om Rose naar de operatiekamer te brengen. Toen ze daar stond en zag hoe haar dochter werd weggebracht, had Lily het gevoel dat haar eigen hart uit elkaar zou springen... maar Liam had haar hand vast-

gehouden. En die bleef hij vasthouden zolang Rose in de operatiekamer was. Die dag had haar dochter een bypass gekregen, de zogenaamde Blalock-Taussig shunt.

Toen de artsen weer tevoorschijn kwamen, had Lily Liams hand
losgelaten. Wat hij had gezegd was aardig en heel nobel van hem.
Maar Rose had de operatie overleefd, dus nu kon Liam gewoon weer
zijn eigen leven oppakken, terwijl zij met hun tweetjes verdergingen.
Toen hadden de chirurgen echter uitgelegd dat de operatie slechts een
tijdelijk hulpmiddel was, tot Rose groot genoeg was voor een grotere
ingreep.

'Groter?' vroeg Lily met knikkende knieën.

'Mevrouw Malone, Tetralogie van Fallot houdt in dat er vier verschillende afwijkingen zijn. Rose zal meer uitgebreide, zware open-
hartoperaties moeten ondergaan voordat haar hart hersteld is. U hebt
nog een moeilijke tijd voor de boeg. Maar Rose laat ons echt versteld
staan, met haar kracht en haar vechtlust.' Ze praatten door, maar
Lily luisterde niet meer. Ze had zich gewoon afgesloten omdat ze het
allemaal niet meer kon bevatten.

'Dat kunnen we allemaal niet aan,' had Lily snikkend tegen Liam
gezegd toen de artsen waren vertrokken.

'Jawel. Je zult wel moeten.'

'Dat kan ik niet!' had ze uitgeroepen. 'Ik kan haar niet zien lijden!'

'Lily, nadat we mijn broertje hadden verloren kon mijn moeder mij
ook niet zien lijden. Ik moest ook een aantal operaties ondergaan.
Maar zij... zij was er gewoon niet meer. Ik had haar nodig, net zoals Rose jou nodig heeft. Ik heb je een belofte gedaan en daar houd
ik me ook aan. Ik zal je helpen. De dokter heeft gelijk. Rose is een
knokker. Wacht maar af. Ze is een wonderbaarlijk klein meisje.'

'Een wonderbaarlijk klein meisje,' mompelde Lily die zich aan die
woorden leek vast te klampen terwijl ze met dikke, roodomrande
ogen naar hem opkeek.

'Ja,' zei Liam. 'Dat wist ik vanaf de eerste minuut dat ze was geboren.'

'Hoe dan?' vroeg Lily.

'Tja,' zei hij. 'Misschien vertel ik je dat nog weleens.'

Nu, negen jaar later, volgden ze nog steeds hardnekkig dezelfde
koers. Lily zat naast Roses bed. De ballonnen die Liam voor haar had

meegebracht zaten nog steeds aan de stang. Ze waren al een beetje slapper geworden, maar Rose vond het niet goed dat ze weggehaald werden. Lily wierp een blik op haar horloge. Liam was nog niet terug. Ze probeerde weer wat te borduren, maar ze had haar hoofd er niet bij, ze kon zich niet op het linnen concentreren.

Ze vertelde hem constant dat ze hem niet nodig had, maar om eerlijk te zijn voelde ze zich eenzaam als hij er niet was. In de negen jaar sinds ze bij Roses vader was weggegaan, was ze heel sterk en zelfverzekerd geworden. Ze had onderzoek gedaan naar huiselijk geweld en was zich bewust geworden van het gevaar waarin ze had verkeerd. Ze had korte metten gemaakt met haar schuldgevoelens vanwege het feit dat ze zo lang bij hem was gebleven en met haar verdriet over alles wat ze achter had moeten laten. Ze was een knokker, net als Rose.

Maar op dit soort momenten drong pas goed tot haar door hoeveel Liams belofte voor haar had betekend. Omdat ze zo sterk en zo taai was, wilde ze niet afhankelijk zijn van iemand anders. Maar Liam was een categorie apart, 'iemand anders' sloeg niet op hem. Ze maakte zichzelf wijs dat zijn belofte alleen Rose had gegolden. Rose hield van hem, dat stond in ieder geval vast.

Dus, voor Roses bestwil, stond Lily op en liep naar het raam. Het gedenkteken van de Eerste Wereldoorlog weerspiegelde in de vijver eronder. Een paar artsen en bezoekers hadden ligstoelen in de schaduw gezet en zaten onder de bomen te lezen. Lily drukte haar voorhoofd tegen de ruit en probeerde de reiger te ontdekken. Dat lukte niet... de vogel was vanaf deze plek niet te zien.

En Liam ook niet. Misschien had hij eindelijk genoeg gekregen van het feit dat hij haar altijd moest dwingen om hem toe te staan zich aan zijn belofte te houden. Dat kon ze hem niet kwalijk nemen.

Het probleem was dat ze hem nooit zo ver had kunnen krijgen dat hij haar vertelde waarom hij Rose 'een wonderbaarlijk klein meisje' had genoemd. Misschien had ze dat ook wel niet willen horen, uit angst dat ze hem zou geloven. Maar met de zware operatie die Rose nu voor de boeg had, een operatie die haar hartproblemen eindelijk voorgoed zou kunnen oplossen, was dit misschien wel het moment waarop het haar goed zou doen om dat verhaal te horen, dacht Lily. Onwillekeurig hoopte ze dat Liam snel terug zou komen.

18

Liam reed even voor acht de parkeerplaats van het ziekenhuis op. Hij wilde nog bij Rose langs voordat het bezoekuur voorbij zou zijn en hij was verrukt over iets dat hij net op zijn computerscherm had gezien. Het lichtje van ZZ122 knipperde er vrolijk op los. Dus ze leefde nog en ze was veilig, maar op een plek die zo onverwacht was, dat hij de corresponderende GPS-coördinaten niet eens had ingetoetst.

Hij liep door de hal en stapte in de lift, waarbij hij opnieuw werd getroffen door de tegenstelling tussen de vrije, frisse lucht van Cape Hawk en de via een gesloten circuit rondgepompte lucht in het ziekenhuis. Wanneer zou Rose gezond genoeg zijn om buiten dit soort plaatsen te blijven? Liams opgetogenheid over het feit dat hij Nanny had teruggevonden maakte plaats voor een haast fysieke pijn die werd veroorzaakt door het feit dat Rose opgesloten zat... Het negenjarige meisje van wie hij zoveel hield en dat zoveel mooie zomerdagen hier moest doorbrengen, geketend aan haar eigen lichaam.

Maar tegen de tijd dat hij de afdeling bereikte, was hij weer tot rust gekomen en trok hij zijn gezicht in de plooi. Hij bleef even bij de deur van haar kamer staan.

Lily had een stoel naast het bed getrokken en zat te borduren, terwijl Rose lag te lezen. Liam zag hoe Lily's donkere haar over haar gezicht viel, in een scherpe en keurig geknipte hoek, als een ravenzwarte vleugel. Het belemmerde haar gezichtsveld, maar Rose keek op van haar boek en zag over het hoofd van haar moeder Liam staan. Hij schonk haar zijn breedste glimlach.

'U bent er weer,' zei Rose.

'Zelfs een kudde wilde paarden had me niet tegen kunnen houden.'

'Zijn er dan wilde paarden in Nova Scotia?'

Hij keek alsof hij diep moest nadenken. 'Misschien had ik beter een vlucht wilde visarenden kunnen zeggen.'

'Of een school wilde walvissen.'

Lily glimlachte, maar het was net alsof ze Liam opzettelijk niet aan wilde kijken. Hij snapte er niets van, want meestal kostte het haar geen enkele moeite om hem gewoon strak aan te kijken met zo'n ondoorgrondelijke blik in haar ogen. En meestal had die blik ook iets uitdagends, met het hoofd in de nek alsof ze wilde zeggen: *Kom maar op*. Maar nu zag ze er bijna broos uit, alsof alle vechtlust was verdwenen. De handen die het borduurwerkje vasthielden, trilden.

Hij wilde vragen wat er aan de hand was, maar hij wist dat hij moest wachten tot ze buiten gehoorsafstand waren. Dus in plaats daarvan begon hij de tas die Anne had meegegeven maar uit te pakken.

'Anne heeft een paar dingen voor je meegegeven,' zei hij. 'Je vriendin Jessica heeft dit kussen gemaakt...'

'Dat is echt mijn beste vriendin!'

'Nou, zo denkt zij er kennelijk ook over.'

'Dat is Nanny,' zei Rose terwijl ze over de geborduurde dolfijn streek. 'Het ruikt net als thuis.'

'Het is gevuld met dennennaalden uit Cape Hawk,' zei Liam.

'Waarom staat er "Breng Rose Thuis" op?' wilde ze weten.

'Ze mist je,' zei Lily, terwijl ze Rose stiekem een triomfantelijke blik schonk.

'Dat klopt,' zei Liam. 'De Nanoukmeiden helpen haar om meer van dit soort kussentjes te maken en die verkopen ze in het hotel om geld in te zamelen waarmee jij zo gauw mogelijk beter gemaakt kunt worden. Dat wil Nanny ook, Rose, dat probeert ze je echt op je hart te drukken.'

'Ik wil ook beter worden,' zei Rose met een ijl stemmetje.

'Je wordt beter,' zei Lily. 'Daar ben je al druk mee bezig. Het gebeurt waar we bij staan, van minuut tot minuut.'

'Jessica heeft nog meer gemaakt,' zei Liam. 'Cadeautjes die jij aan de verpleegsters kunt geven.'

Hij keek toe hoe Lily en Rose de plastic zak met de van dennenappeltjes gemaakte sieraden uitpakten en ineens verontschuldigde Lily zich, liet haar borduurwerk vallen en liep naar de gang. Liam was het liefst meteen achter haar aan gegaan, maar Rose keek haar moeder zo geschrokken na, dat hij bij haar bleef.

'Waarom loopt ze nou weg?' vroeg Rose.

'Misschien is ze de verpleegsters gaan halen,' zei hij.

'Morgen gaan we naar Boston,' zei Rose.

'Ik weet het.'

'Hebt u Jessica gezien? Ik dacht dat ze misschien wel op zoek zou gaan naar een nieuwe boezemvriendin. Dat kan ik haar niet kwalijk nemen... ik ben er immers niet meer.'

'Je bent binnen de kortste keren weer thuis,' zei Liam. 'Eigenlijk denk ik dat ze maar één boezemvriendin heeft... en dat ben jij. Daarom wil ze "Rose thuisbrengen".'

'Wachten zij en Nanny dan op me?'

'Rose,' begon Liam, hoewel hij niet goed wist hoe hij het haar moest vertellen. Vanuit wetenschappelijk oogpunt leek het onmogelijk... hij durfde er eigenlijk niet eens over te beginnen voordat hij er zeker van was.

'Gaat u met ons mee naar Boston?' onderbrak Rose zijn gedachten.

'Ik zou het voor geen goud willen missen,' antwoordde hij.

'Soms vraag ik me weleens af...' zei ze, maar toen hield ze zich in. Liam drong niet aan en probeerde haar ook niet zover te krijgen dat ze haar zin afmaakte. Hij keek naar al die buisjes en draadjes die haar lichaam verbonden met al die zoemende en tikkende apparaten om haar heen. Het liefst had hij haar opgepakt en tegen zich aan gehouden om haar te vertellen dat alles weer in orde zou komen. Maar Rose was al veel te ervaren voor dat soort zinloze opmerkingen. Haar negenjarige ogen waren wijzer dan die van het merendeel van de professoren bij wie hij college had gelopen.

'Wat vraag je je af, Rose?'

'Wat mam zonder mij zou moeten beginnen. Ik ben het enige wat ze heeft.'

Liam zag dat ze haar hand naar hem uitstak. Hij kneep even in haar vingers, maar ze pakte in plaats van zijn goede hand zijn prothese vast. Dat kleine handje met die stompe vingertopjes en die blauwachtige huid hield zijn grote, onechte, onbeholpen hand vast. Hij schrok ervan, maar het gebaar ontroerde hem ook en hij moest zich beheersen om haar dat niet te laten merken. Rose keek hem strak aan.

'Maar misschien ben ik toch niet het enige wat ze heeft.'

Liam voelde zijn hart bonzen. Ze weigerde om haar ogen af te wenden.

'Je zou weleens gelijk kunnen hebben, Rose,' zei hij.

Ze bleven elkaar nog een hele tijd aankijken en Liam merkte dat hij een nieuwe gelofte aflegde, te intens om onder woorden te brengen. Toen Lily de kamer weer binnenkwam, was alles inmiddels helder verlicht. Buiten was de zon ondergegaan en de schijnwerpers aan de voet van het hoge gedenkteken waren aangegaan. Door het raam zag Liam het glanzen. Hij dacht aan de dag, jaren geleden, dat zijn broertje was geboren. Hij dacht aan hoeveel liefde er op aarde was en dat het bijna onmogelijk leek dat die ooit weggenomen zou worden.

Terwijl hij neerkeek op Rose Malone en zag hoe haar moeder haar haar borstelde en haar klaarmaakte om voor de laatste keer in dit ziekenhuis te gaan slapen, drong er iets tot hem door waarvan hij zich nooit bewust was geweest. Het had te maken met Connor en met zijn ouders, met Lily en met Rose en met Liam zelf. Hij had het zich nooit gerealiseerd, maar nu wist hij dat hij het nooit meer zou vergeten. Hij moest het meteen aan Lily vertellen, vanavond nog. En hij wilde haar ook iets laten zien dat hij zelf nauwelijks kon geloven.

Nadat Rose de zusters hun dennenappeloorbelletjes had gegeven, de dokter nog een keer langskwam, de nachtzuster Rose haar slaappil had gegeven en Rose in slaap was gevallen, pakte Lily haar spullen bij elkaar. Ze bleef maar in de kamer rondkijken omdat ze het idee had dat ze iets vergat. Maar ze had haar tas, haar borduurspullen, haar hotelsleutel en het dennenkussentje dat Liam had gekocht. Liam stond bij de deur te wachten. Hij keek haar aan alsof hij iets van haar verwachtte, maar haar alle tijd gunde die ze nodig had.

Ze liepen naar buiten, waar de avondlucht gewoon warm aanvoelde na de kille airconditioning in het ziekenhuis. Lily was een beetje nerveus en gespannen naar aanleiding van wat haar de volgende dag te wachten stond, maar tegelijkertijd uitgeput. Ze liep naar zijn truck toen ze voelde dat hij haar arm pakte.

'Wat is er?' vroeg ze.

'Loop eens even mee,' zei hij.

Lily keek hem vragend aan, maar hij gaf geen verklaring en nam haar mee in de tegenovergestelde richting, naar het stadspark. Een stel jongeren hing rond bij de muziektent, lol trappend en luisterend naar de muziek van een radio. Liam liep met haar om de openbare tuin heen naar de vijver aan de voet van het gedenkteken. Het monument rees omhoog in de heiige lucht, helder verlicht door halogeenspots. Lily zag het weerspiegeld in de langwerpige vijver en ze kreeg plotseling heimwee naar de zee.

'Ik mis...' begon ze.

'Wat mis je, Lily?'

'Zout water,' zei ze.

'Daarvoor hoef je alleen maar de heuvel af te lopen,' zei hij. 'Naar de haven van Melbourne.'

'Dat weet ik wel,' antwoordde ze. 'Maar ik mis Cape Hawk. En niet alleen dat, ik mis mijn woonplaats.'

'Ik dacht dat Cape Hawk je woonplaats was.'

'De plek waar ik voor Cape Hawk woonde,' zei Lily met dichtgeknepen keel. Ze werd ineens bestormd door herinneringen aan het warme zand, de zilvergroene moerasgebieden en een geliefde rozentuin die werd verzorgd door een vrouw van wie ze haar leven lang had gehouden. Wat had dat te betekenen? Lily had zichzelf meestal zo goed in bedwang, vooral als ze moed moest verzamelen voor een van Roses ingrepen. Maar op dit moment had ze het gevoel dat ze ieder moment kon sterven van een verdriet en een verlangen die allebei al zo lang achter haar lagen.

'De avond dat Rose werd geboren,' zei Liam, 'huilde je van verlangen naar huis.'

'Ik wist dat ik daar nooit terug zou komen,' zei ze.

'En je riep: "Ik kan niet zonder je, ik kan niet zonder je..."'

Lily knikte en staarde naar het brok graniet. Hij wachtte op een verklaring, maar Lily durfde er niet aan te beginnen. Ze had het gevoel alsof ze vanbinnen volkomen overhoop was gegooid. Ze moest zichzelf in bedwang houden... al die emoties onderdrukken en proberen te voorkomen dat alles uit de hand liep. Ze voelde iets opwellen, maar ze wilde niet in het diepe springen.

'Naar wie verlangde je zo, Lily?'

'Dat zou ik je graag willen vertellen, Liam,' zei ze. 'Maar dat kan ik niet.'

'Maar je weet toch wel dat je veilig bent? Ik zal je overal tegen beschermen.'

'Je kunt me niet tegen mijn eigen hart beschermen. Het breekt als ik aan haar denk... Ik kan niet over haar praten.'

Hij bleef heel lang stil. Krekels tsjirpten in de struiken, en in het bos hoorden ze dieren ritselen. Lily's hart deed pijn van verlangen, een verlangen dat ze zó diep had begraven dat ze bijna was vergeten dat het bestond. Ze zag in een flits de oude glimlach die ze zo goed kende, blauwe ogen, zilverwit haar, knoestige vingers om de steel van een tuinschepje.

'Ik wou dat ik je aan haar voor kon stellen,' zei ze terwijl ze opkeek, naar Liams diepliggende blauwe ogen. 'Ze is iemand die voor mij heel belangrijk was... de belangrijkste persoon ter wereld, voordat Rose op het toneel verscheen. Liam, ik weet dat ik ontzettend ondankbaar lijk. Maar daar komt verandering in. Ik weet wat je voor mij en voor Rose hebt gedaan. Bedankt dat je ons nooit in de steek hebt gelaten. Het was zo moeilijk om zo lang te moeten wachten... Ik ben zo bang, Liam.'

'Voor de operatie?'

Lily knikte en sloeg haar armen over elkaar. Wat klonken die krekels toch hard. Ze keek omhoog en zag in het oranje licht vleermuizen rond het gedenkteken cirkelen. Haar hart brak toen ze dacht aan het schoolproject van Rose over echocardiogrammen en de sonar van vleermuizen.

'Dit gevoel heb ik nooit eerder gehad. Rose is gewoon... nou ja, dat weet je best. Iedereen zegt altijd maar dat ze "zo'n knokker" is en dat is ze ook. Echt waar! Ze heeft die hartkwaal al vanaf haar geboorte. Daar was je bij, dus dat weet je ook. We hebben er gewoon mee leren leven, we hebben er nooit vraagtekens bij gezet. Ik heb me altijd aan haar gespiegeld en ze is steeds geweldig moedig geweest. Maar dit keer... Het wachten is dit keer veel moeilijker, Liam. Stel je voor dat er iets verschrikkelijks gebeurt? Of dat de operatie niet het gewenste resultaat heeft?'

'Natuurlijk lukt die operatie wel,' zei Liam, terwijl hij vlak voor haar kwam staan. Ze kon haar ogen niet afwenden van de zijne... Hij klonk zo zeker van zijn zaak.

'Ik hou dat wachten gewoon niet meer vol,' fluisterde ze.

'Je zei net dat er iemand was aan wie je me graag zou willen voorstellen,' zei hij. 'Hetzelfde geldt voor mij. Ik wou dat ik je aan mijn familie kon voorstellen.'

'Maar ik ken Jude toch,' zei ze, verbaasd omdat hij ineens over iets anders begon. 'En Anne en al die andere Neills. Camille...'

Liam schudde zijn hoofd. 'Ik heb het over de anderen, die er niet meer zijn. Daarom heb ik je meegenomen naar het gedenkteken. Hier stond ik samen met mijn vader op de dag dat mijn broertje werd geboren.'

'Connor,' zei ze. Het jongetje dat door een haai was gedood...

'Ja,' zei hij. 'Op de dag dat hij werd geboren stonden mijn vader en ik ook hier. Ik was net drie jaar en ik was ontzettend bezorgd over mijn moeder. Ze lag in het ziekenhuis en daar snapte ik niets van. Mijn vader wees omhoog naar het gedenkteken en vertelde me een familieverhaal. Mijn overgrootvader had in de oorlog gevochten.'

'De grootvader van je vader?'

'Ja. Tecumseh Neill... de zoon van de zeekapitein die Cape Hawk heeft gesticht. De man naar wie we alle boten hebben vernoemd. Hij was in Frankrijk en er kwam maar zelden een brief. Zelfs zijn vader, de ontzagwekkende kapitein van een walvisvaarder, was doodsbang dat zijn zoon nooit meer thuis zou komen.'

'Wat gebeurde er?'

'Mijn vader vertelde me dat zijn grootvader gewond was geraakt aan het front en het laatst werd gezien toen hij in een modderige loopgraaf lag. Zijn eskadron had zich teruggetrokken en toen ze weer in het kamp terugkwamen, was hij verdwenen. Daarop kregen ze het nieuws dat hij vermist werd. De hele familie zat op verdere informatie te wachten, maar iedereen dacht dat hij gesneuveld was. Er ging een hele tijd voorbij, weken en zelfs maanden.'

'Wat afschuwelijk,' zei Lily.

'Iedereen had de hoop al opgegeven, behalve zijn geliefde, mijn overgrootmoeder,' zei Liam. 'Zij wist het gewoon.'

Lily knikte gretig. Dat begreep ze volkomen. Er was een band, zelfs al kon je die andere persoon niet zien. Die bestond ook nog steeds tussen haar en de vrouw in de tuin van wie ze zoveel hield. Vanbinnen begon ook weer iets te sprankelen. En precies zo'n band had ze ook altijd met Rose gehad.

'Ze wist dat hij nog in leven was?' vroeg Lily.

'Ja. Heel zeker. Maar iedere dag die zonder nieuws voorbijging, was een kwelling. Ze wist dat hij er nog steeds was, maar ze kon niet naar hem toe. En ze wist dat hij naar haar verlangde, net zoals zij naar hem verlangde.'

'En je vader vertelde je dat verhaal omdat jij naar je moeder verlangde,' zei Lily.

'Ja. En ik dacht, zoals dat met driejarige jongetjes gaat, dat zij ook naar mij verlangde.'

'Dat zal vast wel het geval zijn geweest,' zei Lily en dacht aan Rose die op haar derde hier in het ziekenhuis had gelegen. Iedere seconde zonder haar was een regelrechte ramp geweest en bijna ondraaglijk.

'Wat was er met je overgrootvader gebeurd?'

'Hij was zwaargewond geraakt en op vijandelijk terrein terechtgekomen. Daar werd hij naar een veldhospitaal gebracht en het duurde maanden tot dat bekend werd. Aanvankelijk was het niet meer dan een gerucht. Alleen maar een vage suggestie dat hij misschien toch nog in leven was. Mijn overgrootmoeder trok zich niets van al die geruchten aan. Zij wist wel beter. Ze was er in haar hart van overtuigd dat hij weer thuis zou komen. En dat was ook zo, Lily. Hij is een tijdje krijgsgevangen geweest, maar uiteindelijk kwam hij weer thuis.'

'En dat wist ze.'

'Ja, dat had ze al die tijd geweten.'

'En ze heeft op hem gewacht.'

'En dat is precies wat ik je eigenlijk wilde vertellen, Lily Malone,' zei Liam. 'Iedereen zegt altijd dat Rose een knokker is en dat is ze ook. Net als mijn overgrootvader. Maar in feite draait het hele verhaal net zo goed om mijn overgrootmoeder.'

'Omdat ze nooit de moed opgaf.'

'Precies. Sommige dingen zijn het waard om voor te vechten, Lily. En voor andere dingen geldt dat het de moeite waard is om erop te wachten.'

Lily keek naar hem op. Achter zijn hoofd stond het gedenkteken afgetekend tegen de lucht. Ze voelde haar hart bonzen. Hij had het over zijn overgrootmoeder die zoveel van haar man had gehouden en die zo'n raadselachtige band met hem had gehad dat ze geen brieven of telefoontjes of gesprekken nodig hadden gehad. En hij had het over de driejarige Liam Neill die wachtte tot zijn broertje geboren zou worden, zodat hij kennis met hem zou kunnen maken en zijn moeder weer terug zou zien. En hij had het over Rose, die op het punt stond de laatste en allerbelangrijkste operatie van haar leven te ondergaan, waarbij de oude VSD-patch voorgoed vervangen zou worden. Maar uit de manier waarop hij zich naar Lily boog en zijn gezicht vlak voor het hare bracht, wist ze dat hij het ook nog over iets anders had.

'Je hebt me een keer verteld dat Rose een wonderbaarlijk klein meisje was. Toen zei je ook dat je me op een keer zou vertellen wat je daar precies mee bedoelde. Wil je me dat nu vertellen?'

Hij knikte. Hij sloeg zijn armen om haar heen, beide armen, en de linker voelde even teder aan als de rechter. Ze had het gevoel dat haar benen van gelei waren en leunde tegen hem aan, in de hoop dat haar hart niet uit haar borst zou spatten.

'De nacht dat ik heb geholpen om Rose ter wereld te brengen,' zei hij, 'en zag hoe ze geboren werd... toen heeft ze mij ook weer tot leven gebracht.'

Lily kon geen woord uitbrengen. Haar gedachten gingen terug en ze herinnerde zich de verscheurende pijn. Ze was zo getraumatiseerd door alles wat haar naar Cape Hawk had gedreven dat ze als een wild dier in een hol was gekropen en niet eens naar het ziekenhuis had gedurfd uit angst dat haar man haar zou vinden of dat de artsen en de verpleegkundigen haar uit alle krantenartikelen zouden herkennen en de politie zouden bellen.

Liam was de enige persoon die ze durfde te vertrouwen. Uit pure noodzaak. Gewoon omdat hij er wás.

'Jou tot leven gebracht?' vroeg ze uiteindelijk.

Hij knikte, streek het haar uit haar ogen en streelde haar gezicht.

'De haai die mijn broertje doodde,' zei hij, 'heeft ook de rest van mijn familie gedood.'

'En jou je arm afgerukt,' zei Lily.

'Hij had me mijn hart uit het lijf gerukt,' zei Liam. 'En jij en Rose hebben me dat weer teruggegeven.'

'Maar je kende ons nauwelijks...'

'Dat weet ik wel,' zei Liam. 'Daarom was het volgens mij ook een wonder. Een vreemde die ik nooit had ontmoet... Dat was jij. In een blokhut ergens midden in de bossen. En je schonk het leven aan dat prachtige, kleine meisje. Terwijl je me voldoende vertrouwde om mijn hulp bij de bevalling te aanvaarden.'

'Ik vertrouwde je inderdaad,' fluisterde Lily. En ze wist dat, als je naging waarvoor ze op de vlucht was, dat alleen al een wonder was geweest.

'Er is nog iets dat ik je vanavond wil laten zien,' zei Liam. 'Als je tenminste met me mee wilt rijden.'

'Je mag me overal naartoe brengen,' fluisterde ze.

De rechtervoorstoel van zijn truck lag vol spullen, dus toen Lily instapte, moest ze zijn laptop opzij duwen. Hij reed door het park en het stenen hek de heuvel af, op weg naar de stad. De haven van Melbourne was omringd door de twinkelende lichtjes van winkels, hotels, restaurants en huizen. Liam reed langs de citadel, de oude kantelen die ooit de wacht hadden gehouden over de haven en dateerden uit de tijd dat het land nog Frans Acadië werd genoemd.

Ze reden langs de kust naar het zuidwesten. Lily voelde een steek van heimwee. Dat overkwam haar iedere keer dat ze in een auto zat die in de richting reed van New England. Ze zakte onderuit in haar stoel en voelde de wind van zee door de openstaande raampjes naar binnen waaien. Vandaag voelde ze een speciale tinteling, bijna alsof haar grootmoeder haar naam riep.

De hemel was bezaaid met sterren, die tot vlak boven de horizon reikten. De met steenslag bedekte helling glooide omlaag naar de Atlantische Oceaan en het was net alsof de sterrenbeelden uit de oceaan omhoogsprongen.

Toen ze een bocht om reden, kwamen ze bij de vuurtoren van Melbourne. De lichtstraal flitste langs de hemel. Liam sloeg linksaf en nam een ongeplaveide weg die naar de verste bijgebouwen van de vuurtoren leidde. Daarna pakte hij zijn laptop, zette die op zijn knieen en schakelde het apparaat in. Lily zag het scherm opblinken met groene en paarse lichtjes.

'Wat zijn dat?' vroeg ze.

'Haaien en verschillende soorten walvissen,' zei hij.

'Hoe komt het dat je die kunt zien?' vroeg ze gefascineerd.

'Ik vang ze en laat ze weer los nadat ze een zendertje hebben gekregen,' zei hij. 'Om migratie- en jachtpatronen te kunnen volgen. Met name die van de roofvissen.'

Roofvissen. Dat deed Lily onwillekeurig aan andere dingen denken en ze huiverde.

'Wat zijn de haaien?' vroeg ze.

'De paarse lichtjes,' zei hij.

'Waar zijn ze?'

'Dit scherm laat de kustlijn hier op deze plek zien,' zei hij. 'Zie je dat donkerste gedeelte? Dat is het land... het zuidelijk deel van Nova Scotia, van Melbourne tot Halifax.'

'Het is me eigenlijk nooit opgevallen dat Nova Scotia de vorm van een kreeft heeft,' zei Lily terwijl ze naar het computerscherm staarde en naar het silhouet van het eiland tegen de lichtere, leigrijs gekleurde zee, vol met flakkerende paarse lichtjes.

Ze keek op naar Liams gezicht. Hij zag er zo tevreden en vriendelijk uit... hoe kon dat als je naging dat de zee vol haaien was? Per slot van rekening had een van hen Connor gedood.

'Waarom doe je dit eigenlijk?' vroeg ze. 'Waarom heb je je leven gewijd aan de studie van iets dat zo slecht is?'

'Haaien?'

'Ja.'

'Die zijn helemaal niet slecht, Lily. Wel gevaarlijk, natuurlijk. Maar dat is niet hetzelfde.'

'Wat is dan het verschil?' zei ze, denkend aan een ander soort roofdier.

'Haaien doden niet om iemand pijn te doen of te laten lijden. Ze doden om te eten. Het is gewoon hun instinct, hun manier om in leven te blijven. Dat heb ik ook eerst moeten leren voordat ik kon ophouden met ze te haten.'

Lily dacht aan haar gebroken hart en aan dat van Rose. Het letsel was toegebracht door een menselijke haai en dat had zoveel spanning met zich meegebracht dat ze bijna verscheurd was en van huis moest weglopen. En dat was ook de reden waarom Rose was geboren met vier hartafwijkingen. 'Hoe kun je voorkomen dat je iets dat zoveel schade heeft veroorzaakt blijft haten?'

'Je moet wel,' zei Liam. 'Anders zal het jou ook doden.'

Lily staarde naar de paarse lichtjes op het scherm. Daarna keek ze uit het autoraampje. Ze reden in zuidelijke richting. Een paar honderd kilometer verderop, recht over het water, lag Boston. En daarachter haar oude woonplaats. Ze vroeg zich af hoeveel haaien er tussen haar en de plek waarvan ze zoveel had gehouden zouden zwemmen.

'Ik weet alles over haat,' zei ze.

'Ja, dat weet ik,' zei Liam. 'Dat is een van de redenen waarom ik je vanavond hiernaartoe wilde brengen.'

'Hoe komt het dat je dat weet? Is het te merken?'

Hij zweeg even en staarde naar de donkere zee. De vuurtoren zwiepte zijn lichtstraal over het gladde wateroppervlak en verlichtte het om de vier seconden. Daarna draaide hij zich om. 'Ja, het is te merken,' zei hij. 'Je hebt jezelf opengesteld voor een paar van je vriendinnen... voor Anne en voor de Nanoukmeiden. Maar je houdt jezelf en Rose verborgen voor alle andere mensen.'

'Dat moet jij nodig zeggen,' zei Lily glimlachend.

'Ik weet het... maar daarom herken ik het bij jou. Ik heb dit computerprogramma om me te helpen meer te leren over dat wat ik het meest van alles haatte.'

'Ik heb mijn best gedaan om hem te bestuderen,' zei Lily. 'Maar hij is anders dan een haai... Hij doet mensen wel opzettelijk pijn. Dat heb ik aan den lijve ondervonden.'

'Het kan je ook volkomen in beslag nemen,' zei Liam terwijl hij het computerscherm naar Lily toe draaide. 'Als je niet oplet, zie je alleen nog maar paarse lichtjes. En dan vergeet je om ook op de groene te letten.'

'De groene?'

'Walvissen,' zei hij. 'De goedaardigste dieren in de oceaan.'

Lily bestudeerde het scherm. 'Er zijn niet zoveel walvissen hier,' zei ze. 'Kijk eens naar al die paarse lichtjes. En maar drie groene.'

'Het is niet zo gemakkelijk om walvissen van een zender te voorzien,' zei hij. 'We blijven liever een beetje bij ze uit de buurt.'

'Wil je daar soms mee zeggen dat er best een heleboel verborgen walvissen kunnen zijn? Stille, om het zo maar eens te zeggen?' Ze lachte.

'Ja,' zei hij. 'Plus één die echt in het oog springt.' Hij tikte op het scherm. 'Deze bedoel ik.' Hij sloeg een paar toetsen aan en de identiteit van de vis verscheen in een kadertje op het scherm.

'ZZ122,' las Lily hardop.

'Die vis was een week geleden nog in Cape Hawk,' zei hij. 'Ze verdween een paar dagen, maar dat kwam omdat ik het programma had bijgesteld om haar in een vertrouwde omgeving te kunnen volgen...

de omgeving waar ik haar gedurende de zomermaanden altijd verwacht aan te treffen.'

'Is de walvis dan naar de zuidkust gezwommen?' vroeg Lily. Er liep
een rilling over haar rug. Ze begreep het al zonder iets te weten.
'Regelrecht naar Melbourne,' zei Liam. 'Zo dicht mogelijk bij
Melbourne.'

'Is dat vreemd? Ongewoon?'

'Heel ongewoon.'

'Waarom?'

'Dit is een beloega,' zei Liam. 'Beloega's trekken zelden verder zuidelijk dan Cape Hawk. Ze horen thuis in noordelijke wateren.'

'Waarom zou deze dan hier zijn?' fluisterde Lily. Liam zette de laptop opzij en stak zijn hand uit om de hare te pakken. Ze voelde dat
haar benen begonnen te trillen. Liam hield maar zelden haar hand
vast. Zijn handpalm en vingertoppen voelden ruw aan, van al het werk
dat hij op boten verzette. Lily huiverde omdat ze bang was dat hij haar
hand had gepakt om haar iets te vertellen dat haar angst aanjoeg.

'Ik denk om bij Rose in de buurt te zijn,' zei hij.

'Wat bedoel je daarmee?'

'Dat is Nanny,' zei hij.

Lily staarde naar het knipperende groene lichtje waar 'ZZ122' bij
stond. Daarna keek ze op en liet haar blik over de eindeloze zwarte
zee dwalen. Het licht van de vuurtoren zwiepte over het water en
toonde de witte kruintjes van kleine golven. Liam pakte een verrekijker uit het vak aan zijn portier. Hij tuurde naar het wateroppervlak, maar hield al snel op.

'Het is te donker om te zien,' zei hij, 'maar ze is daar wel degelijk.'

'Het is gewoon onmogelijk dat ze hier vanwege Rose is,' zei Lily.

'Hoezo?' vroeg Liam. 'Waarom zou dat onmogelijk zijn?'

'Omdat ze een beloega is. Ze kent geen emoties. Ze kan niet weten hoe Rose naar haar verlangt en hoeveel ze van haar houdt.'

'Waarom kan ze dat niet?' fluisterde Liam terwijl hij Lily's gezicht
aanraakte. Zijn hand was warm en ze drukte haar wang ertegenaan.

'Of zou het net zoiets zijn als bij een vleermuis, dat ze signalen uit-
zendt, net als in dat verslag van Rose? Of zoals de geluidsgolven bij
haar echo's?' vroeg Lily. 'Zou Nanny kunnen voelen hoeveel Rose
van haar houdt? Nee...'

Liam reageerde niet... althans niet met woorden. Hij trok Lily teder naar zich toe en boog zich voorover om haar te kussen. Zijn mond was warm en ze smolt weg in zijn armen. Golven sloegen op de rotsachtige kust en sleten die af waardoor de scherpe randjes verdwenen. Lily hoorde de golven en ze voelde een aardbeving. Maar die sloeg door haar borst en ze stak haar hand op om Liams wang te liefkozen.

Tegelijkertijd hoorde ze haar eigen vraag in haar oren weergalmen. En wist het zeker... Ja, Nanny kon Roses liefde voelen. Lily was al zolang bevroren geweest dat ze was vergeten dat liefde in golven kwam... mysterieuze golven waar nooit een eind aan kwam. Als je maar lang genoeg wachtte, sloegen ze uiteindelijk toch op de kust, ook al was die nog zo ver weg. De golven gaven het nooit op.

Ze tilde haar armen op, sloeg ze om Liams nek en kuste hem terug met alle hartstocht die ze in negen jaar opgespaard had. Hij legde zijn goede arm om haar middel. Buiten klotste de zee tegen het graniet. Een van de golven spatte omhoog en de fijne druppeltjes raakten hun gezicht. Lily proefde zout water en knipperde met haar ogen.

'Wat betekent dat?' vroeg ze.

'Alles wat wij willen, Lily Malone,' antwoordde hij.

Het licht van de vuurtoren floepte weer aan en verlichtte de baai. Ze keek op naar Liam en wist dat als ze haar hoofd op dat moment omdraaide, in dit onderdeel van een seconde, ze Nanny zou zien. Dan zou ze met eigen ogen de witte walvis zien, de mysterieuze beloega die in het kielzog van Rose naar het zuiden was gezwommen. Maar Lily was niet in staat haar ogen af te wenden. Ze was verdiept in Liams ogen, die net zoveel mysteries en wonderen bevatten.

19

Patrick Murphy zat in de grote kajuit van de *Probable Cause* met Flora aan zijn voeten en speurde het internet af naar witte walvissen. Met name naar beloega's. Het was vreemd dat er zoveel websites gewijd waren aan zeezoogdieren. En al die boottochten die je kon maken, aan de oostkust, de westkust, Mexico en Canada. Maar er waren niet veel plaatsen die prat konden gaan op de aanwezigheid van de zeldzame witte beloega.

Angelo zat op het dek een sigaar te roken en te luisteren naar een verslag over de Yankees.

'Hé, alle honken zijn bezet. Kom je nou naar boven?'

'Zo meteen.'

'Je nodigt me uit om samen een biertje te drinken en naar het honkbal te luisteren en dan laat je me alleen zitten. Wat zit je daar beneden toch te doen? Heb je een liefje in een van de chatrooms?'

'Ik ben bezig met politiewerk.'

'Je bent verdorie gepensioneerd.'

'Zou je nou even je mond willen houden?' vroeg Patrick, terwijl hij een lijst maakte van alle plaatsen waar tochten werden georganiseerd om beloega's te bekijken. Hij zat aan de cola omdat hij acht jaar geleden bier en alle sterke drank had afgezworen, maar nu begon hij last te krijgen van een overdosis cafeïne. Of misschien was hij gewoon opgewonden in de wetenschap dat hij op het punt stond iets te ontdekken.

'Heb je het tegen mij? Ik ben je beste vriend, ik heb nacho's meegebracht en dan krijg ik te horen dat ik mijn mond moet houden?'

'Je hebt gelijk, het spijt me. Ik ben op zoek naar beloega's.'

'Beloega's? Gaat het om kaviaar?'

'Dat dacht ik eerst ook, maar nee. Dat zijn witte dolfijnen, ook wel witte walvissen genoemd.'

'Net als Moby Dick?'

'Hè? Dat zou best kunnen, maar dat moet ik aan Maeve vragen. Zij is lerares geweest, dus dat zal ze wel weten.'

'Verdomme... gaat het over Mara Jameson? Zeg dat het niet waar is. Wat je daar beneden ook zit uit te spoken, zeg nou alsjeblieft dat je niet alweer een avond van je leven zit te verknoeien aan een zaak waar nooit schot in heeft gezeten, waar nu geen schot in zit en waar ook nooit schot in zal zitten.'

'Dat kan ik je helaas niet vertellen,' zei Patrick. Hij had een lijst gemaakt die hij nu begon te bestuderen: beloega's konden gedurende de zomermaanden bezichtigd worden in verschillende plaatsen rond de Golf van St. Lawrence in Canada, Newfoundland, New Brunswick, Nova Scotia en zelfs in Quebec Province. Walvistochten werden aangeboden door bedrijven in Tadoussac, St. John, Gaspé, Cape Hawk en Chéticamp.

'Martinez heeft net een homerun geslagen,' riep Angelo naar beneden. 'Een grand slam. Die heb je wel gemist.'

'Wacht nog even. Ik kom zo boven,' zei Patrick terwijl hij op zoek ging naar de namen van de betreffende bedrijven. Wat zou hij dan moeten doen... ze stuk voor stuk opbellen om te vragen of ze weleens een passagier op een van hun boten hadden gehad die gelijkenis vertoonde met Mara Jameson?

'De Yankees staan nu met 6-1 voor.'

'Hup Yanks,' zei Patrick, terwijl hij 'Mara Jameson, beloega's' invoerde in de zoekmachine. Niets. Hij probeerde 'Mara Jameson, Tadoussac', vervolgens 'Mara Jameson, St. John' enzovoort. Politiewerk was vaak ondankbaar. En nu werd hij er niet eens voor betaald.

Zijn mobiele telefoon deed het niet in de kajuit, dus klom hij aan dek. Angelo wierp hem een verwijtende blik toe, die hem deed denken aan de manier waarop Sandra hem altijd aankeek in de tijd toen hij hun huwelijk verpestte door iedere minuut van de dag te wijden aan de zaak Jameson.

'Nog even,' zei Patrick en liep naar de boeg waar hij niet afgeluisterd kon worden.

'De nacho's worden koud!' riep Angelo hem na. 'En mijn bier is al lauw!'

Patrick drukte een hand tegen zijn oor om alle geluiden van de jachthaven – plus de stem van zijn vriend – buiten te sluiten en toetste het nummer van Maeve in.

'Hallo?' zei ze.

'Maeve,' zei hij, 'ik wil je iets vragen. Heeft Mara het met jou weleens over walvissen gehad?'

'Walvissen?'

'Beloega's. Dat zijn witte dolfijnen, of witte walvissen, net als dat stel dat ze in het Mystic Aquarium hebben.'

Ze bleef even nadenkend zwijgen. 'Niet voor zover ik me kan herinneren,' zei ze.

'Hmmm.'

'Vraag haar eens hoe dat zit met Moby Dick,' riep Angelo achter hem.

'Hou nou eens even je bek!' riep Patrick.

'Mijn bek...' Maeve klonk geschokt.

'Ik had het niet tegen jou, Maeve,' zei Patrick haastig. 'Heeft ze, Mara bedoel ik, het weleens over plaatsen in het noorden gehad? Plekjes waar ze graag naartoe wilde? In Canada bijvoorbeeld.'

'Canada?' vroeg Maeve. Haar stem klonk geïnteresseerd.

'Met name plaatsen aan de Golf van St. Lawrence?'

'Wat grappig dat je dat vraagt,' zei Maeve. 'Want Edward is net langs geweest met een tas waar wat spullen van Mara in zaten...'

'Edward Hunter? Is die bij jóú langs geweest?'

'Mmm,' zei Maeve. Ze begon te hoesten en het duurde even voordat ze zichzelf weer in bedwang had.

'En hij heeft je een tas met spullen van Mara gegeven?'

'Ja. Dat probeerde ik je net te vertellen. Ik was niet echt onder de indruk,' zei ze. 'Maar er zat wel iets vreemds bij, iets dat met Canada te maken had. Maar niet met walvissen...'

'Wat dan?'

'Iets met betrekking tot de dood van haar ouders. Daar keek ik wel van op.'

'Wil je alsjeblieft thuisblijven, Maeve? Ik wil zien wat het is.'

'Waar zou ik anders naartoe moeten?' vroeg ze lachend.

'Ik kom er meteen aan,' zei hij terwijl hij zag dat Angelo zich geërgerd voor zijn hoofd sloeg en de laatste nacho's naar binnen propte.

Maeve en Clara zaten in de woonkamer te kaarten en te luisteren naar een radioverslag van de wedstrijd van de Red Sox. De kaarten waren al heel oud en een beetje vochtig van al die jaren in de zilte lucht. Maeve vroeg zich af hoe vaak zij en Clara sinds hun meisjestijd al een kaartje hadden gelegd. Lange kaarsen stonden te branden in stormlantaarns om te voorkomen dat ze door de wind van zee uitgeblazen zouden worden. De ramen stonden open en de geur van zout en kamperfoelie dreef de kamer binnen. Maeve voelde zich een beetje duizelig en koortsig, alsof ze iets onder de leden had.

'Hoe laat zou hij hier zijn?' vroeg Clara.

'Nou, hij zei dat hij er meteen aan kwam. Dus zo lang als het duurt om van Silver Bay hierheen te rijden.'

'Hooguit twintig minuten. Ik vraag me af of hij die zwaailichten en de sirenes weleens mist nu hij gepensioneerd is.'

'Ik ook,' zei Maeve. Ze moest iets wegslikken. Haar spijsvertering speelde een beetje op. Misschien had ze iets gegeten dat verkeerd was gevallen. Of misschien kwam het gewoon door de spanning... het wachten op Patrick, na de opwinding die ze in zijn stem had gehoord. Ze pakte haar oude, geborduurde brillenkoker, haalde haar bifocale bril eruit en zette die op.

'Heb je die dingen van Mara al voor hem klaargelegd?' vroeg Clara.

Maeve keek haar aan zonder iets te zeggen. *Wat dacht jij dan?*

'O, neem me niet kwalijk, hoor! Ik vroeg me alleen af of hij denkt dat hij iets zal ontdekken wat door iedereen over het hoofd is gezien. Het lijkt me verspilde moeite om hierheen te komen.'

Maeve keek haar beste vriendin met open mond en diep geschokt aan.

'Hoe kun je dat nou zeggen?'

'Ik wou alleen... ik wil gewoon niet dat je al te veel hoop krijgt.'

Maeve sloot haar ogen en trok haar Ierse linnen sjaal strakker om haar schouders. Haar maag kwam in opstand en daar werd ze niet vrolijker van. Als er iemand was die zou moeten weten dat ze nooit de hoop zou opgeven, niet zolang ze nog één ademtocht in haar lijf had, dan was het Clara wel. Ze hoopte dat ze de juiste beslissing had genomen. Ze huiverde. Het was de afgelopen paar dagen 's avonds nogal kil geweest en ze had de verwarming aan gezet. Het was geen pretje om oud te worden, dacht ze.

'Er is inmiddels al zoveel tijd verstreken,' mompelde ze.

'Precies,' zei Clara, die haar woorden verkeerd begreep. 'Dat zit mij ook zo dwars. Dat het al zo lang geleden is en jij nog steeds de moed niet hebt opgegeven. Stel je voor dat dit weer loos alarm is, lieverd!'

Maeve knikte, omdat ze het ogenschijnlijk met haar eens was. Ze had gehoopt dat ze zolang ze leefde Edward Hunter nooit meer onder ogen zou krijgen. Maar hij had haar een prachtig geschenk gegeven door haar dat tasje te brengen. En Patrick Murphy, die eeuwige politieman en doorgewinterde speurneus, had iedere aanwijzing zo grondig nagetrokken als een grootmoeder maar kon wensen. Hij was naar Mara blijven zoeken, dag in dag uit.

'Daar komt hij aan,' zei Clara, toen ze Patricks koplampen zag.

Maeve stond op en liep via de keuken naar de voordeur. Motten fladderden om de buitenlampen en het licht viel op de gele gieter die bij de rozenboog stond. Ze opende de hordeur en liet Patrick binnen.

'Hallo, Maeve. Bedankt dat ik nog zo laat mocht langskomen.'

'Hallo, Patrick. Clara en ik zaten gewoon te kaarten met een kopje thee erbij.'

'Het spijt me dat ik jullie moet storen. Hallo, Clara,' zei hij.

Clara had al een kop thee voor hem ingeschonken die ze hem overhandigde op het moment dat hij de woonkamer binnenkwam. Maeve stond even te duizelen op haar benen, maar ze herstelde zich voordat de anderen iets door hadden. Op zo'n avond als deze, als de zomerse sterren vanuit de Long Island Sound omhoogrezen en onverwacht bezoek voor de deur stond, wenste Maeve onwillekeurig nog steeds dat het Mara zou zijn. Ze zag dat Patrick gespannen stond te wachten en ging het tasje ophalen.

'Is dat het?' vroeg hij.

Ze overhandigde hem het glimmende tasje en knikte.

'Hij heeft het vorige week langs gebracht!' zei Clara. 'Het lef om zomaar in Maeves tuin op te duiken!'

'Edward Hunter heeft nooit gebrek aan lef gehad,' zei Patrick. 'Mag ik erin kijken?'

'Natuurlijk,' zei Maeve. Ze ruimde het kaarttafeltje af en Patrick legde er de inhoud van het tasje op. Ze had alles al stuk voor stuk bekeken, net als de politie voor haar. Ze vermoedde dat Patrick alles ook al eerder had gezien.

'Ach ja,' zei hij. 'Haar adresboek, haar autosleutels, haar zilveren pen, een leren naaisetje... die dingen hebben we allemaal al gezien. Maar waarom heeft hij ze aan jou teruggegeven?'

'Volgens mij wilde hij me zien,' zei Maeve. 'Om een andere reden. Dit was gewoon zijn excuus.'

'Wat voor reden?'

'Om te zien of ik hem wel of niet haatte. Edward kon het niet uitstaan als iemand hem haatte. Dat is het belangrijkste doel in zijn leven: bij iedereen in de smaak vallen. Ook al is het maar om de baas over ze te spelen.'

'Maar hij is zo'n sluwe verkoper,' zei Clara. 'Dat had ik destijds zelf helemaal niet door. Maar nu wel. En ik snap echt niet waarom zo'n schat als Mara verliefd op hem is geworden.'

'Ze is verliefd op hem geworden omdat ze dacht dat ze hem kon helpen,' zei Maeve. 'Ze had zo'n groot hart en Edward kon zulke mooie verhalen ophangen over alle pech die hij in zijn leven had gehad.'

'Maar dat is allemaal al zo lang geleden,' zei Clara, die niet begreep wat ze bedoelde. 'Toen hij nog een kind was. Wat had Mara daar nou mee te maken? En het had toch ook niets te maken met het soort man dat Edward is geworden?'

Patrick leek niet te luisteren terwijl hij de rest van de voorwerpen uit de tas bekeek: een gedichtenbundel van Yeats, een van Johnny Moore en een verzameling krantenknipsels over de dood van Mara's ouders.

'Eigenlijk zou het er ook niets mee te maken moeten hebben,' zei Patrick. 'Maar kerels als Edward slaan klinkende munt uit hun jeugd. Het is hun manier om zich sympathie te verwerven.'

'De enige fout die Mara heeft gemaakt,' zei Maeve, 'is dat ze hem uiteindelijk doorzag.'

'Denk je dat Edward jou daarom weer kwam opzoeken? Om te zien of jij hem ook doorzag?'

'Dat weet ik wel zeker. Hij stond op te scheppen over het succes dat hij als effectenmakelaar had. Heel subtiel... hij tartte me. Hij weet dat ik hem doorzie, maar dat ik niets kan beginnen.'

'Wat slaat er nu op Canada?' vroeg Patrick. 'Ik kan niets vinden.'

'In dit artikel,' zei Maeve, terwijl ze een vergeeld knipsel tussen de andere uit viste. Met een raar gevoel in haar maag keek ze toe hoe Patrick het doorlas.

Mara's ouders hadden de dood gevonden bij een met veel publiciteit omgeven ongeluk met een veerboot in Ierland. Als tiener had ze diverse Ierse kranten aangeschreven met het verzoek om haar de knipsels toe te sturen. Maeve voelde dat haar polsen sneller begonnen te kloppen terwijl ze naar Patricks gezicht zat te kijken. Ze vroeg zich af wat hij zou vinden van die vermelding... zou hij die in verband kunnen brengen met de andere aanwijzingen?

'Inwoners van Ard na Mara,' las Patrick. 'Wat is Ard na Mara?'

'De stad in het westen van Ierland waar haar ouders de dood vonden.'

'Wat betekent dat?'

'*Ard* is Gaelic voor "top" en *Mara* betekent "zee".'

'Ik wist niet dat Mara naar de zee vernoemd was.'

Maeve knikte. 'En naar die stad. Het was de geboorteplaats van haar moeder. Lees maar verder, Patrick.'

'Inwoners van Ard na Mara hebben een gedenkteken opgericht voor de slachtoffers van de ramp met de veerboot. Een koperen plaquette met de naam van alle personen aan boord van het verongelukte schip zal worden aangebracht op een brok graniet dat is geschonken door een gezin uit Nova Scotia, Canada. Frederic Neill was naar Ard Na Mara gekomen voor een afspraak met Aran Shipbuilders om opdracht te geven voor de bouw van het derde en grootste schip in de vloot rondvaartboten die het eigendom zijn van zijn familie. Camille Neill, zijn weduwe, gaf vanuit haar kantoor in het hotel in Cape Hawk, Nova Scotia, waarover zij de leiding heeft, een kort commentaar. "De familie wenst de herinnering aan Frederic levend te houden," zei ze over het monument. Verder wenste ze geen mededelingen te doen.'

'Wat een fantastisch gebaar, hè?' zei Clara.

'Ik vraag me af of er door de rondvaartboten van de familie ook walvistochten worden gehouden,' zei Patrick terwijl hij Maeve strak aankeek.

Haar handen trilden, dus ze liet ze rustig op haar schoot liggen.

'Wat denk jij, Maeve?' vroeg hij.

'Ik heb echt geen flauw idee.'

'Cape Hawk,' zei hij. 'Dat is een van de plaatsen waar mensen een tocht kunnen maken om beloega's te zien.'

Clara glimlachte. 'Goh, die hebben ze ook in het aquarium in Mystic. En daar heb jij een abonnement op, Maeve!'

'Ja,' zei Patrick. 'Dat klopt toch, hè?'

'Mmm,' zei Maeve terwijl ze haar sjaal nog strakker om zich heen trok. Het was helemaal geen kille avond, de vuurvliegjes dansten in de tuin naast het huis en de lucht was bezwangerd met de geur van zomerbloemen. Maar zij had het gevoel dat er een noordwester door het openstaande raam woei. Misschien was haar maagpijn helemaal niet het gevolg van indigestie, maar het begin van griep. Afgelopen winter had ze het behoorlijk te pakken gehad. Ze was bijna in het ziekenhuis beland. Ze kon vanavond maar beter weer de verwarming aan zetten.

'Wat ben je bleek, Maeve,' zei Patrick.

'Dat komt gewoon door het kaarslicht,' zei ze.

'O, daarom is het zo moeilijk om die verhalen te lezen,' zei Patrick, maar hij lachte niet. Hij leek heel vastberaden, wat hij ook van plan mocht zijn. Maeve was ervan overtuigd dat hij alleen uit beleefdheid zijn thee opdronk. Ze wenste dat hij op zou schieten om aan de volgende stap in zijn onderzoek te beginnen. Maar was dat wel zo? Bij het idee alleen kwam haar maag al in opstand. Ze had al zoveel verdriet, gevaar en teleurstellingen beleefd.

'Heb je iets aan die artikelen?' vroeg Clara.

'Dat weet ik nog niet,' zei Patrick. 'Eén ding is in ieder geval toevallig...'

'Wat dan?' vroeg Maeve.

'Het feit dat Cape Hawk in dat knipsel over het gedenkteken voor die veerboot is genoemd, terwijl ik vanavond bij mijn onderzoek ook op die naam ben gestuit.'

'Een onderzoek naar walvissen,' zei Maeve.

'Vind jij dat geen vreemd toeval?' vroeg Patrick.

'Ik geloof eigenlijk niet in toevalligheden,' zei Maeve. Patrick keek haar strak aan. Ze hield zijn blik even vast en zag toen dat zijn ogen naar haar brillenkoker dwaalden. Het was al een oud en versleten geval en sommige van de borduursteken waren na al die jaren weggesleten. Hij bleef er even naar kijken alsof hij probeerde het woord en het beeld te ontcijferen. Zou hij de staart kunnen onderscheiden?

'Wou je zeggen dat je denkt dat er een verband bestaat?' vroeg hij, terugkerend naar het onderwerp van gesprek.

'Nee.'

'Weet je dat zeker?'

'Heel zeker.'

Ze zette haar bril af en stopte die weer in de koker. Haar handen trilden en ze voelde het zweet op haar voorhoofd parelen. 'Luister, beste jongen,' zei Maeve. 'Ik voel me helemaal niet goed. Ik heb nogal last van indigestie en misschien heb ik ook wel een zomergriepje onder de leden. Ik ben koud tot op mijn botten. Waarom neem je die knipsels niet mee?'

'Dat zal ik doen, Maeve,' zei hij zonder zijn blik af te wenden.

En Maeve huiverde... Niet omdat het ineens zo koud was in de kamer, maar omdat Patrick Murphy haar voor het eerst had aangekeken alsof zij de vijand was. En daar had hij het volste recht toe.

20

Marisa had pijn in haar vingers van het insteken en doorhalen van de naald bij het borduren van de woordjes 'Breng Rose Thuis' op het ene na het andere kussentje. Het was rustig in Lily's zaak, het enige dat je hoorde was een cd van Spirit. Marisa had *Aurora* opgezet en Jessica bleef het titelnummer keer op keer draaien. Vanaf de haven dreven af en toe de geluiden van boten en zeemeeuwen binnen. Terwijl ze zat te werken, dwaalden Marisa's gedachten terug naar haar jeugd, toen ze aan haar moeders schoot had gezeten om te leren hoe ze zelf haar kleren moest verstellen.

'Goed zo, lieverd,' had haar moeder dan gezegd en haar complimentjes gegeven voor de grootste, lelijkste steken die iemand ooit had gemaakt. 'Je begint het al aardig onder de knie te krijgen!'

Marisa had elk uurtje dat ze samen met haar moeder doorbracht heerlijk gevonden. Naaien, koken, tuinieren, dat maakte niets uit. Zelfs autorijden... Marisa had de knaloranje Volvo van haar moeder al hun doodlopende straatje in en uit mogen rijden toen ze nog maar twaalf jaar was. Al haar vriendinnen waren jaloers op haar geweest.

Haar moeder had Marisa en haar zusje ook geleerd om in een auto met een versnellingspook te rijden, hoe ze rozen moesten snoeien, dat ze op moesten letten op groepjes van drie en vijf blaadjes aan oude rozenstruiken, hoe ze oranje daglelies moesten delen, hoe ze stekjes konden snijden van de klimop, waar ze wilde bramen konden vinden en hoe ze zwanen moesten benaderen... Want zwanen mochten nog zo mooi en gracieus zijn, ze waren heel agressief en vielen af en toe mensen aan.

Ze had Marisa geleerd hoe ze zich tegen zwanen moest beschermen, maar niet hoe ze moest omspringen met mannen met een gladde tong. Zoals Ted. Marisa keek op en wierp een blik op Jessica aan de andere kant van de winkel. Bij de Nanouks waren zij nu aan de beurt om in Lily's winkel te werken. Het was de bedoeling dat de zaak gewoon open zou blijven, zodat Lily en Rose als ze weer terugkwamen uit het ziekenhuis zich geen zorgen over geld hoefden te maken.

Anne, die als boekhoudster van *De Steekproef* fungeerde tot Lily weer terug was, had van Lily te horen gekregen dat iedereen voor het werk betaald moest worden. Het merendeel van de Nanouks weigerde een salaris aan te pakken en stortte dat geld meteen in het 'Breng Rose Thuis'-fonds, maar die luxe kon Marisa zich niet veroorloven. Hun vlucht had veel financiële offers geëist. Ook al had ze alles nog zo zorgvuldig gepland, er waren veel problemen waar ze niet op had gerekend. Ze had de instructies van een paar verschillende websites over huiselijk geweld gevolgd door zich zo rustig mogelijk te houden zodat Ted geen argwaan zou krijgen, had contant geld verborgen in een imitatiepak sinaasappelsap in de vriezer en was begonnen geld op te nemen van haar bankrekeningen, plus haar aandeel in de verkoop van hun huis.

Hij had haar met zijn charme overgehaald om zoveel mogelijk van haar beleggingen op zijn naam te zetten, met inbegrip van de hoofdrekening bij de effectenmakelaardij waar hij werkte, de United Bankers Trust. Al het pensioengeld van haar eerste man had daarop gestaan, plus het geld dat ze van haar vader had geërfd. Ted had doen voorkomen dat het puur uit genegenheid was, omdat hij haar wilde helpen alles verstandig te investeren, 'zodat jullie je nooit meer zorgen hoeven te maken'.

'Jullie' waren Marisa en Jessica. Hij had als een echte weldoener geklonken, maar ondertussen had hij alleen maar misbruik van hen gemaakt. Hoe langer Marisa bij hem weg was, hoe meer ze dat begon te begrijpen. Was het echt mogelijk dat ze hooguit een paar maanden geleden, vlak nadat ze hem had verlaten, nog steeds twijfel had gekoesterd en zelfs af en toe naar hem had verlangd? Dat ze het gevoel van zijn armen om haar schouders had gemist?

Hij was een soort dr. Jekyll en mr. Hyde geweest. Hij kon heel geestig en lief zijn, maar dan sloeg zijn stemming ineens om... als een plotselinge stortbui op een mooie zomerdag. Zijn humeurigheid had zowel haar als Jessica onzeker gemaakt.

En nu, onder het luisteren naar 'Lonesome Daughter' van Spirit, keek Marisa naar Jessica en vroeg zich af hoelang ze dat toneelspel nog moesten volhouden. De wetenschap dat Lily in Boston was, maakte dat Marisa heimwee kreeg. Ze miste haar zusje Sam en de muziek waar ze samen naar geluisterd hadden. Hoe had ze het in haar hoofd gehaald om haar dochter helemaal hierheen mee te slepen, naar deze uithoek in het verre noorden? 'White Dawn' kwam uit de luidsprekers, intrigerend en vol kracht.

'Mam?' zei Jessica.

'Ja, lieverd?'

'Wanneer komt Rose terug?'

'Nadat ze is geopereerd zullen ze haar nog wel twee weken willen houden voordat ze uit het ziekenhuis wordt ontslagen.'

'Ik wil zo graag met haar praten.'

'Dat weet ik. Binnenkort kan dat weer.'

'Ze zal het toch wel fijn vinden om weer thuis te komen?'

Marisa knikte en keek haar verwonderd aan. Het was vreemd om Jessica over 'thuis' te horen praten als ze het over deze stad had.

'We hebben echt geluk gehad dat we zo'n gave plek hebben gevonden om te wonen,' zei Jessica. 'Met al die walvissen en haviken en uilen en vrienden. Ik had nooit gedacht dat ik lid zou worden van een geheime organisatie.'

'De Nanoukmeiden?'

Jessica knikte. 'Ze kenden ons niet eens, maar ze hebben ons met open armen verwelkomd en we mochten meteen lid worden. En nu zitten we met ons allen geld in te zamelen voor Rose!'

Marisa moest iets wegslikken. Alles leek bijna de moeite waard, toen ze hoorde hoe blij en dankbaar haar dochter was... Al het verdriet dat voor haar aanleiding was geweest om dit te doen en alles wat eigen en vertrouwd was op te geven, zelfs hun echte naam en identiteit. Het deed haar een beetje denken aan die messageboards op internet, waar iedereen een andere naam gebruikte en zich een andere persoonlijkheid probeerde aan te meten. Ontmoedigend om het maar eens zwak uit te drukken. Marisa had zelf ook heel wat tijd besteed aan het online chatten, als ze weer eens niet kon slapen of haar gevoelens moest onderdrukken.

Ze hoorde voetstappen op de veranda voordat het belletje boven de deur begon te rinkelen. Marisa keek op en zag Anne, Marlena, Cindy en twee van Cindy's dochters binnenkomen met broodjes uit het hotel.

'Tijd voor de lunch,' verkondigde Anne.

'Ik heb al bijna weer een kussen klaar!' zei Jessica tegen Allie.

'Wij hebben er gisteravond twee gemaakt,' zei Allie.

'In het hotel vliegen ze als warme broodjes over de balie,' zei Anne terwijl iedereen de handen uit de mouwen stak. Thermoskannen met ijsthee en limonade, plastic bekertjes, plakjes citroen en sinaasappel, boterhammen met koude kalkoen, chocoladekoekjes, papieren bordjes en servetten verschenen uit het niets. Marisa ruimde de toonbank af. Vriendinnen lieten je echt versteld staan. Hoewel ze elkaar nog maar net kenden, had hun bezorgdheid over Rose Malone al meteen voor een sterke onderlinge band gezorgd.

Marisa keek toe hoe Jessica zorgvuldig papieren bordjes uitdeelde. Haar hart zwol van trots toen ze bedacht dat Jessica dit eigenlijk allemaal veroorzaakt had. Terwijl Marisa in haar schulp was gekropen, bang om iemand te vertrouwen of haar echte persoonlijkheid te tonen, had haar dochter niet alleen toenadering gezocht tot Rose, maar ook tot Lily en de Nanouks.

En toen ze het kringetje rondkeek, voelde Marisa plotseling een wanhopig verlangen opkomen om ze de waarheid te vertellen. Ze vond het afschuwelijk dat ze zoveel verborgen hield voor deze vrouwen die haar al zoveel hadden gegeven en daar ook gewoon mee doorgingen. Ze dacht terug aan haar opleiding, toen ze zich voor het eerst had gerealiseerd hoe edelmoedig en geneeskrachtig vrouwen van nature waren. Ze dacht aan Sam. En de Nanoukmeiden van het Koude Noorden waren daar eveneens een voorbeeld van.

'Ik moet jullie allemaal iets vertellen,' zei ze met een droge mond.

Ze keken haar glimlachend aan, op alles voorbereid.

'Jessica en ik...'

Anne wachtte even voordat ze de drankjes inschonk.

'Wij zijn niet wie we lijken te zijn,' fluisterde ze.

'Mammie?' zei Jessica vragend. Ze had een waarschuwende blik in haar ogen en er stond zelfs een vleugje paniek in te lezen.

'Wat bedoel je daarmee?' vroeg Cindy.

'We zijn gevlucht...'

'Dat heb je ons al verteld,' zei Marlena. 'Op de boot, tijdens het verjaardagsfeestje van Rose. Dat begrijpen we best, lieverd. Je bent weggelopen uit een slecht huwelijk. Dat kan gebeuren.'

'Maar we gebruiken valse namen.'

'Mammie!'

De vrouwen keken haar met grote ogen aan. Marisa zat te trillen en dacht dat ze zich waarschijnlijk zo bedrogen voelden dat ze meteen de deur uit zouden lopen. Ze zouden geen woord meer met haar willen wisselen en haar en Jess meteen uit de Nanouks zetten. Anne had zo'n gewonde blik in haar ogen dat je kon zien dat ze diep getroffen was. Marlena had grote ogen opgezet en Cindy keek naar de vloer. Cindy's beide dochters keken Jessica alleen maar stomverbaasd aan en Jessica was vuurrood geworden.

Plotseling stond Anne op, liep om de kring heen en sloeg haar armen om Marisa. Ze drukte haar zo stijf tegen zich aan dat Marisa elk botje in haar lijf kon voelen.

'Wat vind ik dat erg voor jullie,' zei Anne. 'Wat moet je wel niet meegemaakt hebben dat het nodig was om zoiets te doen.'

'We weten wel iets van dat soort dingen af,' zei Cindy, 'want sommigen van onze leden hebben hetzelfde moeten doen.'

Anne en Marlena knikten en wierpen Cindy een veelbetekenende blik toe. Marisa wist dat het om Lily ging, ook zonder dat ze het zeiden.

'Heb je in een blijf-van-mijn-lijfhuis gewoond?' vroeg Cindy. 'Is het je gelukt om een gerechtelijk bevel te krijgen dat hij jullie met rust moet laten?'

'Natuurlijk hoef je ons dat niet te vertellen,' zei Marlena vriendelijk.

'Ik heb het wel geprobeerd,' zei Marisa. 'Maar de dingen die hij deed, waren veel te subtiel. Toen ik bij de rechtbank aanklopte voor een gerechtelijk bevel, kreeg ik van de rechter te horen dat hij niet bereid was dat uit te vaardigen als Ted niet gedurende de afgelopen vierentwintig uur letterlijk had geprobeerd me te vermoorden.'

'Stomme klootzak,' zei Marlena. 'Dat is precies wat Lily ons heeft verteld. Die rechters hebben geen idee wat huiselijk geweld is.'

'Vertel mij wat,' zei Cindy.

'Maar hoe kan dat nou zulke sterke vrouwen overkomen?' vroeg Marisa. Ze begreep er niets van en dacht aan Lily met haar heldere ogen en de kracht die ze had moeten opbrengen om Roses ziekte het hoofd te bieden. 'Waarom vallen ze op ons?'

'Om te beginnen moet je jezelf geen schuldcomplex aanpraten. Dat hebben we ook tegen Lily gezegd,' zei Marlena. 'Jullie waren allebei kwetsbaar. Jij had je man verloren en Lily was nooit over het verlies van haar ouders heen gekomen.

Haar man zag dat ze veel geld verdiende – met haar bedrijfje in borduurpatronen – en dat wilde hij inpikken.' 'De mijne heeft hetzelfde gedaan,' zei Marisa. 'Alleen had hij het op het pensioen van mijn eerste man voorzien.' 'Waar het om gaat, is dat jullie allebei fantastisch zijn. We hebben allemaal onze eigen zwakheden en problemen, zo is het leven nu eenmaal. Goddank hebben we elkaar gevonden, zodat we voor elkaar en voor onze veiligheid kunnen zorgen. We hebben heel wat om over te praten en genoeg kracht en spirit om elkaar te steunen.' 'En het gaat niet alleen om het ontsnappen aan akelige echtgenoten,' zei Cindy. 'Eigenlijk doen die helemaal niet ter zake. Het gaat erom dat je vriendinnen hebt met wie je plezier kunt maken.' 'Afgezien van onze problemen en onze zorgen hebben we meer dan genoeg gemeen, hoor,' zei Anne.

Marisa glimlachte en herinnerde zich dat Lily had gezegd: 'Welkom in een milder klimaat.' 'Zie je nou wel?' zei Marlena. 'Het maakt ons niet uit hoe je in werkelijkheid heet. We houden van je om wie je bent.' 'Soms weet ik niet eens meer wie ik ben,' fluisterde Marisa. 'Het is net alsof ik mezelf ergens onderweg heb achtergelaten...' 'Nou, maar wij weten wel wie je bent,' zei Anne. 'Een lieve, zorgzame, vriendelijke en openhartige vrouw. Een vrouw die bereid is haar zomermiddagen op te offeren om voor Lily's zaak te zorgen en die dennenkussens maakt om geld in te zamelen voor Rose.' 'Dank je,' zei Marisa. 'Die dennenkussens waren mijn idee,' wierp Jessica tegen en ze barstten allemaal in lachen uit. 'Je hebt gelijk, hoor,' zei Cindy. 'Ik zou jullie toch graag willen vertellen hoe we werkelijk heten,' zei Marisa. 'Ik heb zoveel vertrouwen in jullie. En hij... Ted... hij woont hier honderden kilometers vandaan. Hij heeft geen idee waar we zijn, geen flauw idee. Cape Hawk is iets waar hij nooit op zal komen. Hij zal nooit vermoeden dat we hierheen zijn gegaan.' 'Nee, vast niet,' zei Jessica. Haar ogen glommen bij het vooruitzicht dat ze de waarheid konden verklappen.

'Nou,' zei Anne, 'wij kunnen jullie in ieder geval beloven dat alles wat jullie vertellen onder ons blijft. We zullen het niet eens tegen de andere Nanouks zeggen, tenzij en wanneer jullie het goedvinden.'

'Ik geloof je,' zei Marisa.

'Ik ook,' zei Jessica met een glimlach.

'Kom dan maar op,' zei Cindy.

'Wie zijn jullie dan wel?' vroeg Marlena breed grijnzend.

En Marisa vertelde hun hoe ze in werkelijkheid heetten.

Wervelstorm Catherina, die een ramp in Florida had veroorzaakt, bracht het beste in de mensen boven, vooral in Spiritfans. Secret Agent had de afgelopen paar weken zijn zakken aardig gevuld met de bijdragen van al zijn vrienden op het messageboard van Spirit-Town. Hij had een verhaal uit zijn duim gezogen dat steeds mooier werd. Zijn zus en haar man waren alles kwijtgeraakt, hun hele hebben en houden. De wind had met een snelheid van tweehonderdvijf-entwintig kilometer per uur het dak van hun huis in Homestead ge-blazen en alles erin vernietigd. Zijn arme kleine neefje Jake was door rondvliegend glas geraakt en zat vol hechtingen. En nu had hij plasti-sche chirurgie nodig.

Secret Agent begon met een nieuw onderwerp: 'Jake: Het Laatste Nieuws'. Daarna tikte hij zijn boodschap in: 'Hallo allemaal. Ik zal jullie even het laatste nieuws over mijn neefje Jake doorgeven. Dank-zij jullie was mijn zus in staat om met hem naar de beste plastisch chirurg in Miami te gaan. (We weten allemaal wat die klaarspelen op het gebied van facelifts en grote tieten.) En nu schijnt hij een paar operaties nodig te hebben.'

Hij wachtte even en vroeg zich af tot hoever hij hiermee kon gaan. Hij had in de loop der tijd geleerd dat het voldoende was om het aas uit te werpen en dan rustig af te wachten en het aan de mensen op het board over te laten om diep in hun hart en hun portemonnee te tasten. Hij hoefde zelden ergens om te vragen. Terwijl hij herlas wat hij had geschreven, wiste hij de opmerking over facelifts en grote tie-ten. Die was een beetje ongepast. Daarna klikte hij op 'verzenden'.

En hij hoefde niet lang te wachten. Het was al laat, na midder-nacht, en er zaten meer dan genoeg Spiritfans achter hun computers om met elkaar te chatten.

'Wat rot voor je, man. Dat gezin heeft al veel te veel meegemaakt,' was de reactie van Spiritfan1955.

'Wat voor operaties? Erg ingrijpend?' informeerde SpiritGirl die ondertekende met een foto waaruit bleek dat ze spannend en blond was en, interessant genoeg, bedeeld met kunstmatig vergrote borsten.

'Behoorlijk ingrijpend,' antwoordde Secret Agent. 'Zijn gezicht zit vol littekens. Hij is pas 13, dus hij is knap wanhopig.' Gevolgd door het lokaas: 'Het ergste is dat mijn zus bijna al het geld dat zo vriendelijk door jullie allemaal is gestuurd heeft gebruikt om het huis zo goed en zo kwaad als het ging op te knappen. Het is gewoon een ramp.'

Daarna ging hij weer zitten wachten. Eigenlijk trappelde hij van verlangen om ervandoor te gaan, want hij zat tegelijkertijd op een pornosite en hij kon niet wachten om terug te gaan naar die hete, botergeile grietjes die op het randje van de wet balanceerden. Maar hij kon de verleiding niet weerstaan om vanavond nog wat poen binnen te halen, ook al zat hij niet echt om geld verlegen. Het kreng had hem meer dan genoeg opgeleverd. Maar Secret Agent ging uit van de theorie dat als mensen er zo graag vanaf wilden het zijn plicht was om het aan te pakken. Hij staarde naar het venstertje met 'Jake: Het Laatste Nieuws' en opende de enige nieuwe reactie.

'Zoals je zelf al hebt gezegd: het is een ramp. Dat betekent dat de omgeving tot rampgebied is uitgeroepen en je zus een vergoeding van de overheid krijgt.'

Hela! Wie was dat nou weer, verdomme? Secret Agent keek naar de ondertekening: White Dawn. Dat moest een vrouw zijn, er was geen vent die zo'n naam zou kiezen. Daar stond tegenover dat het ook de titel van een nummer van Spirit was en dat die Spiritfans – of het nou om mannen of vrouwen ging – belachelijk fanatiek waren. Daarna viel Secret Agent het nummer vlak naast de schuilnaam op: 1. Dit was de eerste keer dat deze persoon een bericht op het messageboard had geplaatst.

'Leuk eerste berichtje, White Dawn,' reageerde Spiritfan1955 sarcastisch. 'Je hebt niet eens het hele verhaal gehoord.'

'Precies,' schreef PeaceBabe. 'Welkom op het board, White Dawn. De zus van Secret Agent is samen met haar gezin het slachtoffer geworden van Catherina en we hebben de handen ineengeslagen om te helpen. Overheidssteun dekt maar een deel van de kosten en het duurt een hele tijd voordat aan alle bureaucratische regeltjes is voldaan. We willen dat gezin gewoon een zetje in de rug geven.'

Dat was het juiste moment voor Secret Agent om te reageren. 'Bedankt allemaal,' tikte hij in. 'Het was vast niet de bedoeling van White Dawn om me te kwetsen. Maar we vormen hier met ons allen een familie, White Dawn. De lui hier fungeerden als een soort reddingsboei voor mijn zus.' Moest hij de anderen nu weer aan de kleine Jake met zijn kapotte gezicht herinneren, de reden waarom hij over dit onderwerp was begonnen? Kom op mensen, laat het geld maar rollen... Hij zou nog een paar minuutjes wachten. Maar hij hoefde helemaal niets te doen: *bingo*.

'Hé, White Dawn,' schreef Spiritfan1955, 'ik zal je uitleggen hoe het SpiritTownboard werkt. Dit geval begon met het verhaal van Jake. Een dertienjarig jongetje dat plastische chirurgie nodig heeft. Dan kun je op mij rekenen, Secret Agent. Stuur me maar even je Pay-Right-nummer naar mijn privéadres, dan stort ik een bijdrage.'

Secret Agent wachtte geen seconde, maar stuurde Spiritfan1955 meteen een e-mail met zijn rekeningnummer, vergezeld van het obligate 'bedankt, man'.

'Ik doe ook mee,' schreef PeaceBabe. 'Ik heb een dochter van dertien.'

'Kerel, wat naar voor die Jake,' schreef OneThinDime. 'Ik zal je alle mogelijke hulp geven. Mijn vrouw heeft vorig jaar een auto-ongeluk gehad en ik weet hoe erg dat kan zijn. Plastische chirurgie is niet goedkoop en die rekeningen lopen snel op. Ze heeft het heel moeilijk gehad en dat geldt voor ons allemaal. We hebben een maand lang alleen maar naar de *Spirit Days and Spirit Nights*-box geluisterd, dat heeft ons erdoor geholpen. Ik zal jullie in mijn gebeden gedenken.'

'Bedankt,' schreef Secret Agent terug. 'Jullie goedgeefsheid bezorgt me een nederig gevoel. Echt waar. En ik denk dat ik die box maar voor mijn zus ga kopen, dat lijkt me een geweldig idee. Ze zit momenteel diep in de put, maar dat zal iedereen begrijpen.'

'Je kunt op onze steun rekenen, hoor,' schreef Spiritguy1974.

'We staan allemaal achter je,' deed LastCall25 een duit in het zakje.

De PayRight-rekening begon aardig vol te lopen. Het was een nuttig avondje geweest, dacht Secret Agent, terwijl hij zich opmaakte om welterusten te zeggen tegen al zijn fantastische vrienden van de

SpiritTown-familie. Hij had al zitten switchen tussen verschillende websites en een webcam gevonden die gericht was op de onderste regionen van een of ander geil huisvrouwtje ergens in de rimboe. De tijd leek rijp om zijn aandacht volledig op mevrouw Huisvrouw te richten.

Op dat moment verscheen de schuilnaam White Dawn weer onder het hoofdje 'Jake: Het Laatste Nieuws'. Secret Agent grinnikte. Weer iemand die bekeerd was tot de wereld van geef-je-geld-maar-aan-mij. Eigenlijk had hij nu zijn buik wel vol van al die onzin en wilde niets liever dan overschakelen naar zijn pornosite. Hij zou alleen nog even kijken wat White Dawn te bieden had, dus hij ging met de muis naar het laatste bericht en klikte het aan.

'Pas op.'

Secret Agent voelde het bloed in zijn aderen stollen. Hij was verbijsterd. Er stond maar één berichtje op het board van SpiritTown en iedereen kon het lezen: Pas op. White Dawns tweede bericht was een waarschuwing voor de rest van de wereld. Secret Agent had het gevoel dat hij een nieuwe vijand had. Alsof hij net een steen had opgepakt en daaronder een ratelslang had aangetroffen, klaar om toe te slaan.

Hij kon zijn ogen niet geloven. Er was opnieuw een bericht ingezonden en hij las het.

'Homestead is helemaal niet getroffen door Catherina. De wervelstorm is naar het noorden weggedraaid, eikel. Als je mensen geld uit de zak wilt kloppen, doe je er verstandig aan om eerst de baan van de storm te controleren via de website van de NOAA, het meteorologisch instituut.'

'Verdomde trut!' schreeuwde hij, hoewel hij niet eens wist of het een man of een vrouw was... hij wist helemaal niets van White Dawn. Hij ging op zoek naar het profiel, maar vond niets. Maar daar zou hij wel achter komen, dat stond vast. Hij zou uitzoeken wie er achter die naam stak en dan zou White Dawn er spijt van krijgen dat hij of zij hem op het board voor schut had gezet.

'Krijg de klere!' zei hij hardop. Zijn erectie liet het meteen ook afweten.

21

Boston zat vol kinderen. Lily zag ze overal, met hun families, met groepen en op schoolreisjes. Op weg naar de Public Gardens, het wetenschapsmuseum, de Freedom Trail, Faneuil Hall of het aquarium. Kinderen die plezier hadden en veel te opgewonden waren om langzaam of in de rij te lopen. Ze probeerden tussen de regendruppels door te rennen. Ze probeerden nog meer herrie te maken dan het lawaai dat de stad zelf produceerde. En ze probeerden vandaag nog meer lol te hebben dan gisteren.

Lily hoopte dat ze daar allemaal in zouden slagen. En ze hoopte nog meer dat Rose op een dag gewoon mee zou kunnen doen. Ze keerde zich af van het met veiligheidsglas uitgeruste raam dat uitzicht bood op de speeltuin aan de oever van de rivier de Charles. Daarna ging ze in een van de oranje stoeltjes in de wachtkamer van het ziekenhuis zitten en wachtte samen met Liam tot alle voorbereidingen voor de operatie van Rose achter de rug waren.

Ze keek even naar hem op. Ze had het gevoel dat ze midden in een droom zat, waar alles tegelijkertijd heel gewoon en bizar was. Hier zat ze ineens samen met Liam Neill alsof ze al eeuwen getrouwd waren. Te wachten op de openhartoperatie die Rose moest ondergaan. Twee avonden geleden had hij haar gekust.

Dat was nou net waardoor het leven ineens een droom leek. Lily snapte niet hoe ze zich diep vanbinnen zo gelukkig en teder kon voelen, terwijl haar dochter voor de zwaarste opgave van haar leven stond. Liam raakte even haar hand aan en Lily smolt inwendig helemaal weg. Hij vroeg of ze een kopje thee wilde en ze was zo in de war, dat ze maar naar zijn ogen bleef kijken.

Maar ze hadden geen kans gehad om te praten over wat er was gebeurd, of om het nog eens dunnetjes over te doen. Vanaf het moment dat ze in Boston waren, was elke seconde gewijd aan Rose en aan gesprekken met de artsen. Lily wist dat dat het beste was: ze wilde niet afgeleid worden. Rose was een volledige dagtaak en niet alleen dat, ze was Lily's hele leven. En Lily wilde dat niet in gevaar brengen door haar prioriteiten uit het oog te verliezen.

Dat was dan ook de reden dat Liam haar niet opnieuw had gekust, althans dat maakte ze zichzelf wijs.

'Is alles goed met je?' vroeg Liam nu terwijl ze in de wachtkamer zaten.

'Met mij is het best. En met jou?'

'Ja,' zei hij. Maar de manier waarop hij 'ja' zei, met stralende blauwe ogen die Lily zo vast aankeken... nou ja, daarvan raakte ze helemaal in de war en ze bloosde.

'Eh... mooi,' zei ze.

'Er is iets veranderd,' zei hij. 'Maar daar hoef je niet bang voor te zijn, Lily.'

'Met betrekking tot Rose? De proeven die ze hebben gedaan?'

Rose had weer een echo gehad. Ze was nu zo moe van het feit dat ze al een tijdje niet genoeg zuurstof had gehad dat ze gewoon lag te slapen terwijl de verpleegkundige de koude crème op haar borst wreef. De harde geluiden van het apparaat leken haar niet te storen. Maar de onderzoeken hadden geen verrassingen opgeleverd. Rose was in het ziekenhuis in Melbourne gestabiliseerd en inmiddels klaar voor de operatie.

'Nee,' zei Liam glimlachend. 'Het gaat niet over Rose.'

'Op dit moment kan ik nergens anders aan denken, Liam.'

'Dat weet ik wel. We zijn er bijna,' zei hij.

'We zijn er al zo vaak bijna geweest,' zei Lily. Toen ze opkeek in het verweerde gezicht van Liam voelde ze haar maag samenkrimpen. Ze hadden allebei 'we' gezegd en dat woordje was heel toepasselijk. Liam was al die keren bij haar en Rose geweest. Waarom was dat nooit echt tot Lily doorgedrongen?

'Dit keer is het anders,' zei Liam.

'Hoe weet je dat?' vroeg Lily.

Liam pakte haar hand. Ze huiverde en wenste dat hij haar in zijn armen zou nemen. Ze had het gevoel dat ze één brok emotie was en ze wilde dat hij haar vast zou houden om te voorkomen dat ze helemaal aan diggelen ging. Haar huid tintelde en de rillingen liepen haar over de rug. Het was allemaal het gevolg van een ongelooflijk verlangen dat haar niet alleen verwarde maar ook een beetje schrik aanjoeg, en waarvoor het moment niet bepaald gelukkig gekozen was. En hij hield alleen maar haar hand vast!

'Dit keer is alles anders,' zei hij, 'omdat we precies weten wat er gaat gebeuren. Het enige dat ze doen, is het vervangen van die oude patch. Het gat in haar hart is niet uitgescheurd of groter of breder geworden. Het enige probleem is die patch en dit wordt de laatste operatie.'

'Het wordt niet meer erger,' zei Lily.

'Nee. De symptomen die ze heeft, hebben allemaal te maken met die patch en met de vernauwing.'

'Ik kan er niet meer tegen,' fluisterde ze.

'Ja, dat kun je wel,' zei hij terwijl hij haar hand even flink schudde. 'Denk eens goed na, Lily. Je weet toch dat alles goed zal gaan.'

Ze keek naar Liam die zelf naar de deur keek waardoor de artsen binnen zouden komen om hun te vertellen dat Rose klaar was. In gedachten liep ze alles langs wat ze van Rose wist, de waslijst van dingen die vandaag zouden gebeuren. Hoewel het bij Tetralogie van Fallot om vier afwijkingen ging, waren twee daarvan vandaag van het grootste belang. De vernauwing van de longslagader waardoor het bloed vanuit Roses linkerhartkamer naar de longen moest stromen en het ventrikel septum defect, oftewel het grote gat in het tussenschot van de kamers dat met behulp van de patch was gedicht. Maar de patch was broos geworden, waardoor het bloed weer van de ene naar de andere kamer kon stromen.

De ernstige vernauwing van Roses longslagader betekende dat er met elke hartslag niet genoeg bloed naar de longen werd gepompt, waardoor ze blauw werd. Bij de operatie van vandaag zou de verdikte spiermassa onder de klep van de longslagader verwijderd worden en de oude patch werd vervangen door een nieuwe van uiterst modern materiaal. Het klonk allemaal zo simpel en toch had Lily het gevoel dat ze onder de spanning zou bezwijken.

Nu kwamen de artsen naar buiten en ze trokken het bed waarin Rose lag mee. Ze was klaar voor de operatie, wazig en met haar haar verstopt onder een papieren mutsje, aangesloten aan allerlei monitoren en een infuus, maar ze slaagde er toch in haar hoofd iets op te tillen, op zoek naar Lily. Maar ze vroeg naar Liam.

'Dr. Neill,' zei ze.

'Ik ben hier, Rose.'

'Niet vergeten wat ik heb gezegd.'

'Dat weet ik nog precies. En ik zal het nooit vergeten.'

Lily zag de blik die ze wisselden en haar maag maakte zo'n raar sprongetje omdat ze niet wist waar ze het over hadden en toch besefte dat het belangrijk was.

'Hebt u haar teruggevonden? Nanny?'

'Ja,' zei Liam terwijl hij op zijn hurken ging zitten om Rose recht aan te kijken. 'Het is echt ongelooflijk, maar weet je waar ze is?'

Rose schudde haar hoofd en slaagde er alleen met de uiterste inspanning in om wakker te blijven. Lily legde haar hand op Liams rug, gedeeltelijk om steun te zoeken, maar ook omdat ze dit allemaal samen moesten ondergaan.

'Vertel jij het maar aan Rose, Lily.'

'Lieverd,' zei Lily hoewel ze het zelf nauwelijks kon geloven, 'Nanny zwemt ten zuiden van Nova Scotia. Terwijl alle andere beloega's naar het noorden trekken, is zij volgens ons op weg naar Boston, om bij jou te zijn...'

'Er zal haar toch niets overkomen?' vroeg Rose met een bezorgd gezicht.

Lily schudde haar hoofd. 'Nee hoor.' De betovering bleef heel even tussen hen in hangen. 'Met Nanny gaat alles goed,' zei ze. 'En ook met jou komt alles in orde, lieve schat van me.'

'Zeker weten,' zei Liam.

'Nu moeten we gaan,' zei dr. Garibaldi. 'Als jullie Rose terugzien, is ze zo goed als nieuw. Ze heeft me alles over die Nanny verteld... en voordat we een week verder zijn, is ze weer terug in Nova Scotia. En in augustus zal ze met alle dolfijnen mee kunnen zwemmen als ze dat wil. Ze krijgt van ons de beste, sterkste patch van de hele wereld, dus dan zal het echt een halve eeuwigheid duren voordat Rose Malone weer onder het mes moet. Vooruit met de geit.'

Lily en Liam bukten zich om Rose een kus te geven en meteen daarna werd ze weggereden. Lily's eigen hart begaf het bijna toen ze haar in de lift zag verdwijnen. Ze voelde Liams arm om haar heen glijden en liet zich meetrekken naar de stoelen in de wachtkamer. De tv stond aan – die stond altijd aan – en er lag een stapel tijdschriften plus de kranten van die ochtend. Maar Lily sloeg haar handen voor haar gezicht en deed haar best om zich te beheersen.

'Je hebt gehoord wat de dokter zei,' merkte Liam op. 'Hij klonk ongelooflijk positief... hij zei dat Rose binnen een week weer thuis zal zijn. Nog maar zes dagen, Lily.'

'Ik weet het,' zei ze.

'Zes dagen, Lily, dan zijn we weer terug in Cape Hawk. En dan kan Rose zomer gaan vieren.'

Lily stond toe dat hij haar in zijn armen nam. Op sommige momenten kon ze geen woord uitbrengen, dan kon ze niet eens denken. Dat waren de gevolgen van wat haar negen jaar geleden was overkomen en die waren zo traumatisch, dat ze had verkozen om te vluchten als ze zich niet kon verzetten. Dan bruiste de adrenaline door haar aderen en werd ze volledig gevoelloos. Op dat punt was ze nu ook aanbeland.

Roses vader had haar destijds zoveel angst aangejaagd. Hij was zo boos geweest over haar zwangerschap dat hij zich steeds slechter was gaan gedragen. Lily had daar helemaal niets van begrepen en haar best gedaan om hem op elke manier die ze kende te verzekeren dat ze evenveel – of misschien nog wel meer – van hem zou blijven houden als de baby geboren was. Maar die beloften hadden geen enkele indruk op hem gemaakt.

'Beloften,' zei ze nu.

'Welke beloften?' vroeg Liam.

Lily was bijna in trance... haar kind kon ieder moment aangesloten worden op een hartlongmachine. Dat was zo'n angstaanjagende gedachte dat al Lily's oude trauma's weer de kop opstaken. Ze begon te trillen en dat wilde maar niet ophouden.

'Ik heb beloften gedaan aan Roses vader,' zei ze nu tegen Liam. 'Ik heb beloofd dat we altijd samen zouden blijven en dat ik, als de baby er was, net zoveel of misschien nog wel meer van hem zou houden. Ik beloofde dat ze niet al mijn tijd in beslag zou nemen... dat ik nog genoeg tijd voor hem zou overhouden. Meer dan genoeg, heb ik gezegd. Omdat ik zou ophouden met werken en thuis zou blijven...'

'Lily, waarom denk je nu aan hem?' vroeg Liam. 'Je weet dat hij het niet waard is dat je ook maar één gedachte of één woord aan hem wijdt.'

Hij heeft gelijk, dacht Lily. Ze had Liam alles over hem verteld tijdens die eerste nacht, toen ze helemaal gek was van de pijn, zowel lichamelijk vanwege de geboorte als emotioneel omdat ze bij Roses vader was weggelopen. Ze moest een snik wegslikken.

'En hij verdient het ook niet dat je om hem huilt,' zei Liam. Hij boog zich voorover om haar voorhoofd te kussen, en daarna haar wang en een van haar mondhoeken.

'Vroeger maakte ik mezelf stapelgek omdat me maar één vraag door het hoofd speelde,' zei Lily. *'Waarom.'*

'Waarom?'

'Waarom moest dit Rose overkomen? Waarom had zij al die problemen? In onze familie komen hartkwalen niet voor... de enige die ooit een hartaanval heeft gehad was mijn overgrootvader en die was eenennegentig. Ik heb tijdens mijn zwangerschap altijd gezond gegeten en zelfs geen koffie gedronken. Wijn had ik al voor mijn zwangerschap opgegeven. Ik rookte niet, ik deed wel aan sport, maar niet te veel. Waarom?'

'Dat weet ik niet, Lily,' zei Liam terwijl hij haar handen kuste en diep in haar ogen keek.

'De dokters wisten het ook niet. Volgens hen is Tetralogie van Fallot niet erfelijk. Het komt af en toe voor... volkomen willekeurig. Ze weten nooit wie het zal hebben.'

'Lily, begin daar nou niet...'

'Het zou zo eenvoudig moeten zijn... net als bij andere kinderen. Lucht en bloed vermengen zich in de longen en dan pompt het hart dat bloed door het lichaam. Waarom kan dat bij Rose niet het geval zijn? Het is zo eenvoudig...'

'Maar dat is bij Rose ook het geval,' zei Liam teder. 'Goed, ze heeft een paar moeilijkheden het hoofd moeten bieden, dat is waar. Maar ik geloof de dokters. Zij zeggen dat het heel lang zal duren voordat Rose weer geopereerd moet worden.'

'Een halve eeuwigheid,' verbeterde Lily.

'Dat klopt. Een halve eeuwigheid. En wij zorgen dat ze zich daaraan houden.'

Wij. Weer dat woordje.

'Natuurlijk zijn er raadsels wat Rose betreft,' zei Liam. 'We weten niet waarom en misschien komen we daar nooit achter. Maar er zijn ook andere vragen waarop we het antwoord nooit zullen weten. Zoals waarom ik die avond naar je huis ging, de avond waarop Rose werd geboren. Waarom ik die boeken juist toen terug wilde brengen. En waarom ik, zodra ik ook maar een voet over de drempel had gezet, wist dat ik nooit meer weg wilde.'

'Liam,' fluisterde ze terwijl ze dacht aan de beloften die hij die avond had gedaan en waarvan ze nu voor het eerst wilde dat hij zich eraan zou houden.

'Waarom...' begon hij, maar hij hield zich in. Zijn lippen gleden over haar huid en ze voelde het meer dan dat ze het hoorde toen hij zei: 'Waarom ik zoveel van jullie tweetjes hou.' Maar toen drong het ineens tot haar door dat hij alleen haar nek gekust had, hij had helemaal niets gezegd. Natuurlijk niet... Ze zaten midden in de wachtkamer, waar verpleegkundigen, artsen en andere ouders in en uit liepen.

Ze hield zijn hand nog steviger vast terwijl ze naar hem luisterde en voelde hoe haar lichaam langzaam maar zeker weer tot leven kwam en niet langer verdoofd aanvoelde, door de lucht zwevend als een getraumatiseerde geest.

'Wij houden ook van jou,' wilde ze zeggen, maar ze hield haar mond. Ze wilde hem dat vertellen omdat de waarheid eindelijk tot haar was doorgedrongen... het feit dat deze man haar en Rose vanaf de allereerste dag terzijde had gestaan en hen geen moment in de steek had gelaten. Alsof hij Roses vader was. Roses echte vader betekende niets voor hen, helemaal niets. Liam was een van de redenen waarom Rose wist dat ze omringd was door genegenheid, een van de redenen waarom het zo goed met haar ging.

'Je hebt gelijk,' zei ze. 'Er zijn zoveel vragen.'

'En niet allemaal over nare dingen,' zei hij.

'Ik weet het,' zei Lily glimlachend. Maar toen ze omhoogkeek naar de klok zag ze dat het tien uur was, het tijdstip waarop de operatie zou beginnen. Openhartoperaties duurden nooit lang. Hooguit zestig minuten. Maar tijdens dat ene uurtje kon er zoveel gebeuren. Daarin kon een gezin geconfronteerd worden met zowel het leven als de dood... O God, bad Lily, terwijl ze haar ogen dichtdeed. *Help haar dit uur door...*

237

Liam sloeg zijn laptop open in de hoop dat Lily er genoegen en troost uit zou scheppen als ze zag dat het groene lichtje dat aangaf waar ZZ122 zich bevond steeds dichter in de buurt kwam van de haven van Boston. Maar Lily leek alleen oog te hebben voor de klok en de deur waardoor de artsen na de operatie weer tevoorschijn zouden komen. Het was kwart over tien. Liam probeerde zijn eigen nervositeit te onderdrukken. Hij had ook naast Lily gezeten bij de andere open-hartoperaties die Rose had ondergaan. Vanwege haar specifieke afwijkingen zou de wand van het hart geopend worden.

Om ervoor te zorgen dat het bloed naar andere vitale organen bleef stromen, moest Rose aangesloten worden op een hart-longmachine. Liam had daar een studie van gemaakt en gesproken met een van zijn vrienden van McGill die zich in Vancouver in cardiologie had gespecialiseerd. Hij wist dat Rose diep onder narcose was. Om bij het hart te komen moest dr. Garibaldi dwars door het borstbeen.

Katheters voerden het bloed vanuit de aderen aan de rechterkant van haar hart naar de hart-longmachine waarin het bloed over een speciaal zuurstofhoudend filter werd gepompt. Daarna vloeide het met zuurstof verrijkte bloed via een katheter in de aorta weer terug in Roses lichaam.

Het hart zelf was nu zonder bloed en de artsen werkten snel. Het was heel koud in de operatiekamer, omdat Roses hersenen en haar hart dan minder zuurstof nodig hadden. Liam probeerde zich voor te stellen wat er precies gebeurde, maar inmiddels zat hij net als Lily naar de klok te kijken. Vijf over halfelf.

'Haar vorige operatie duurde veertig minuten,' zei Lily. 'De dokter kan ieder moment naar buiten komen.'

'Ja,' zei Liam. 'Dat klopt.'

'Ze hoeven alleen maar dat spierweefsel weg te halen en een nieuwe patch te plaatsen.'

'Dat is zo,' zei Liam. 'En dat is een operatie die dokter Garibaldi al honderden keren heeft gedaan.'

'Maar niet bij Rose,' zei Lily. 'Hij heeft haar nog nooit geopereerd. Dat was altijd dokter Kenney. Maar die is in Baltimore gaan werken, in het Johns Hopkins. Daar hadden we ook naartoe kunnen gaan.'

'Er is niets mis met Boston, Lily. Het is het beste ziekenhuis dat er is. En dokter Garibaldi is de beste hartchirurg.'

'Toch hadden we ook naar Baltimore kunnen gaan...'

'Dat weet ik wel. Maar Boston is dichter bij huis. Jij vindt dit een prettig ziekenhuis en Rose voelt zich hier op haar gemak.'

'Dat klopt,' zei Lily die hem ernstig aankeek, alsof hij haar iets vertelde dat ze nooit eerder had gehoord. 'Je hebt gelijk. Daarom hebben we Boston gekozen... Omdat het zo goed is en omdat Rose zich hier op haar gemak voelt.'

Tien over halfelf.

'Ze is nu veertig minuten onder narcose,' mompelde Lily. 'Volgens mij is dat het langst dat ze tot nu toe aan de machine heeft gelegen. Ik weet het niet zeker, maar ik dacht het wel.'

'Dat is niet echt lang, Lily. De dokter zal zometeen wel naar buiten komen.'

'Ja maar...' zei Lily. 'Ze moeten precies het juiste mengsel van bloed en zuurstof maken. Ik heb nooit begrepen hoe een apparaat dat voor elkaar kan krijgen. Maar het is eerder gebeurd... al heel vaak. En Rose heeft er nooit kwalijke gevolgen van gehad. Alleen die keer toen ze een bacteriële infectie...'

'Maar dat zal dit keer niet gebeuren,' zei Liam. Hij wilde Lily's hand weer vastpakken, maar nu liet ze dat niet toe. Alsof ze weer terugdacht aan die verschrikkelijke tijd toen Rose een zware infectie had opgelopen – ze had de operatie overleefd en was bijna aan de gevolgen van de infectie gestorven – sprong Lily op uit haar stoel en begon heen en weer te drentelen. Ze liep naar het raam en drukte haar voorhoofd tegen het glas.

Liam kon helemaal niets doen, dus dwong hij zichzelf om zich op de wetenschap te concentreren. Hij zette het scherm van zijn computer wat lichter. Dit waren andere omstandigheden dan toen hij samen met Lily in zijn truck zat, aan de voet van de vuurtoren, omringd door de pikzwarte nacht. Toen had hij, met zijn arm om Lily's schouder en haar zachte huid tegen de zijne, elk stipje duidelijk kunnen zien. Hier was dat niet het geval.

Hij tuurde naar het scherm. Daar was ze, Nanny oftewel ZZ122, knipperend voor de kust bij Gloucester. Ze had haar onvoorstelbare reis in anderhalve dag afgelegd... van Melbourne schuin over de Atlantische Oceaan naar de Golf van Maine, langs Matinicus en Monhegan en via de kust van New Hampshire naar Massachusetts.

En nu was ze hier, bij de North Shore van Boston, met een vaartje op weg naar het zuiden. Liam wilde Lily erbij roepen om haar mee te laten kijken, maar iets in Lily's houding vertelde hem dat ze momenteel geen boodschap had aan Nanny. Liam voelde zijn eigen maag samenkrimpen.

ZZ122 had haar grenzen ruim overschreden, ze was een heel eind verwijderd van het gebied waar beloega's zich gewoonlijk in juli ophielden. Als Nanny nu eens op een of andere mysterieuze wijze in contact stond met Rose? Als haar komst naar het zuiden nu eens een voorbode was... want als ze in Cape Hawk was, kon de walvis Rose net zo vaak begroeten als ze maar wilde. Als Nanny nu eens naar Boston kwam om afscheid te nemen?

Dat weigerde Liam te geloven. Met zijn blik op Lily, die nog steeds aan de andere kant van de kamer stond, hees hij zich overeind. De klok stond inmiddels op vijf voor elf. Rose was al vijfenvijftig minuten onder zeil. Liam probeerde iets te bedenken waarmee hij Lily gerust kon stellen... Misschien waren ze wat later begonnen, misschien was de operatiekamer nog niet klaar geweest, misschien...

Maar dit was niet de juiste tijd om in het wilde weg te gaan speculeren. Liam was oceanograaf en hij wist dat dit het moment was om met wetenschap aan te komen. Hij liep door het ruime vertrek naar Lily toe, een afstand waar geen eind aan scheen te komen. Hij moest onwillekeurig denken aan de eerste keer dat hij zijn moeder had gezien, na de dood van Connor toen bij hemzelf het restant van zijn arm al geamputeerd was. Zijn moeder had toen ook uit het raam staan kijken. Liam had haar geroepen en ze had zich niet omgedraaid.

'Lily?' zei hij.

Toen ze zich bij het horen van zijn stem met een ruk omdraaide, was hij zo opgelucht dat de tranen hem in de ogen sprongen.

'Wat is er?' vroeg Lily.

'Ik wilde je iets vertellen,' zei hij terwijl hij de tranen uit zijn ogen knipperde. Hij wilde haar feiten voorschotelen, wetenschappelijke gegevens die onweerlegbaar en verstandig waren. Maar het probleem was dat hij eigenlijk niets te vertellen had. Hij kon alleen maar aan Rose denken.

'Je had het net over dat mengsel,' zei hij. 'Van bloed en zuurstof.'

'Ja...'

'Toen moest ik onwillekeurig denken aan mijn vooropleiding,' zei hij, wanhopig op zoek naar iets dat haar gerust zou stellen. 'Daar hebben we een boel over geleerd tijdens colleges biologie van zeedieren. Walvissen en dolfijnen zijn zoogdieren, dat weet je, en onze professor leerde ons alle bijzonderheden van hun bloedsomloop.'

Lily knikte terwijl ze naar hem bleef luisteren. Ze scheen te merken dat het zweet hem op het voorhoofd stond, want ze stak haar hand op en streek zijn vochtige haar van zijn voorhoofd. Ondertussen schonk ze hem een lieve glimlach, alsof ze hem aanmoedigde om door te gaan.

'In de begintijd van de medische wetenschap,' zei Liam, 'zo rond de zesde eeuw voor Christus, hadden artsen op het Griekse eiland Ionia het idee dat als lucht en bloed zich in de longen vermengden een "vitale essence" aan het bloed werd toegevoegd. Maar het zou nog vele eeuwen duren voordat de mens zich realiseerde wat die vitale essence was...'

'Zuurstof,' zei Lily en Liam glimlachte omdat hij zich realiseerde dat zij waarschijnlijk meer van die hele procedure wist dan de meeste wetenschappers.

'Precies,' zei hij. 'Ik kan me nog herinneren dat ik voor het eerst de beroemde verhandeling van William Harvey over bloed en de bloedsomloop – volgens mij uit 1628 – moest lezen. Maar natuurlijk ging het bij mijn opleiding om walvissen, niet om mensen.'

'Een hart is een hart,' fluisterde Lily terwijl ze toekeek hoe de wijzers van de klok op elf uur kwamen te staan.

Liam zag het bloed wegtrekken uit haar gezicht. Ze begon te trillen en hij wist dat ze het niet langer uithield. Hij sloeg zijn arm om haar heen en probeerde haar tegen zich aan te trekken. Ze stond te trillen als een rietje terwijl ze zich aan zijn arm vastklampte en haar gezicht tegen zijn borst duwde.

'Waar blijven die dokters?' vroeg ze.

'Ze komen eraan,' zei hij.

En voordat ze zelfs maar konden opkijken, hoorden ze de stem van dr. Garibaldi. 'Lily, Liam?' vroeg hij.

'Hoe is het met Rose?' vroeg Lily terwijl ze naar de dokter toe wankelde. Liam keek om alsof hij verwachtte dat dr. Garibaldi Rose had meegebracht, met bed en al naar de wachtkamer. Maar toen

Liam in de lichte, diepliggende ogen van de dokter keek, wist hij al wat hij zou gaan zeggen voordat de man zelfs maar zijn mond opendeed.

'Prima, hoor,' zei de dokter. 'Ze heeft de operatie zonder problemen doorstaan. We hebben de verdikking bij de klep weggehaald en haar een nieuwe patch gegeven. Deze is van Gortex en als het goed is, houdt die het de rest van haar leven uit. Ze is nu op de verkoeverkamer, maar ze is alweer bij kennis en ze wordt over een paar minuten naar IC gebracht.'

'Dank u wel,' zei Liam. 'Bedankt, dokter.'

Lily gaf dr. Garibaldi een hand, raakte even haar eigen hart aan en bedankte hem ook. Toen de arts weg was, draaide ze zich om naar Liam.

'Jij bedankte hem al voordat ik de kans kreeg,' zei ze.

'O,' zei hij, ineens een beetje gegeneerd. 'Ja, dat is zo. Het spijt me. Ik wilde alleen...'

'Nee, dat is prima,' zei ze terwijl ze een kleur kreeg. 'Alleen... dat is precies wat een vader zou doen.'

Liam bleef stokstijf staan, niet in staat een woord uit te brengen. Hij wenste dat Lily zou weten wat zich allemaal in zijn borst afspeelde, welke gevoelens Rose bij hem wakker maakte vanaf het moment dat hij had geholpen om haar op de wereld te zetten.

'Ik zat net te denken,' zei Lily, 'aan wat jij zei vlak voordat de dokter binnenkwam. Over de Grieken en die vitale essence...'

'Zuurstof,' zei hij. Precies zoals zij zelf had gezegd...

'Ik zat te denken dat er ook nog iets anders bij moest komen,' zei ze. Ze staarde naar de liftdeuren toen ze de lift dichterbij hoorde komen. De dokter had gezegd dat Rose over een paar minuten naar boven zou worden gebracht en Lily was er klaar voor. Ze wendde haar blik af van de lift en keek Liam aan.

'Wat dan?' vroeg hij.

'Nou,' zei ze, maar ze hield zich in.

Liam wilde haar vertellen wat hij dacht, maar hij durfde het woord niet hardop te zeggen: *Liefde*. De meest vitale essence die bestond.

Precies op dat moment gingen de deuren open en een broeder duwde Rose naar buiten, in haar bed en nog steeds aan de monitors, maar met open ogen. Ze was vastgebonden en Liam vond de aanblik van die banden hartverscheurend. Maar ze moesten voorkomen dat ze zou bewegen, in ieder geval tot de volgende dag. Ze keek van Lily naar Liam en toen weer naar Lily.

'Hallo, lieverd,' zei Lily.

'Ik heb pijn,' zei Rose.

'Dat weet ik, schattebout. Maar dat zal niet lang meer duren.'

'Echt niet, Rose,' zei Liam. Hij kon nauwelijks verdragen dat ze pijn had, maar hij wist dat de verpleegkundigen haar direct een pijnstiller toe zouden dienen en hij wist ook dat ze snel van de operatie zou genezen. 'Zo meteen heb je geen pijn meer.'

'Beloof je dat?' fluisterde Rose hees.

'Ja,' zei Liam, terwijl hij even zijn hand op haar hoofd legde, precies zoals zijn eigen vader had gedaan toen hij hetzelfde had beloofd na de amputatie van Liams arm. Dat waren dingen die iedere vader zou zeggen en doen.

22

Rose was wakker en had haar ogen alweer open toen ze de operatiekamer uit gereden werd. De medicijnen die ze kreeg, maakten haar wazig, maar ze bleef toch steeds proberen om de banden over haar borst los te trekken. Ze wilde zich bewegen, rennen, haar moeder knuffelen en naar huis.

Ze sliep veel.

Haar moeder en dr. Neill zaten om de beurt naast haar bed. Soms zaten ze er allebei en zo dicht bij elkaar dat het net was alsof ze één persoon waren. Zelfs in haar dromen kon ze hun stemmen horen, ze waren voortdurend bij haar of ze nu wakker was of sliep. Als ze huilde, wist ze niet eens wie haar knuffelde. Haar borst deed pijn.

En ineens niet meer. Toen Rose de volgende dag wakker werd, scheen het zonnetje en haar borst deed helemaal geen pijn meer. Nou ja, nog een klein beetje... De zuster hielp haar om rechtop te gaan zitten, waste haar en daarna kwam de dokter naar haar hechtingen kijken.

Haar moeder en Liam keken van een afstandje toe terwijl de zusters haar klaarmaakten om voor het eerst een paar stapjes te doen. Ze wist dat het nog geen dag geleden was dat ze op de operatietafel had gelegen, maar ze was eraan gewend om het wondermeisje te zijn dat altijd zo snel uit bed kwam. Ze wist dat lopen en poepen de belangrijkste dingen waren. Het was net zoiets als een tien krijgen voor een uittreksel van een boek of voor een rekenproef. Als je die dingen voor elkaar kreeg, kon je al bijna weer naar huis.

In ieder geval mocht je dan weer van de IC naar een normale afdeling.

'Hoe is het met de pijn, Rose?' vroeg de verpleegkundige.

'Gaat wel, hoor. Mam, heb je Jessica al verteld dat ik over een week weer naar huis mag?'

'Ja, schat.'

'Wat is er nou, dr. Neill?' Toen ze opkeek, had hij zo'n rare trek op zijn gezicht... alsof hij aan de grond vastgenageld stond en niet goed wist of hij nou op afstand moest blijven of proberen haar op te vangen. De verpleegkundige glimlachte hem als een schooljuffrouw toe, alsof hij nog een boel moest leren.

'Kinderen genezen veel sneller dan volwassenen van openhartoperaties,' zei de zuster. 'Ze hebben veel minder pijn in hun borst. Nu gaan we Rose helpen opstaan om een eindje te wandelen, zodat ze weer terug kan naar de afdeling pediatrie.'

'Oké,' zei dr. Neill en hij stak zijn armen uit op de manier die Rose zich nog kon herinneren van toen ze nog heel klein was en leerde lopen. Toen ze dat zag, schoot ze in de lach, waardoor haar borst weer pijn begon te doen. 'Wat is er, Rose?' vroeg hij.

'Ik kan het best, hoor,' zei ze. 'Kijk maar.'

'We staan op je te wachten, schat,' zei haar moeder.

Alle volwassen stonden vlak bij haar en Rose schoof naar de rand van het bed tot haar tenen in de zachte slofjes de vloer raakten. En die voelde zo stevig aan. Rose had het niet aan haar moeder willen vertellen, maar de grond had al een hele tijd een beetje wiebelig aangevoeld, bijna zoals het dek van de *Tecumseh II* tijdens haar verjaardagsfeestje. Een boot die niet alleen van voren naar achter wiebelde, maar ook heen en weer. Rose was er duizelig van geworden en ze had geweten dat dat kwam omdat ze niet genoeg zuurstof kreeg.

Maar dat was nu allemaal veranderd. Nu al, nog maar een halve dag na haar operatie, voelde ze zich wel tien, honderd, nee duizend keer beter dan daarvoor. Ze haalde diep adem en ze kon gewoon voelen hoe haar longen zich uitzetten en haar kracht terugkwam.

'Ik voel me lékker,' zei ze.

Iedereen lachte en haar moeder stak haar hand uit.

'Zullen we een eindje wandelen?' vroeg ze.

Rose knikte, maar ze verzette haar voeten niet. Ze bleef gewoon wachten terwijl ze naar hen opkeek.

'Rose?' zei dr. Neill.

Ze stak alleen maar haar hand uit en wachtte tot hij die vast zou pakken. Toen hij zijn vingers om de hare vouwde, was ze zover. Samen met haar moeder en dr. Neill nam Rose haar eerste stapjes. Door de IC, rond de verpleegsterspost. Ineens drong het tot haar door dat in alle andere IC's waar ze had gelegen dr. Neill ook bij haar was geweest. Terwijl daar eigenlijk alleen maar familieleden werden toegelaten. Rose moest erom lachen, maar ze bleef naar de grond kijken omdat ze bang was dat iedereen zou zien hoe blij ze daarom was. Want eigenlijk wist ze niet wat dat betekende. Gedurende de afgelopen negen jaar had ze geleerd dat ze altijd op haar hart moest letten en ervoor moest zorgen dat het niet gebroken werd. Maar toen hij in haar hand kneep, besloot ze dat ze in ieder geval een beetje hoop mocht koesteren.

Lily en Liam hadden zich aangewend om naar de haven van Boston te gaan als ze uit het ziekenhuis kwamen. Meestal liepen ze via de markt in Faneuil Hall naar Long Wharf. Daar werden ze omringd door mensen die lekker in het zonnetje wandelden, maar voor Lily en Liam was de omgeving van levensbelang. Ze konden geen van beiden zonder de zee en ze moesten er regelmatig naartoe om naar de golven te kijken en de zilte lucht die aan thuis deed denken in te ademen.

Liam had een verrekijker bij zich, zodat ze het blauwe water af konden speuren op zoek naar Nanny. Maar ze kwam nooit dicht genoeg bij de kust en scheen voor de haven te blijven zwemmen, alsof het genoeg was om in de buurt te blijven.

Die avond liepen ze terug naar het hotel, nadat ze met volle teugen hadden genoten van de zeelucht. Lily bleef strak naar de kinderkopjes kijken terwijl vanbinnen de spanning toenam. Ze had hem zoveel te vertellen, maar ze voelde zich zo timide dat ze geen woord over haar lippen kreeg. Het was net alsof ze met haar mond vol tanden stond. Hij had vanavond haar hand niet vastgepakt... ook niet tijdens hun wandeling.

'Het leven is toch wel grappig,' zei hij, terwijl ze onderweg waren.

'Hoezo?'

'Je kunt wel denken dat je weet wat het beste voor je is, wat je moet doen, en dan gebeurt er ineens iets waardoor al je plannen ondersteboven worden gegooid.'

'Wat bedoel je nou precies?' vroeg ze. Had hij het over deze zomer? Hij had een heleboel opgegeven om bij Lily en Rose te zijn, dus misschien begon hij nu wel spijt te krijgen dat hij daar al die tijd in had gestoken die hij beter aan zijn onderzoek had kunnen wijden.

'Nou ja, gewoon, dat er nare dingen kunnen gebeuren die bij nader inzien toch... op iets goeds uitlopen.'

Ze keek naar hem op, nieuwsgierig naar wat hij precies bedoelde, maar hij liep gewoon zwijgend door. De ruimte tussen hen leek enorm groot, maar Lily durfde niet dichterbij te komen omdat hij kennelijk behoefte had aan wat afstand.

'Ik dacht aan die haai,' zei hij een paar minuten later.

'Daar kwam helemaal niets goeds uit voort, dat weet ik,' zei ze. 'Daardoor ben je Connor kwijtgeraakt, plus een deel van jezelf. Je hoeft echt niet te doen alsof daar iets goeds uit is voortgekomen, Liam.' Hij gaf geen antwoord.

Ze keek opnieuw naar hem. Hij had golvend bruin haar en onder de lantaarns zag ze hier en daar een zilveren draadje. Zijn blauwe ogen stonden treurig. Toen waren ze bij het Charles River Hotel, vlak achter het ziekenhuis, en liepen naar de lift. Onderweg naar hun kamers wenste Lily dat ze wist wat ze moest zeggen. Zij logeerde op de veertiende verdieping en Liams kamer was op de zestiende. Toen de deur op de veertiende verdieping opengleed, keek hij haar aan.

'Welterusten,' zei ze.

'Welterusten, Lily,' antwoordde hij.

Een beetje overstuur en in de war liep ze naar haar kamer. Niet alleen omdat hij haar helemaal niet had aangeraakt tijdens hun wandeling, maar omdat hij zo bezorgd had geleken en die opmerking over die haai had gemaakt, terwijl zij hem niet had kunnen troosten.

Lily had het gevoel dat ze vanbinnen helemaal overhoop lag en ijsbeerde door haar hotelkamer. Haar echtgenoot had haar zoveel verdriet gedaan, dat ze geen greintje vertrouwen meer in hem had. En om bij hem weg te gaan had ze alles moeten opofferen en was ze in een ijsberg veranderd, kil en hard. En naarmate de tijd verstreek, had ze geleerd zichzelf in bescherming te nemen en voet bij stuk te houden. Geen man kwam bij haar in de buurt. De Nanouks waren de enige vrienden die ze had gehad. Maar Liam...

De laatste paar weken had ze gevoeld dat ze begon te smelten.

'Welkom in een milder klimaat,' had ze op de verjaardag van Rose tegen Marisa gezegd. Maar wat Marisa niet kon weten, was dat Lily zelf nooit echt in die woorden had geloofd. Ze dacht altijd dat ze veel te koud was, te hard bevroren, te zeer in de ban van de winter om ooit nog zoiets als een innerlijke lente te beleven.

Ze dacht aan Liam... aan de blik in zijn ogen toen hij over die haai begon. Hij had in de loop der jaren zoveel voor haar gedaan – en vooral ook deze zomer – waarom kon zij hem dan niet de hand reiken en haar armen om hem heen slaan? Waarom had ze niet tegen hem gezegd dat ze altijd bereid was om te luisteren als hij ergens over wilde praten?

Lily begon inwendig te trillen. Ze pakte haar sleutel en liep de kamer uit. Omdat ze geen zin had om op de lift te wachten, nam ze de trap naar boven. Maar bij iedere stap werd ze banger. Stel je voor dat ze zich vergiste? Het was al zo lang geleden dat ze een man benaderd had, dat ze echt was gaan geloven dat het nooit weer zou gebeuren. Dat Liam zo lief was, dat Rose hem aanbad, dat Lily steeds meer voor hem begon te voelen, het leken allemaal onbelangrijke feiten als je ze afzette tegen haar oude, verschrikkelijke en volkomen terechte angsten. Maar ondanks die bedenkingen liep ze gewoon door.

Ze ging op zoek naar zijn kamer, 1625, haalde diep adem en klopte.

Liam deed de deur open en stond haar met verbaasde blauwe ogen aan te kijken. Hij droeg een spijkerbroek en een blauw katoenen overhemd. Zijn linkermouw hing leeg naar beneden. Zo had Lily hem nog nooit gezien en ze hield ontzet haar adem in.

'Het spijt me,' zei hij, terwijl hij neerkeek op zijn lege mouw en erop klopte alsof hij zijn arm door pure wilskracht weer kon laten verschijnen. 'Ik had eerst...'

'Nee, je hoeft je niet te verontschuldigen,' zei ze. 'Maar ik wel... het spijt me, Liam.'

'Als je het vervelend vind, kan ik mijn prothese wel weer aandoen.'

Lily glimlachte en schudde haar hoofd. 'Vervelend? Welnee. Je hebt net twee dagen bij Rose op intensive care gezeten. Je hebt haar hechtingen gezien, de wond... Dat soort dingen vind ik helemaal niet vervelend.'

'De meeste mensen wel.'

'Ik ben niet zoals de meeste mensen,' zei ze.

Ze liepen naar het tafeltje en de twee stoelen die voor het raam stonden. De kamer was maar zwak verlicht, dus ze konden de rivier zien met het water waarin de stadslichtjes dansten. Het was een heel ander soort water dan het water waarop ze in Cape Hawk uitkeken, maar het bleef water en Lily had het gevoel dat alles in een stroomversnelling kwam.

'Toen je over die haai begon,' zei ze, 'had ik daar graag meer over willen horen.'

'O ja? Maar ik liep gewoon alleen maar een beetje te filosoferen...'

'Filosofeer dan nog maar even verder,' zei ze en leunde achterover in haar stoel.

'Wat me volgens mij door het hoofd speelde,' zei hij, 'was dat het af en toe lijkt alsof er door die haai een einde aan mijn leven kwam. En soms heb ik juist het gevoel dat het daarmee begon.'

'Hoezo?'

'Je weet niet hoe verknocht ik aan Connor was,' zei hij. 'We waren onafscheidelijk. Ook al was hij drie jaar jonger dan ik, er was niemand met wie ik liever optrok. Hij was zo geestig. Hij zwom altijd naar walvissen toe als ze sliepen en dan klom hij op hun rug. We daagden hem constant uit om dat te doen.'

'Deed hij dat die dag ook?'

'Ja,' zei hij. 'Hij probeerde om in de buurt te komen van een van de beloega's. Het dier was bezig zich vol te proppen met krill en haring. We zagen de haai pas toen hij Connor omlaagtrok.'

'Heb jij dat gezien?'

Liam knikte. 'Ja. Connor stak zijn beide armen naar me uit. Ik zwom zo snel als ik kon terwijl ik mijn best deed om hem weg te trekken bij die haai. En toen... was hij er ineens niet meer. Ik zwom daar door het bloed van mijn broertje terwijl ik naar hem bleef duiken. Toen kreeg de haai mij ook te pakken.'

Lily zat stil te luisteren.

'Hij... hij greep me gewoon bij mijn arm. Het deed geen pijn, ik heb helemaal geen tanden gevoeld of zo. Later heb ik begrepen dat ze vlijmscherp zijn, een soort scheermessen, en gewoon dwars door vlees en botten gaan. Het leek meer op de hardste ruk die ik ooit aan mijn arm had gevoeld. Maar ik kon alleen maar aan Connor denken... ik probeerde de haai met mijn andere arm te slaan, ik beukte op hem in en deed mijn best om hem zijn ogen uit te steken. Ik drukte mijn vingers in zijn oogkas... en daardoor liet hij los.'

Lily was zo gespannen dat ze op een gebalde vuist leek. Ze wist hoe het voelde om voor je leven te vechten. Liams beschrijving van de manier waarop die tanden toehapten... zo scherp en glad dat je haast niet in de gaten had dat je levend werd opgegeten. Ze dacht aan die laatste dag, toen ze – hoogzwanger van Rose – door haar man tegen de grond was geslagen en hij net had gedaan alsof het een ongeluk was.

'Maar je bent ontsnapt,' fluisterde ze.

'Ja,' zei hij. 'Ik zwom puur op adrenaline en dook nog steeds naar Connor hoewel ik mijn arm kwijt was. Volgens mij had ik dat niet eens in de gaten. Jude stond te schreeuwen, hij was weer aan wal geklommen. Iemand hoorde hem en kwam in een boot naar ons toe. Ze moesten mij uit het water sleuren... En iedereen stond ervan te kijken dat ik nog steeds in leven was. De haai had een slagader doorgebeten en ik was aan het doodbloeden op dezelfde plek waar Connor onder water was verdwenen.'

'O, Liam.' Ze sprong op omdat ze helemaal overstuur raakte van zijn verhaal. Liam stond naast haar toen ze achteruit wankelde en tegen het bureau bleef staan. Hij stak zijn hand uit om haar te ondersteunen en ze was verbaasd om te zien hoe kalm hij was. Achter hem, in een hoek van de kamer, stond zijn prothese tegen de muur.

'Hoe heb je dat klaargespeeld?' vroeg ze. 'Hoe ben je erin geslaagd om dat te overleven?'

'Hoe heb jij dat gedaan, Lily Malone?' vroeg hij. 'Jij hebt ook een ontmoeting met een haai gehad.'

'Soms vraag ik me dat inderdaad weleens af,' zei ze.

'Omdat iets naars ook goede gevolgen kan hebben,' zei hij. 'Daarom. Jij hebt er Rose aan overgehouden.'

'Dat is waar,' zei ze. 'Maar jij dan?'

'Ik ben hier nu met jou,' zei hij.

'Maar dat...' begon ze.

'Iets heeft ons samengebracht,' zei hij. 'Wat mij betreft, is dat het goede wat uit iets naars is voortgekomen.'

Lily ging op haar tenen staan om haar armen om zijn nek te slaan. Ze streelde zijn achterhoofd en keek hem diep in de ogen. Ze voelde zoveel emotie dat het leek alsof ze kopje-onder ging. Ze wilde hem troosten, maar ze wilde hem vooral kussen.

Liam loste dat probleem zelf op. Hij drukte haar tegen zich aan zodat ze achterover kon leunen en ze elkaar konden kussen. Heel teder en heel lang, alsof hun gevoelens zich al eeuwen hadden opgehoopt, net als de meest recente emoties. Zijn omhelzing was teder en toch sterk. Lily was naar boven gekomen om hem te troosten, maar hij zorgde ervoor dat de tranen haar in de ogen sprongen. Ze klampte zich aan hem vast en wilde hem niet meer loslaten, ook niet toen hij haar met één arm oppakte en haar naar het bed droeg.

'Er was iets wat ik tegen je wilde zeggen,' zei ze terwijl ze naast hem lag en hem recht aan kon kijken. 'Ik vind je fantastisch. Je bent altijd zo geweldig voor mij en Rose en het spijt me dat ik je niet eerder heb gevraagd hoe je...'

Hij legde zijn vinger op haar lippen.

'Je hoeft nergens spijt van te hebben,' zei hij.

En daarna leken woorden niet belangrijk meer. Er waren negen jaar die ingehaald moesten worden. Lily ging op haar rug liggen, met haar hand op Liams borst. Hij rolde over haar heen en leunde op zijn elleboog om haar wang te kussen, haar lippen en haar hele hals, waardoor zij begon te kronkelen van verlangen. Maar ze hield die arm tussen hen in, die hand op zijn borst, en ze wisten allebei dat ze op het punt stond hem weg te duwen... Zoals ze altijd op het punt stond om iemand weg te duwen.

Het was nu of nooit... Ze verlangde zo naar hem dat het klamme zweet haar uitbrak en ze hunkerde naar zijn kussen, maar toch wilde ze zich nog steeds verzetten. De spanning hoopte zich op tot haar ruggengraat op een springveer leek. Liams ogen waren blauwer dan elke zee die ze ooit had gezien. Ze keken elkaar zonder terughouding aan terwijl hij haar bleef kussen, langzaam, kusje voor kusje, tot ze de vechtlust langzaam uit haar lichaam voelde wegebben.

Waarschijnlijk had ze een diepe zucht geslaakt en dat was voor Liam een teken geweest. Hij lag op zijn linkerzij en legde zijn rechterarm over haar heen om haar rug te strelen, terwijl hij haar hard en lang kuste. Zijn tong was heet en ze beet er even in... Heel licht, maar zo onverwacht dat het hen allebei opwond en er geen weg terug meer was.

Hun kleren vlogen uit. Lily wist niet meer wie wat had opengeritst en welke knoopjes had opengemaakt, maar hun shirtjes en zijn broek gevolgd door haar broek en al hun ondergoed kwamen op de grond terecht. Meteen daarna lagen ze weer op het bed. Alleen een schemerlampje op de tafel brandde en verspreidde een zwak en warm licht. Lily had Liam nog nooit met ontbloot bovenlijf gezien. Ze wilde kijken, maar was toch een beetje bang.

Liam lag op zijn rug en keek naar haar op. Ze liet haar ogen van zijn sterke, brede borst naar zijn linkerschouder dwalen. Die zag er stevig genoeg uit en ging over in zijn bovenarm die ongeveer vijftien centimeter onder de schouder was afgezet.

Ze zag ook zijn linkerzij, die er rauw en bekrast uitzag, vol littekens van gehechte wonden. Zijn arm leek genezen, maar zijn zij zat vol herinneringen aan de woeste aanval van de haai en aan de operaties die hij had moeten ondergaan. Lily boog zich over hem heen en drukte voorzichtig een kus op die kant van zijn lichaam.

Ze klemden zich aan elkaar vast en bleven kussen. Liam liet zijn vingers over de volle lengte van haar bovenlichaam glijden, waardoor ze automatisch haar rug hol trok. Zijn kussen werden inniger en ze kreeg het gevoel dat ze zweefde, toen ze haar heupen optilde. Het verlangen om hem in zich te voelen was het heftigste dat ze ooit had beleefd.

Zijn kus zorgde ervoor dat ze haar zelfbeheersing niet verloor, maar toen hij haar aanraakte, raakte ze buiten zinnen. Lily huiverde en voelde zijn lichaam van top tot teen, van de kromming van zijn ruggengraat en zijn brede schouders tot zijn smalle heupen en zijn sterke benen. Hij klemde haar stijf vast en wiegde haar heen en weer, zelfs toen ze begon te huilen waardoor alle oude, koude en bevroren gevoelens wegvloeiden en ook nog toen ze na afloop begon te trillen en weer in tranen uitbarstte, omdat het nu pas tot haar doordrong dat ze nog steeds gevoelens had en nog steeds kon beminnen.

Ze vielen samen in slaap, aan elkaar vastgeklemd. Lily werd een paar keer wakker, maar ze wilde zich niet verroeren... Ze wilde Liam nooit meer loslaten. Nu ze daar naast hem lag, voelde ze een ontembare blijdschap opwellen. Hij was in zijn slaap gaan verliggen en zijn rechterarm lag over haar borst. Ze lagen in elkaars armen alsof het de meest normale en vertrouwde toestand ter wereld was. Alsof ze al jaren van elkaar hadden gehouden en alleen maar hadden gewacht op het geschikte moment om samen een nieuw leven te beginnen.

Lily bleef hem vasthouden en voelde haar ogen dichtvallen toen ze weer door slaap werd overmand. Eigenlijk wilde ze nog heel even wakker blijven om te genieten van de wetenschap dat zij bij Liam was en dat Rose niets kon gebeuren.

Vanaf het moment dat Rose weer terug was op de afdeling pediatrie verliep haar genezing echt als een soort wonder. Lily's eigen hart kreeg vleugeltjes omdat Rose zo snel opknapte en omdat ze Liam had. Al binnen vierentwintig uur na de operatie verdwenen alle slangetjes en buisjes en kon Rose losgekoppeld worden van de apparaten. In haar nieuwe kamer kon ze zich onbeperkt bewegen. En ze wilde zoveel mogelijk lopen, zodat de dokters haar snel zouden laten gaan. Lily had nog nooit meegemaakt dat Rose zo graag naar huis wilde. En Lily had het leven nog nooit zo gretig omhelsd, het leek alsof zij nu net als andere mensen in het bezit was van de toversleutel die van iedere dag iets maakte dat de moeite waard was om te beleven.

Gewoonlijk was Rose na een operatie een beetje aarzelend en heel voorzichtig. Dan hield ze met haar linkerhand haar rechterschouder vast en kromde haar rug om haar hartstreek te beschermen. Voor dat gedrag kon Lily alle begrip opbrengen. Maar dit keer zag Lily hoe ze haar best deed om rond te lopen zonder zich vast te houden, rechtop te gaan staan en allerlei oefeningen te doen die haar na vorige operaties geleerd waren, omdat ze het echt vervelend vond om naar fysiotherapie te gaan. Dat had Lily nooit begrepen. Rose had zoveel akelige dingen moeten ondergaan, waarom voelde ze zich dan zo bedreigd door iets dat haar toch duidelijk goed deed?

Nu de operatie goed was verlopen, ging Liam terug naar huis om zijn werk weer op te pakken. Zijn vertrek was zowel voor hemzelf als voor Lily hartverscheurend geweest, ze had het gevoel dat ze alleen al bij het besef dat hij weg moest weer zou instorten. Maar hij belde iedere ochtend en iedere avond, en op de derde dag kwam hij weer terug, alsof de afstand gewoon te groot was. En Lily was dolblij.

Maar dat gold ook voor Rose. Ze bloeide op als de bloem waarnaar ze vernoemd was, ze kreeg een fris kleurtje en werd met de minuut gezonder. Lily keek van een afstandje toe hoe ze met Liam zat te praten en te lachen en zag dat Liam Rose op zijn laptop liet zien dat het lichtje van Nanny nog steeds vlak voor de haven van Boston knipperde.

'Waarom is ze daar?' vroeg Rose. Het was een vraag die ze al een paar keer eerder had gesteld, maar ze vond het gewoon leuk om het antwoord keer op keer te horen.

'We weten het niet zeker,' zei Liam met een blik op Lily. 'Maar we denken dat ze bij jou in de buurt wil zijn.'

'Maar ze kent me niet eens!'

'Volgens mij kent ze je wel degelijk,' zei Liam.

'Maar ik ben een meisje en zij is een walvis. We hebben nooit met elkaar gepraat of gespeeld of gezwommen. Mammie heeft haar heel vaak voor me geborduurd en die plaatjes hangen allemaal bij mij aan de muur, maar ze ként me niet echt.'

'Laat me je daar eens een verhaaltje over vertellen,' zei Liam. 'Over hoe Nanny jou misschien wel kent. Het gaat over een visarend en een zwarte kat.'

'Maar...' begon Rose.

Ze keek hem met haar grote groene ogen aan en er verscheen een brede glimlach op haar gezicht. Maar op dat moment kwam de fysiotherapeut langs om Rose te vertellen wat ze moest doen als ze weer thuis was. Ze zei tegen Rose dat ze haar linkerhand naar beneden moest houden, rechtop moest lopen en vroeg aan Lily of er wel een fysiotherapeut in Cape Hawk was. Lily verzekerde haar dat die er wel degelijk was.

Toen de fysio vertrok, zag Rose er een beetje verlept uit. Ze wierp Liam een blik toe alsof ze zat te wachten tot hij haar weer zou op-vrolijken met het verhaal over de visarend en de zwarte kat.

Lily wilde dat ook graag horen. Eigenlijk had ze verwacht dat Liam de gelegenheid meteen aan zou grijpen om Rose het verhaal te vertellen en op die manier haar aandacht af te leiden van het feit dat de fysiotherapeut net een behoorlijk zwaar oefenpakket had voorge-schreven. En hoewel die oefeningen helemaal niet zo erg leken – Lily vond zelfs dat ze best leuk waren – was Rose duidelijk een beetje overstuur. En Liam zelf leek ook onder de indruk en een beetje uit het veld geslagen.

'Dat is helemaal niet leuk, hè Rose?' zei hij.

Ze hield haar hoofd schuin, alsof ze niet zeker wist wat hij be-

doelde. Maar ze las kennelijk iets in zijn ogen... alsof hij een gelijkgestemde geest was die wist hoe ze zich voelde. Want ze schudde alleen maar haar hoofd en liet het vervolgens hangen tot haar kin op
haar borst rustte. Toen ze weer opkeek, was haar gezicht nat van de
tranen.

'Ik weet nog goed hoe moeilijk het was,' zei Liam.

'Wat bedoelt u?' vroeg Rose. 'Hebt u ook fysiotherapie gehad?'

'Ja,' zei Liam. 'Eerst een halfjaar lang... en daarna nog een jaar.'

'Voor uw arm?'

Liam knikte. 'Ik moest weer helemaal opnieuw leren hoe ik alles
moest doen. En wat ik niet moest doen.'

'Hoezo?'

'Nou, toen ik mijn arm nog maar net kwijt was, had ik het idee
dat die er nog steeds was. Als ik 's nachts wakker werd, wilde ik een
glaasje water pakken met mijn linkerarm. Maar die was er niet meer.
En daardoor raakte ik overstuur en helemaal in de war. Als ik die
arm nog steeds kon voelen, dan moest hij er toch ook nog zijn? Maar
dat was dus niet zo. Vandaar dat ik... een beetje boos werd.'

'Dat gevoel heb ik ook,' zei Rose met een zachte stem.

'Dat durfde ik wel te wedden,' zei hij.

'Wat gebeurde er nog meer?'

'Nou, ik begon alles met mijn rechterarm te doen. Dingen die ik
daarvoor met mijn linkerarm had gedaan. Dus reikte ik altijd voor
mijn lichaam langs, waardoor mijn rechterschouder pijn begon te
doen. En ik kreeg ook pijn in mijn linkerschouder. Want ik had weliswaar geen linkerarm meer, maar ik had nog steeds spieren in mijn
schouder die begonnen te verschrompelen en korter werden... dus
moest ik ervoor zorgen dat ik ze bleef gebruiken.'

'Ik reik soms ook voor mijn lichaam langs,' zei Rose, 'maar ik doe
het met mijn linkerarm. Omdat ik niet wil dat iemand tegen mijn
hart stoot.'

'Dat lijkt me logisch,' zei Liam.

'Ja, dat weet ik wel, maar daardoor moet ik me in bochten draaien
en dat is weer niet goed voor mijn houding! Maar mijn houding kan
me niks schelen!' riep Rose uit.

'Ik maakte me ook niet druk over de mijne, Rose,' zei Liam. 'Ik
wilde alleen maar twee keer zoveel doen met één arm. Maar je moet

toch wel echt een goede houding hebben, hoor. Zelfs als je denkt dat het niets uitmaakt. Je wilt toch een gezonde ruggengraat hebben? Laat eens kijken, we zullen een lijstje moeten maken van alle dingen die we moeten doen. Hart beschermen, ruggengraat beschermen... en wat nog meer?'

'Twee armen gebruiken!' zei Rose en giechelde.

'O ja, hoe kon ik dat nou vergeten!' zei Liam terwijl hij net deed alsof hij denkbeeldige aantekeningen maakte. Rose zat geboeid toe te kijken hoe hij met zijn prothese zogenaamd een blocnootje vasthield en met zijn echte hand schreef. Lily zag hoe strak ze naar hem keek en vanbinnen welde de dankbaarheid in haar op. Toen ze haar blik op Liam richtte, voelde ze haar hart nog verder wegsmelten en ze trok zich nog iets verder terug terwijl ze naar het stel bleef kijken.

'Hoe was dat?' vroeg Rose een moment later.

'Toen ik mijn prothese kreeg? Nou, dat was de reden waarom ik nog een jaar langer fysiotherapie moest doen. Om te leren hoe ik die moest gebruiken.'

'En al die tijd was u vast verschrikkelijk verdrietig,' zei Rose.

'Ja,' zei Liam en keek op. 'Hoe weet je dat?'

'Omdat ik soms zelf ook zo verdrietig ben,' zei ze. 'Omdat ik ook iemand heb verloren. U hebt uw broertje verloren, maar mammie en ik zijn iemand anders kwijtgeraakt.'

'Hoezo Rose?' vroeg Lily die geen flauw idee had wat ze bedoelde.

'Mijn vader,' zei Rose. 'Ik heb nooit een vader gehad. Mijn eigen vader wilde me niet hebben.'

'Maar dat was niet om jou, Rose,' zei Lily. Ze had het probleem nooit echt met haar besproken. 'Jij was niet de reden dat hij geen deel meer uitmaakt van ons leven!'

'Het gaat niet om de reden, het gaat om wat zij voelt,' zei Liam terwijl hij Roses hand vastpakte. Voor het eerst sinds een hele tijd werd Lily een beetje nijdig op hem. Hij hoorde het met haar eens te zijn en Rose te verzekeren dat het haar schuld niet was dat ze geen vader had!

'Ja,' fluisterde Rose. 'Daarom werkt mijn hart niet goed.'

'Ik had hetzelfde gevoel,' zei Liam. 'Ik was erbij toen mijn broertje doodging. Ik was zijn oudere broer, Rose. En ik dacht dat ik hem eigenlijk beter had moeten verdedigen. Als ik maar sneller had gezwommen, dan had ik hem kunnen redden. De haai had mij moeten grijpen, niet hem.' Lily zette zich schrap en dacht aan wat hij haar die avond verteld had.

'En dacht u ook dat de haai uw arm had afgerukt omdat u slecht was?' vroeg Rose.

'Ja,' zei Liam. 'Dat heb ik heel lang gedacht.'

'Net als ik. Ik dacht dat ik wel slecht moest zijn omdat ik geen vader heb.'

'Lieverd...' begon Lily en zweeg even, zoekend naar woorden.

'Maar je weet ook dat het niet waar is,' zei Liam in haar plaats. 'Dat weet je toch, Rose? Je bent het meest fantastische meisje van de hele wereld. Sommige dingen gebeuren gewoon. Jij werd geboren met hartafwijkingen, maar dat kwam niet door wie je bent of wat voor soort meisje je bent. Als dat zo was, dan zou jij het gezondste en mooiste hart van de hele wereld hebben.'

'En die haai heeft uw arm ook niet afgebeten omdat u slecht was, hè?'

'Dat klopt,' zei Liam terwijl hij opkeek naar Lily. 'Daar kwam ik uiteindelijk ook achter.'

'Wanneer dan?'

'Op de avond dat jij werd geboren, Rose.'

'Echt waar?' vroeg Rose.

Liam knikte. 'Echt waar.'

Blij dat ze iets omhanden had, ging Lily verder met borduren terwijl ze naar hen bleef kijken. Ze had Liams verhaal al tijdens hun laatste avond in Melbourne gehoord en nu zag ze hoe Rose er met grote ogen naar zat te luisteren. Wat was dat een geweldig cadeau dat Liam aan dit vaderloze meisje gaf, dacht Lily. Rose die dacht dat ze zo slecht was dat ze haar vader had verdreven... en nu kreeg ze van Liam precies het tegendeel te horen, dat ze hem op de avond dat ze ter wereld kwam juist het gevoel had gegeven dat hij weer meetelde.

Lily leunde achterover en bleef borduren. Ze liet haar vaderloze dochter en die dochterloze man hun gesprek voortzetten en probeerde zich voor te stellen wat de volgende stap zou zijn.

Anne Neill stond in de tuin tussen het hotel en de parkeerplaats bloemen te snijden om tijdens het diner op de tafeltjes te zetten. Ze droeg een brede strohoed en had een platte mand bij zich, die ze vulde met vers geplukte zinnia's, leeuwenbekjes, riddersporen en cosmea's. Ze wist heel goed dat Camille in een schommelstoel op de veranda zat en haar scherp in de gaten hield. Deze tuinen waren alleen maar zo schitterend omdat Camille jaren had besteed aan het ontwerp en het onderhoud. Anne had af en toe de grootste moeite om haar geduld te bewaren tegenover haar schoonmoeder, maar ze had nooit enige twijfel gekoesterd over wie de scepter over de bloemen zwaaide.

Terwijl ze opkeek, zag ze een gast over het stenen pad aankomen. Hij had slonzig rood haar dat glansde in de zon, met zoveel krullen en zo ontembaar dat zijn moeder er waarschijnlijk gek van was geworden toen hij nog klein was. Anne glimlachte toen hij naar haar toe liep.

'Oef,' zei hij, voordat ze de kans kreeg haar mond open te doen. 'Ik heb de hele nacht doorgereden. Ik dacht dat ik er nooit zou komen.'

'Hallo,' zei ze. 'Welkom.'

'Bedankt,' zei hij. 'Goed... dus dit is het Cape Hawk Hotel?'

'Dat klopt.'

'Hm,' zei hij terwijl hij om zich heen keek. Door de bomen was nog net een stukje van de haven zichtbaar. 'En daar liggen de walvisboten?' vroeg hij.

'Ja,' zei ze. 'Hebt u een verblijf inclusief walvistocht geboekt? Dan zal ik met plezier met u meelopen om u op een van de boten in te delen.' Ze trok haar tuinhandschoenen uit, zich bewust van het feit dat Camille haar nog steeds geen moment uit het oog verloor. In ieder geval was Camille ermee opgehouden Anne ervan te verdenken dat ze met iedere ongetrouwde mannelijke gast flirtte. Omdat haar eigen huwelijk zo tragisch was verlopen, bekeek ze ieder huwelijk met argwaan... zelfs het bijzonder gelukkige huwelijk van Anne en Jude. Anne hing de mand aan haar arm en liep met hem de trap aan de voorkant op.

'Eh nee, ik heb niet inclusief geboekt,' zei hij. 'Eerlijk gezegd heb ik niet eens gereserveerd.'

Anne trok een gezicht. 'O jee,' zei ze. 'En we zitten helemaal vol.'

'Echt waar?' zei hij, met felle blauwe ogen vol verbazing. 'U zit zo ver van de beschaafde wereld af dat ik dacht dat dat geen probleem zou zijn.'

'Tja, maar dat is juist de reden waarom een heleboel mensen hiernaartoe komen,' zei ze. 'Zeker tijdens de zomer. Als u in december was gekomen, had u het hele hotel tot uw beschikking gehad. Het spijt me ontzettend.'

Hij zuchtte, leunde tegen de deurpost en keek de receptie rond. Omdat het zo'n mooie heldere dag was, waren de meeste mensen op stap. Een ouder echtpaar zat op de bank naar de blauwe baai te staren. Kamermeisjes liepen kriskras door de grote ruimte op weg naar de kamers die schoongemaakt moesten worden. De grote open haarden aan weerszijden van de receptie werden schoongeveegd en gevuld met verse houtblokken. Op vrijwel iedere tafel stond een boeket bloemen.

'Wilt u misschien de lunch in ons restaurant gebruiken?' vroeg Anne. 'Dat lijkt me een goed idee als u echt de hele nacht hebt doorgereden.'

'Ja, dat heb ik echt gedaan,' zei hij, maar hij maakte helemaal geen vermoeide indruk. Zijn ogen stonden zo fel, dat het leek alsof rusten en eten de laatste dingen waren waaraan hij dacht.

'Tja, als u hierheen bent gekomen om walvissen te zien, kan ik u misschien een plaatsje op de middagboot bezorgen. Ik heb wel een streepje voor, want mijn man is de kapitein.'

De man grinnikte, een fantastische glimlach waarbij overal in zijn gezicht rimpeltjes verschenen. Anne keek onwillekeurig naar zijn linkerhand als een soort trouwringalarm voor haar Nanoukvriendinnen. Ze zag dat hij geen ring droeg.

'Krijgen jullie hier weleens beloega's te zien?' vroeg hij.

'Nou en of,' zei ze.

'Dezelfde beloega's die soms in aquaria terechtkomen? Zoals dat in Mystic, Connecticut?'

'Ja,' zei Anne, 'maar wij vinden dat ze in het wild horen.'

'Juist,' zei de man.

'Misschien kan ik u wel helpen bij het vinden van een plek om te logeren,' zei Anne. 'Een paar mensen die hier wonen, nemen weleens pensiongasten in huis en een paar kilometer verder aan deze weg is een motel dat misschien nog kamers vrij heeft. Daar hebt u ook een mooi uitzicht.'

'Ik weet niet of ik wil blijven,' zei hij. 'Ik ben alleen hiernaartoe gekomen om inlichtingen in te winnen.' Hij leek haar gezicht te bestuderen alsof hij haar probeerde te herkennen, of omdat ze hem aan iemand herinnerde. 'Komt u hiervandaan? Uit Cape Hawk, bedoel ik? Woont u hier al lang?'

'Ik heb hier mijn leven lang gewoond,' zei ze.

'Dus ik neem aan dat u de mensen kent die komen en gaan?'

'Ja,' zei ze behoedzaam. 'Ik ben een aangetrouwd lid van de familie Neill, die eigenaar is van het hotel en de walvisboten. Wij houden hier min of meer een oogje in het zeil.'

'De familie Neill?' vroeg hij terwijl hij zijn hand in zijn zak stak en zenuwachtig op zoek ging naar iets. 'Bent u familie van Camille Neill?'

'Ja,' zei Anne. Ze keek door de hordeur naar buiten, maar Camille zat niet meer in haar schommelstoel op de veranda. Waarschijnlijk was ze gaan liggen om een tukje te doen.

'Goeie genade,' zei de man.

'Pardon?'

'Ik zou graag met haar willen praten,' zei hij. 'Als ze er nog steeds is. Is ze... nog in leven?'

'Nou en of,' zei Anne grinnikend. 'Volgens mij is ze net gaan rusten. Als u even wacht, kan ik dat wel voor u uitzoeken.'

Anne zette de bak met 'Breng Rose Thuis'-kussentjes recht en pakte net de telefoon op toen de man een foto uit zijn zak trok. Hij schraapte zijn keel en liet Anne een penning zien.

'Ik ben rechercheur Patrick Murphy,' zei hij. 'Of eigenlijk gepensioneerd rechercheur van de staatspolitie van Connecticut. Afdeling zware criminaliteit. Ik heb niet zo lang geleden een tip gekregen over een oude zaak, die me hierheen heeft gebracht... naar Cape Hawk. Ik ben op zoek naar een vrouw die negen jaar geleden is verdwenen. Mara Jameson, uit Black Hall, Connecticut. Ze was ten tijde van haar verdwijning zwanger, dus ze moet inmiddels een negenjarig kind hebben. Ik zal u haar foto laten zien...'

Anne pakte de foto aan en haar hart stond stil. Het was haar vriendin, die met heldere en stralende ogen in de camera stond te kijken, alsof ze de gelukkigste vrouw ter aarde was.

'Hoe komt u aan die foto?' vroeg ze.

'Kent u haar?' wilde Patrick Murphy weten.

'Dat heb ik niet gezegd,' zei Anne, die haar best deed om een niets-zeggend gezicht te trekken. Ze slikte even om meer tijd te hebben. De foto zelf had gisteren genomen kunnen zijn in plaats van negen jaar geleden. Haar mede-Nanoukmeid was nauwelijks veranderd...

Op dat moment keek ze toevallig uit het raam en zag Marisa en Jessica Taylor vanaf de haven de heuvel oplopen. Jessica had een grote zak bij zich, kennelijk met nieuwe dennenkussens. Anne probeerde Marisa's blik op te vangen en haar een seintje te geven dat ze achterom moest lopen, maar dat lukte niet. Marisa zag er stralend uit. Al die duistere angsten die haar bij haar aankomst hadden gekweld, schenen in de laatste paar weken verdwenen te zijn.

Anne liep achteloos om de balie heen, pakte de gepensioneerde rechercheur bij de arm en nam hem mee naar de veranda aan de achterkant, tegenover de ingang waardoor Marisa ieder moment kon binnenkomen. Haar hart maakte overuren. Ze wist dat ze eerst contact moest opnemen met haar mede-Nanouks voordat ze besloot wat ze de rechercheur zou vertellen.

'Ik kan u wel helpen,' zei ze. 'U zei toch dat u Camille wilde spreken? Dat valt in ieder geval te regelen.'

'Maar die foto,' drong hij aan. 'Hebt u Mara Jameson gezien?'

'Ze kwam me wel bekend voor,' zei Anne, 'maar ik geloof echt niet dat ik haar gezien heb.'

'Maar ik had durven zweren...' begon de gepensioneerde smeris, ineens diep teleurgesteld. Zijn gezicht was bleek geworden, waardoor elk sproetje opviel.

Anne klopte hem op zijn arm. Ze moest hem hier weg zien te krijgen, naar een plek waar hij geen moeilijke vragen kon stellen.

'Hoor eens,' zei ze. 'U bent doodmoe... U hebt zo'n lange rit achter de rug. Ik weet een ideale plek waar u kunt uitrusten tot ik een afspraak voor u heb geregeld met Camille.' Onder het praten liep ze samen met hem terug naar zijn auto. En dat was net op tijd, want daar was Camille weer. Ze was helemaal geen dutje gaan doen, maar ging opnieuw op de veranda in haar schommelstoel zitten, met een kopje thee in haar hand en de oude argwanende blik in haar ogen terwijl ze toekeek hoe Anne de vreemdeling naar zijn auto bracht.

'Misschien wil ik toch uw restaurant wel proberen,' zei hij. 'Om te lunchen.'

'Maar natuurlijk,' zei Anne terwijl ze inwendig vloekte. 'Maar waarom geeft u dan niet eerst uw bagage even af bij het pension? Het ligt op een enig plekje, een stukje verder op deze weg, ongeveer achthonderd meter. Het heet Rose Gables en de eigenares is een vriendin van mij, Marlena Talbot, die u met open armen zal ontvangen. Dat weet ik zeker. Misschien kunt u haar die foto ook laten zien. Het zou best kunnen dat zij die Mara Jameson kent.'

Jessica trok de hoteldeur open en riep: 'Hallo, Anne! We hebben weer kussens voor Rose bij ons!'

'Fijn zo, schat!' riep Anne terug, met een glimlach in de richting van de rechercheur. Haar hart sloeg over terwijl ze bad dat hij zich niet om zou draaien naar het negenjarige meisje dat achter hem stond. Maar hij keek niet om. 'Kussens,' zei ze. 'Ik moet echt die kussens in ontvangst nemen. Gaat u nou maar naar Marlena en boek daar een kamer, dan zien we u hier zometeen wel terug voor de lunch. Ondertussen regel ik een afspraak voor u met Camille.'

'Nou bedankt,' zei Patrick Murphy die met moeite een geeuw onderdrukte. 'Die rit is me niet in de kouwe kleren gaan zitten. Ik heb aan een stuk door gereden, helemaal vanaf de kust van Connecticut.'

'Geen wonder dat u moe bent. Tussen haakjes,' zei Anne die hoopte dat haar stem nonchalant genoeg klonk, 'wat heeft die Mara Jameson eigenlijk gedaan?'

'Ze is verdwenen,' zei Patrick Murphy. 'Op zijn minst is ze met de verkeerde vent getrouwd, een kerel die haar sloeg. In het ergste geval heeft hij haar vermoord. Maar kort geleden is er iets gebeurd waardoor ik het idee kreeg dat ze misschien hierheen is gekomen, om zich te verbergen.'

'Te verbergen? Heeft ze dan iets misdaan?'

'Nee. Om zich te verbergen voor haar man. Ze was bang dat haar leven in gevaar was.'

'Arme vrouw,' mompelde Anne. Daarna vertelde ze Patrick hoe hij bij Marlena moest komen, stuurde hem weg en rende terug naar het hotel. Camille probeerde haar te roepen terwijl ze langs haar heen liep, maar Anne holde zonder een woord te zeggen door en stoof de receptie binnen.

Jessica en Marisa hadden de dennenkussens op een stapel achter de balie gelegd. Annes polsslag liep op toen ze de telefoon opgreep en om zich heen keek, op zoek naar Marisa. Waar was ze gebleven? Anne moest haar zien te vinden. Maar eerst toetste ze het nummer van Marlena in en stak een schietgebedje af dat ze thuis zou zijn.

'Hallo?' zei Marlena.

'Goddank dat je thuis bent!' zei Anne. 'Ik heb net een gast naar je toe gestuurd, die je onderdak moet geven.'

'Een gast! Waar heb je het over? Ik neem geen mensen in huis!'

'Nu wel. Het is noodzakelijk voor de Nanouks, om de zusterschap te steunen. Luister, Mar, je moet hem een kamer geven en hem daarna dwingen om te blijven lunchen. Het kan me niet schelen wat je hem voorzet, maar laat hem niet terugkomen naar het hotel tot ik zeg dat het kan.'

'Wie is het?'

'Een gepensioneerde smeris. Hij werkt aan een oude zaak. Het gaat om een vermist persoon, Marlena. Hij zal je een foto laten zien en je mag niks laten merken als je ernaar kijkt. Zeg maar gewoon dat ze je vaag bekend voorkomt... Zorg in ieder geval dat hij voldoende in je geïnteresseerd blijft en hier niet weer opduikt voordat ik de kans heb gehad om met onze meid te praten. Marisa, waar zit je nou? Ze was hier nog geen twee seconden geleden...'

'Hoe moet ik hem bezighouden? Moet ik soms met hem in bed duiken?'

'Als het niet anders kan.'

'Dat deed Mata Hari ook om haar doel te bereiken,' zei Marlena. Toen slaakte ze een gilletje en door de telefoon klonk het geluid van een autoportier dat dichtgeslagen werd. 'Hij is er,' zei ze. 'En hij heeft rood haar. Wat een schatje... Hoewel ik maar een grapje maakte toen ik zei dat ik met hem het bed in zou duiken. Dat geloof ik tenminste wel...'

'Geef hem nou maar iets lekkers voor de lunch,' zei Anne die haar best deed om weer op adem te komen. 'Denk erom... het is voor de Nanouks.'

'Voor de Nanouks,' zei Marlena en verbrak de verbinding.

23

Toen het zover was dat Rose uit het ziekenhuis ontslagen werd, gingen alle zusters op een rij staan. Ze hadden stuk voor stuk de goud- of zilverkleurige dennenappeloorbelletjes in die Jessica na Melbourne ook voor hen had gemaakt. Ze wensten Rose allemaal een fijne zomer toe en zeiden dat ze haar zouden missen, maar dat ze echt niet gauw terug hoefde te komen.

Rose bedankte ze voor alles en toen Liam en Lily hetzelfde hadden gedaan, stapten ze in de taxi die hen naar het vliegveld zou brengen. Rose had nog steeds de neiging om haar hart met haar linkerhand te beschermen, maar dan tikte dr. Neill haar zacht op de vingers om haar eraan te herinneren dat ze dat niet moest doen. Ze dacht aan zijn arm en ze wist dat als hij aan iets gewend was geraakt dat eigenlijk helemaal geen onderdeel vormde van zijn lichaam, zij ook wel aan nieuwe gewoonten zou kunnen wennen.

Onderweg naar het vliegveld merkte ze onwillekeurig op dat haar moeder en dr. Neill elkaar voortdurend aan bleven kijken. Rose had vroeger weleens gezien dat Anne en Jude dat ook deden. Het gaf haar een blij gevoel, maar tegelijkertijd vond ze het een beetje angstig. Stel je voor dat dr. Neill alleen maar aardig deed omdat zij zo ziek was geweest? En dat hij, nu zij weer beter was, zich opnieuw zou gaan verstoppen in zijn boot, zijn kantoor en zijn huis op de heuvel, ver van iedereen, met inbegrip van Rose?

En dat haar moeder het weer zo druk zou krijgen met haar winkel dat iedereen op een geërgerde blik kon rekenen, behalve Rose en de Nanoukmeiden van het Koude Noorden? Af en toe kreeg Rose echt de neiging om haar moeder eraan te herinneren dat het juist de bedoeling van de club was om aan het Koude Noorden te ontsnappen en dat die niet was opgericht om ijsbergen, sneeuwhopen en iglo's te bouwen waarachter je je kon verschansen.

Dus die nieuwe manier waarop ze elkaar aankeken – Roses moeder en dr. Neill – maakte haar heel zenuwachtig. Plotseling schoot haar iets te binnen.

'Gaat Nanny nu ook weer op weg naar huis?' vroeg ze.

'Dat weet ik niet,' zei dr. Neill. 'Het zal heel interessant worden om haar in de gaten te houden als jij weer terug bent in Cape Hawk.'

'Hebt u haar vandaag al op de computer opgezocht?' vroeg Rose.

'Nee, nog niet,' zei hij. 'Maar dat kunnen we nu wel doen...'

Terwijl hij zijn computertas openmaakte en goed oplette dat hij haar niet aan stootte, hield Rose haar adem in. Waarom wist ze niet, maar ze voelde zich bang en bezorgd. Stel je voor dat dr. Neill Nanny niet op het scherm kon vinden? Stel je voor dat ze niet meer naar huis kwam? Rose dacht aan alle gevaren in de haven van Boston, aan al die schepen met hun grote schroeven.

'Hmmm,' zei dr. Neill een minuutje later.

'Wat is er aan de hand?' vroeg Rose. Ze werd helemaal koud vanbinnen.

'Ik zie haar niet,' antwoordde hij.

'Liam?' zei haar moeder.

Hij bleef nog even stil en sloeg een paar toetsen aan. Rose staarde naar het scherm en zag alleen maar paarse lichtjes. Ineens werd ze doodsbang, het was bijna alsof ze zeker wist dat Nanny was opgegeten door een haai.

'En als je het veld nou groter maakt?' vroeg haar moeder, die zich over Rose heen boog alsof ze net zoveel om Nanny gaf als Rose... terwijl níémand zoveel om Nanny gaf als Rose.

'Daar is ze,' zei hij. Voor het eerst klonk hij opgewonden. 'Daar...' Hij raakte het groene lichtje aan met zijn vingertop. 'Maar... ze gaat de verkeerde kant op.'

'Wat bedoelt u?' vroeg Rose, die nog steeds niets snapte van al die knipperlichtjes en de gebogen vorm van de kustlijn.

'Ze gaat naar het zuiden,' zei Liam. 'Ze is al een heel eind van Boston... zie je wel? Ze heeft Cape Cod gerond en zwemt nu in de richting van Martha's Vineyard.'

'Maar beloega's hebben koud water nodig!' zei Rose, die zich dat nog herinnerde van haar verjaardagsfeestje. 'Ze leven in het poolgebied en ze komen in de zomer nooit zuidelijker dan Cape Hawk!'

'In ieder geval hoogst zelden,' zei Liam.

'Ik dacht dat ze voor mij naar Boston was gekomen,' zei Rose terwijl de tranen in haar ogen sprongen. Plotseling voelde ze een steek in haar hart... niet in haar echte hart, het hart dat geopereerd was, maar in dat andere hart, dat zo diep vanbinnen zat, het hart dat niemand ooit onder ogen kreeg.

'Dat is ook zo,' zei Liam. 'Dat weet ik zeker, Rose. Daar zou ik alles onder durven te verwedden.'

'Maar waarom gaat ze dan nu de andere kant op in plaats van naar huis? Waarom laat ze ons in de steek?'

'Dat weet ik niet,' zei hij terwijl hij zijn arm om haar heen sloeg. 'Misschien is ze een beetje in de war. Soms kan een verandering van temperatuur disoriëntatie veroorzaken. We zullen haar gedurende de rest van de dag in de gaten houden... Ik wed dat ze wel omkeert.'

'Dat moet gewoon,' zei Rose terwijl dikke tranen over haar wangen biggelden. 'Als ze verdwaalt omdat ze mij kwam opzoeken, weet ik niet wat ik moet doen.'

'Lieverd,' zei haar moeder, 'hoe vaak moeten we je nou nog vertellen dat jij niets kunt doen aan dat soort dingen? Toe nou, Rose...'

'Volgens mij wordt het hoog tijd,' zei dr. Neill, 'dat ik je dat verhaal vertel.'

'Het verhaal,' zei ze hardop. En toen haar moeder een beetje verward keek, zei ze: 'Over de visarend en de zwarte kat! Twee dagen geleden wilde u me dat verhaal vertellen, maar toen kwam net die mevrouw van fysiotherapie binnen.'

'Dat is waar ook,' zei haar moeder toen haar dat weer te binnen schoot.

'Dat kwam omdat je me net had gevraagd hoe het kon dat twee zulke verschillende wezens vrienden konden zijn. Een klein meisje en een witte walvis. Of een zwarte kat en een visarend.'

'Vertel ons dat dan maar,' zei Rose.

'In de wereld van de biologie,' zei hij, 'heb je dieren die met elkaar kunnen opschieten, terwijl andere geboren vijanden zijn. En weer andere staan neutraal tegenover elkaar, die leven in dezelfde omgeving en respecteren elkaar. Wat in de dierenwereld betekent dat ze elkaar niet opeten of aanvallen.'

'Gemakkelijker gezegd dan gedaan,' mompelde haar moeder terwijl ze uit het raampje keek.

'Goed, er was eens een visarend. Het was een oude knaap, met verfomfaaide veren en een vishaak in zijn linkervleugel. Hij was een keer in een school haringen gedoken en toen had een van de vissers hem per ongeluk aan de haak geslagen. De lijn was zo strak komen te staan en zo sterk dat de arend zijn vleugel brak toen hij zich losrukte.

'Alle jonge visarenden lachten hem uit. Ze deden net alsof hij niet bestond en ze duldden hem niet in hun groep. Dus vloog hij weg, helemaal alleen, omhoog naar de lage, donkere kliffen... je weet wel, de rotsen aan het begin van de fjord, waar de bomen zó dicht op elkaar staan dat er nauwelijks een lichtstraaltje doorheen valt.

Maar hij was een behoorlijk goede visarend. Hij leerde hoe hij zelfs met zijn gebroken vleugel vissen kon vangen. En ondertussen wachtte hij tot alles weer beter was... zijn botten, zijn pezen en zijn veren. Hij was zo scherp geworden dat hij zelfs vanaf de oever van de fjord een zilveren haring of een zalm uit het water kon grissen zonder zijn vleugels uit te slaan.

De andere arenden kwamen daar nooit in de buurt. De fjord was huiveringwekkend en mooi, maar hij had er het rijk alleen. Niemand aasde op de vissen die voorbij zwommen. Tot hij op een dag aan de overkant een zwarte kat langs het water zag zitten.

Ze glansde zo dat hij eerst even dacht dat ze een zeehond was. Ze had een glimmende zwarte vacht en groene ogen die nog stralender waren dan een ster. Maar het waren geen vrolijke ogen. Het waren ogen die gevaar hadden gezien... wreedheid, brutaliteit en honger. Ze was een mager katje, maar ze ving genoeg vis om een legertje katten te voeden.

En op een dag bleef de visarend naar haar kijken. Visarenden hebben scherpe ogen, ook al hebben ze een gebroken vleugel. Hij zag haar door de struiken sluipen met een grote vis in haar bek. Als ze vossen of dassen tegenkwam die probeerden haar vis af te pakken, dan vocht ze met hen en joeg ze weg. Er was geen enkel dier dat haar vis te pakken kreeg... en de visarend ontdekte ook waarom niet.'

'Waarom dan niet?' vroeg Rose. De taxi reed de tunnel onder de haven van Boston in.

'Omdat ze een jong had. Een klein mager zwart poesje, met net zulke stralend groene ogen als haar moeder.' Dr. Neill keek over Roses hoofd naar haar moeder en Rose zag dat hij even moest slikken voordat hij zijn verhaal vervolgde. 'De visarend was er niet aan gewend om andere dieren in zijn stuk van de fjord te zien vissen. Hij was gewend geraakt aan zijn onafhankelijkheid en aan het feit dat hij altijd alleen was.

Maar om de een of andere reden was hij blij dat ze er was. Hij begon zich erop te verheugen dat hij haar aan de andere kant van de fjord zou zien vissen. Als ze een keer niet kwam opdagen, voelde hij zich meteen heel eenzaam. En toen haar jong groot genoeg was geworden om mee te gaan naar de waterkant en te gaan vissen, nou... toen was hij echt heel blij.'

'Viste het jonge poesje ook?'

'Ja, want dat had ze van haar moeder geleerd.'

'Is dit een verhaal over dieren die toch vrienden worden hoewel ze eigenlijk helemaal geen vrienden horen te zijn?' vroeg Rose.

'Ja,' zei hij. 'Net als jij en Nanny.'

'Het gaat helemaal niet over mij en Nanny,' zei Rose terwijl ze dr. Neill strak aankeek.

'Nee?'

Rose schudde haar hoofd.

'Volgens mij wel, Rose,' zei haar moeder.

'Nee,' zei ze koppig. 'De visarend had toch een gebroken vleugel?'

'Klopt,' zei dr. Neill.

'Had dat jonge poesje soms rare, platte pootjes?' vroeg Rose terwijl ze haar handen opstak en haar stompe vingers liet wiebelen.

'Eigenlijk wel, ja.'

Rose knikte. Ze keek omhoog naar haar moeder.

'Zwarte kat,' zei ze, terwijl ze haar moeders glanzende zwarte haar aanraakte. Daarna draaide ze zich om naar dr. Neill en legde haar hand op zijn prothese. Ze nam niet eens de moeite om 'gebroken vleugel' te zeggen.

In plaats daarvan slaakte Rose een diepe zucht toen de taxi op Logan Airport stopte. Dr. Neill had een mooi verhaal verteld, maar dat zou voor Nanny geen reden zijn om rechtsomkeert te maken. Rose was ontzettend blij dat ze zich zoveel beter voelde, dat de operatie gelukt was en dat ze nu op weg was naar huis om van de zomer te genieten. Maar wat maakte dat alles uit als Nanny op weg naar het zuiden verdwaald was? Kon alles nou niet voor één keertje goed aflopen?

Hij was niet meer zo jong als hij was geweest, dacht Patrick. Vroeger had hij nachten doorgehaald, terwijl zijn verstand gewoon doorwerkte, zijn kracht niet afnam en zijn ogen zo scherp bleven dat hen niets ontging. Hij kon zich herinneren dat hij vierentwintig uur lang iemand in de gaten had gehouden, of urenlang achter een vluchteling had aangezeten, of een onderzoek in handen had gehad waarvoor hij naar twaalf verschillende rechtsgebieden en naar Canada had gemoeten. Maar na die rit van afgelopen nacht – vanaf Silver Bay via de I-95 naar de Main Turnpike en zo regelrecht naar Cape Hawk – vergeet het maar. Hij was pas zesenveertig, maar hij voelde zich een oude man.

Nadat hij zich had laten 'inschrijven' in het 'pension' van Marlena Talbot – Patrick was er vrijwel zeker van dat betalende gasten hier een uitzondering waren – was hij achter Marlena aan naar boven gelopen, naar een bijzonder gezellige slaapkamer, had haar bedankt en was op het bed gaan liggen om even snel een dutje te doen.

Drie uur later, nadat hij niet alleen de lunchtijd maar ook het grootste deel van de middag had verslapen, zat Patrick in Marlena's eetkamer. Hij wreef in zijn ogen, pakte het glas cola op dat ze voor hem had ingeschonken, nam een slok en keek om zich heen. Hij had het onderste uit de kan gehaald door de hele nacht door te rijden en nu moest hij daar de prijs voor betalen. Hij had het gevoel dat hij aan een fikse jetlag leed.

'Ik meen het, hoor,' zei hij. 'Ik kan best naar het hotel rijden om daar te eten.'

'Geen denken aan!' zei ze. 'Dat is juist een van de charmes van mijn zaak... dat je een zelfgekookte maaltijd voorgezet krijgt. Kan het hotel zich daar ook op beroemen? Ik dacht het niet!'

'Je zaak,' zei hij terwijl hij opnieuw een stevige slok cola nam en om zich heen keek. Hij had nog nooit een huiselijker vertrek gezien. Overal stonden prulletjes, persoonlijke dingen zoals presse-papiers van boetseerklei die kennelijk door kinderen of kleinkinderen waren gemaakt, de stoelen hadden geborduurde bekleding, aan de wand hingen merklappen en er lag een stapel vierkante kussens met het opschrift 'Breng Rose Thuis' die allemaal naar dennennaalden roken.

'Ja,' zei ze, 'mijn zaak. Het is niet gemakkelijk om in de schaduw van het Cape Hawk Hotel een pension te runnen. Met al hun elektronische boekingsmogelijkheden en de walvisboten zijn ze een geduchte concurrent. Het enige argument dat ik kan aanvoeren in de strijd om de portemonnee van de toerist is mijn kookkunst.'

'Ja, dat zal wel,' zei hij met een blik op zijn horloge. Waarom had die vrouw van het hotel nog niet teruggebeld over Camille Neill?

Marlena was druk bezig in de keuken. Patrick haalde het krantenbericht tevoorschijn, plus de foto van Mara. Marlena vertrok geen spier toen ze ernaar keek. Ze las het verhaal en nam het donkere haar, de stralende glimlach en het feit dat ze zwanger was op het moment dat ze verdween in zich op. Nee, zei ze. Ze kon zich niet herinneren dat ze haar hier in Cape Hawk had gezien.

'Hoor eens,' zei Patrick, 'u zult ongetwijfeld fantastisch kunnen koken, maar ik kan nu toch maar beter naar het hotel gaan. Het is inmiddels etenstijd en ik moet nog een paar vragen stellen. Ik hoop dat Camille Neill niet is vertrokken...'

'Vertrokken? Ze gaat nooit weg. Ze is eigenaar van het hotel en regeert er met een ijzeren vuist. Ga alsjeblieft niet weg, rechercheur Murphy. Wat moet Camille van me denken als u haar vertelt dat u op Rose Gables logeert en dat ik u niet eens een maaltijd heb voorgezet? En over Rose Gables gesproken, zal ik u vertellen hoe mijn huis aan die naam komt? Toen u binnenkwam, hebt u die witte rozen toch wel gezien, die over de pergola groeien? Die heb ik zelf geplant en geleid. Ik weet best dat dit een bescheiden en nederig huisje is...'

'Marlena,' zei hij.

'Helemaal niet chic, en heel anders dan u zou verwachten van een huis dat Rose Gables heet, maar het was mijn eerste eigen huis. Het eerste dat ik met mijn eigen geld gekocht heb. Nadat de scheiding erdoor was.'

'Dat is een mooi verhaal, maar...'

'En ik heb zoveel steun gekregen van mijn vrienden en van mijn allerliefste vriendinnen van de Nanouks.'

'De wat?' vroeg hij terwijl hij zich afvroeg waarom die naam hem zo bekend voorkwam.

Marlena trok de ovendeur open en deed hem weer dicht. Hij hoorde de lucht ontsnappen toen ze een zak chips openmaakte. Een deksel werd van een pot geschroefd. Een moment later kwam ze met een dienblad de eetkamer binnenlopen. Het was bedekt met een geborduurd kleedje en er stond een vaasje op met één witte roos, plus een bord dat met een ander geborduurd kleedje bedekt was.

Terwijl ze dat laatste wegtrok, zei Marlena: 'Voilà!'

Patrick staarde naar zijn avondmaal: geroosterde kaassandwiches met tafelzuur en een handjevol chips met barbecuesmaak.

'Sjonge,' zei hij. Hield ze hem voor de gek? Voor het eerst vroeg hij zich af of hij misschien in de Nova Scotia-dependance van het Bates Motel terecht was gekomen. Of misschien was ze wel even gek als die mevrouw in *Misery*. De sandwiches zagen er best lekker uit, dus die at hij snel op. Misschien was ze wel echt trots op haar sandwiches... Maar toen dacht hij aan de tirade over haar maaltijden en die van het hotel en dat was toch wel vreemd.

'Heel lekker,' zei hij. 'Bedankt. Oké, dan ga ik nu maar terug naar het hotel...'

'Wilt u niet luisteren naar het verslag van de honkbalwedstrijd?' vroeg ze. Ze klonk wanhopig en zelfs een tikje maniakaal. 'Of wilt u dat ik blokfluit voor u speel? Daar ben ik dol op... Ik heb het als kind geleerd en ik ben al sinds mijn scheiding weer aan het oefenen. O... of wilt u soms mijn borduurwerk zien? Ik weet wel dat mannen daar doorgaans geen belangstelling voor hebben...'

Voordat hij haar tegen kon houden had ze al een tas vol naaiwerk of zoiets tevoorschijn gerukt. Hij keek naar het garen, de zijde, naar alles wat erin zat. Marlena's borduurwerk deed hem ergens aan denken, alleen wist hij niet wat. En nog erger, hij wist eigenlijk niet eens waarom hij zijn mond opendeed en vroeg: 'Waar had u het net over? De Nanouks? Wat zijn dat?'

'Een stam krijgsvrouwen uit de oudheid,' zei ze met een doodsbleek gezicht. 'Ze leefden hier op Nova Scotia. Ze gingen gekleed in het noorderlicht, zeewier en parelmoer, ze jaagden op de rotsen en in de baaien en ze overleefden elke ijstijd.'

'En ze hebben u geholpen om over uw scheiding heen te komen?' vroeg hij terwijl hij naar haar borduurwerk keek en ineens in gedachten iets voor zich zag.

'Ja,' zei ze uitdagend.

'Je liegt tegen me, hè Marlena?'

'Ik lieg helemaal niet. Ze hebben me echt geholpen.'

'Je kent Mara Jameson, hè?' zei hij.

Marlena Talbot gaf geen antwoord, maar het feit dat ze rood werd en tranen in haar ogen kreeg, vertelde hem alles wat hij wilde weten. Patrick Murphy greep de foto en zijn autosleutels en beende met grote passen Rose Gables uit.

Toen hij bij zijn auto was, viste hij zijn mobiele telefoon op. Er was één persoon die hij moest bellen... om haar te vertellen dat hij Mara inmiddels bijna had opgespoord. Iemand die al tijd tijd had geweten waar ze was... daar was hij inmiddels van overtuigd. Dat woordje 'Nanouk' had alles duidelijk gemaakt. Hij toetste het nummer in dat hij uit zijn hoofd kende en maakte zich op om haar de mantel uit te vegen... Maar hij kreeg het antwoordapparaat aan de lijn.

'Hallo,' zei de vrouwenstem. 'Ik ben momenteel niet thuis, maar als u uw naam en telefoonnummer achterlaat, zal ik u zo spoedig mogelijk terugbellen.'

Vanaf de allereerste keer dat hij die boodschap had gehoord had Patrick Murphy Maeve voorgehouden dat ze dat bandje moest veranderen. Een man moest het voor haar inspreken, maar in ieder geval moest ze 'wij zijn niet thuis' zeggen in plaats van 'ik ben niet thuis'. Maar Maeve deed nooit wat haar gezegd werd.

'Maeve,' zei hij, 'met Patrick Murphy. Er is iets wat ik je moet vertellen. Ik bel je later wel terug. Maar... waarschijnlijk zal ik heel snel goed nieuws hebben.' Toen hij de verbinding verbrak, bedacht hij dat Maeve dat natuurlijk allang wist.

24

Secret Agent had iedere dag ingelogd in een poging de golf van ellende die White Dawn over hem had uitgestort in te dammen. Het hele messageboard stond vol berichten in de trant van 'Secret Agent heeft mijn geld gestolen!' Vanaf het moment dat White Dawn hem een bericht had gestuurd met het advies om eens op de weerkaart van het meteorologisch instituut te kijken, was het tot het hele Spirit-Town-messageboard doorgedrongen dat de zus van Secret Agent kilometers ten zuiden van de baan van de storm woonde en dat het onmogelijk was dat haar huis met de grond gelijk was gemaakt... of zelfs maar zwaar was beschadigd. En ze wilden allemaal hun geld terug.

Het hoofd van Secret Agent liep om. Waarom had hij in vredesnaam niet gecontroleerd welke baan wervelstorm Catherina had genomen? Hij dacht aan al die mensen die dakloos waren geworden, gewond waren geraakt of zaten te wachten op hulp uit het rampenfonds. Waarom had hij zich niet beter geïnformeerd?

Dat kreng had hem onder de neus van het hele messageboard voor schut gezet. Wie ze ook was, ze was net zo'n loeder als zijn vrouw. Die had ook altijd een spaak in het wiel gestoken bij zijn projecten. Wat hij ook had geprobeerd, het was voor haar nooit goed genoeg geweest. Net als White Dawn had ze zijn plannen altijd getorpedeerd. En zijn reputatie. Hij had het project zo keurig opgezet en dankzij White Dawn was het als een kaartenhuis ingestort.

En als Secret Agent nou eens wel een zus had gehad... en als die nou eens echt haar huis was kwijtgeraakt tijdens een wervelstorm? Dan was er maar één wraakgierig kreng nodig om de deur naar Luilekkerland op slot te gooien. Om alle goodwill weg te nemen. Zodat dakloze mensen geen cent meer kregen. En stel je nou eens voor dat Secret Agent al het geld dat hij had geïncasseerd ook werkelijk aan zijn zus had gestuurd? Daar dachten die rancuneuze krengen nooit aan.

White Dawn.

Hij logde in op het board en klikte op haar profiel. Met een schok las hij wat erin stond. Toen hij de eerste keer had gekeken had ze nog niets ingevuld. Nu zag hij een naam staan: 'Patty Nanouk'.

Patricia... zo heette zijn vrouw in werkelijkheid. Zou ze het echt zijn? Daar ergens in cyberspace met de bedoeling hem onderuit te halen? En wat had dat 'Nanouk' te betekenen?

Hij scrolde verder naar de plek waar ze haar beroep had moeten invullen en zag wat ze – White Dawn, Patty Nanouk, wie ze ook mocht wezen – had ingevuld: 'Strijdster tegen het onrecht dat wordt aangericht door psychopathische oplichters'.

Ze was het. Ze was het heus. Hoe vaak had ze hem geen psychopaat genoemd? En hoe vaak had hij haar niet tot kalmte proberen te brengen door te zeggen dat hij dat inderdaad was. Maar dat dat alleen kwam door de trauma's uit zijn afschuwelijke jeugd waarin hij zo was misbruikt. Er was echt nooit, helemaal nooit iemand geweest die zo van hem hield als zij, niemand anders was zo goed voor hem als zij.

Hij had tegen haar gezegd dat hij in therapie was. Dat hij naar workshops ging. Dat hij voldoende hulp kon krijgen en dat hij zijn best deed om beter te worden. Begreep ze dat dan niet? Was ze bereid om zomaar weg te lopen en alles te vergooien? En hem ondertussen ook de vernieling in te werken? Want als dat zo was, dan was ze geen haar beter dan hij. Dan was ze nog veel erger.

Hij kon ook niet helpen dat hij zo was. Depressie was een erkende ziekte en dat gold ook voor wat hij had. Hij wilde van haar houden en hij deed zijn best, maar het was niet gemakkelijk om een psychopaat te zijn. Als ze zeiden dat hij geen geweten had en geen meegevoel, nou, dat was gewoon niet waar. Hij voelde wel degelijk mee. Hij voelde van alles. Heel diep in zijn ziel voelde hij het verdriet van het mishandelde kind dat hij was geweest en wat dat van hem had gemaakt. Daardoor moest hij alle geneugten missen waar hij als volwassene eigenlijk recht op had... als man of als vader. Hij vond het gewoon treurig voor hemzelf!

Hoe konden ze nou zeggen dat hij geen meegevoel had?

Nou, White Dawn, Patty Nanouk en zijn vrouw konden de klere krijgen. Hij vroeg zich af of ze allemaal één en dezelfde persoon waren. Maar eigenlijk kon hem dat geen bal schelen. Hij zat tegelijkertijd op een pornosite en in een chatroom voor slachtoffers van incest te kletsen met een meisje dat hij gisteren online had ontmoet, en wat hem bij SpiritTown was overkomen had hij allang van zich af gezet.

Helemaal. Er waren nog meer dan genoeg andere boards op het net, meer dan genoeg slapjanussen met te veel geld en de behoefte om het weg te geven... en Secret Agent had een PayRight-rekening.

Maar 'Secret Agent' had nu voor hem afgedaan. Die naam kon bij het grof vuil. Van nu af aan, of op zijn minst tot hij een interessant project had gevonden waarvoor een wat creativere kapstok nodig was, zou hij zich gewoon 'Edward' noemen.

Toen de zon in het water van de haven wegzakte, was Patrick eindelijk weer terug in het Cape Hawk Hotel. De laatste van de walvisboten kwam terug naar de kade met een sliert zilver achter zich aan. Het licht dat hem met betrekking tot Maeve ineens was opgegaan had hem met een treurige duisternis omhuld... Hij had gedacht dat ze elkaar vertrouwden.

Hij voelde aandrang om naar het water te lopen en aan boord van een boot te stappen. Hij vond het niet prettig om al te lang vaste grond onder de voeten te hebben, hij had het gevoel van een dek nodig en van kabbelende golven. Hij hoopte dat Flora zich zonder hem zou kunnen redden, terwijl ze samen met Angelo op de *Probable Cause* paste. Hij had er al zijn hoop op gevestigd dat hij deze zaak eens en voor altijd opgelost zou hebben voordat de avond voorbij was.

Maar hij zette die gedachte uit zijn hoofd toen hij opnieuw het bordes van het hotel opliep. Binnen was het een drukte van belang in de receptie. Vanuit de bar dreven flarden Keltische muziek door de gang. In avondkleding gehulde mensen liepen het restaurant in en uit. Kelners serveerden drankjes bij de open haard in de receptie, waarin een vuur knetterde. Het was weliswaar juli, maar hier in het noorden was de avond toch nog kil.

Op het moment dat hij door de deur naar binnen stapte, zag hij enkele vrouwen die in een halve kring naar hem stonden te kijken. De vrouw die hem het eerst had opgevangen – en die hem door had gestuurd naar Rose Gables – stond vooraan. Hij liep dwars door het vertrek naar haar toe. De vrouwen achter haar lachten niet.

'Wel, wel,' zei hij. 'Als dat de mevrouw niet is die me vertelde dat er geen plaats meer was in de herberg. Ik moet u echt bedanken dat u me doorgestuurd hebt naar Casa Kaassendwich. Dat was een slimme zet.'

'Marlena verontschuldigt zich bij deze. Ik heb haar echt overvallen. Ze kan ontzettend goed koken, maar ik heb haar niet op tijd gewaarschuwd. Het spijt me.'

Hij negeerde de verontschuldiging. 'Bestaat er echt een Camille Neill?'

'Zeker. Ik ben haar schoondochter, Anne Neill.'

'Dus tot zover is het waar.'

'Ja. Maar het spijt me heel erg dat ik u nu moet vertellen dat ze slaapt. Morgenochtend is ze weer op. Dan kunt u haar net zoveel vragen stellen als u wilt.'

'Waarom probeert u me tegen te werken,' vroeg hij, 'terwijl het zonneklaar is dat u Mara Jameson kent?'

'Hoezo zonneklaar?' vroeg Anne. Ze was lang en elegant en ze had veel ervaring in het omgaan met mensen. Bij haar werk in het hotel kreeg ze waarschijnlijk vaak genoeg te maken met dronkaards en mafketels. Maar Patricks geduld was nagenoeg op.

'Lieve mevrouw,' zei hij, in een dappere poging om beleefd te blijven, 'het is zonneklaar omdat uw ogen letterlijk uit de kassen puilden toen u haar foto zag. En omdat u me op een vergeefse tocht naar het huis van die arme Marlena hebt gestuurd... Wat weet u verdorie van mij af? Als ik nou eens een seriemoordenaar was geweest? Ik ben een volslagen vreemde en toch stuurt u me naar het huis van uw vriendin om verdorie een dutje te doen. O... en omdat zij over de Nanouks begon.'

'Pardon?' zei Anne. Een paar van de vrouwen om haar heen herhaalden dat woordje en wierpen Patrick dodelijke blikken toe.

'De Nanouks. Ze zei dat de Nanouks haar over haar scheiding heen hadden geholpen en toen wist ik het.'

'Wat denkt u dan precies te weten?' informeerde een van de andere vrouwen.

'Ze vertelde me dat het een stam van krijgsvrouwen was,' zei hij. 'Een of andere antieke groep vrouwen die gekleed gaan in de zonsopgang en de zonsondergang of zoiets.'

'Antieke,' zei een andere vrouw grinnikend.

'Het noorderlicht, niet de zonsop- en -ondergang,' verbeterde een van de anderen.

'Wíj zijn de Nanouks,' legde Anne uit. 'We zijn een club die uit vriendinnen bestaat.'

'Vriendinnen!' zei hij terwijl hij over hun hoofd naar de poster keek van de walvistochten, met een walvisstaart die boven de zee uitstak.

'Ja,' zei ze. 'Wij helpen elkaar.'

Patrick fronste verbaasd. Als dat waar was... Hij had alles uitgedokterd met behulp van die geborduurde brillenkoker die hij bij Maeve thuis had gezien. Het was maar een klein dingetje, dat altijd op een bijzettafeltje lag, samen met een stapel boeken. Een crèmekleurige brillenkoker waarop het woord 'Nanouk' in blokletters en in verschillende kleuren blauw geborduurd was, samen met de vage vorm van een walvisstaart, waarvan de steekjes bijna weggesleten waren.

'Als dat waar is,' zei hij, 'dan is Mara Jameson volgens mij ook lid van jullie club.'

'Ik ken niemand die Mara Jameson heet,' zei Anne terwijl Patrick haar foto rond liet gaan.

'Misschien kent u haar niet onder die naam,' zei hij. 'Maar ik weet zeker dat ze hier is. En ze heeft een negenjarig dochtertje.'

Marisa en Jessica zaten in Annes kantoor naast de receptie en konden alles door de glazen deur volgen. Anne had Marisa gewaarschuwd voor de rechercheur. Ze had haar samen met Jess onderschept toen ze eerder op de dag een nieuwe voorraad dennenkussens kwamen brengen. Vanwege de verwarring, veroorzaakt door het bezoek van een gepensioneerde politieman die op zoek was naar een vrouw die negen jaar geleden was verdwenen, had Anne de Nanouks bijeengeroepen om te beslissen wat er moest gebeuren.

Een paar van de vrouwen die het slachtoffer waren geworden van huiselijk geweld hadden slechte ervaringen opgedaan met politie en justitie. De gerechtelijke macht begreep het probleem niet. Zij zagen een aantrekkelijke, goed van de tongriem gesneden man als Ted en werden vervolgens geconfronteerd met een gillende vrouw die net zo over haar toeren was als Marisa. In negen van de tien gevallen hechtten ze alleen geloof aan de man.

Marisa had zelfs bij de rechtbank een verzoek ingediend om hem een bezoekverbod op te leggen, maar aangezien ze geen lichamelijke bewijzen had dat hij haar sloeg en aangezien zijn dreigementen al meer dan tien uur geleden waren geuit, had de rechter dat geweigerd. Marisa was bevend weggegaan. Hoe kon ze zo'n man nou uitleggen dat ze zo ongelooflijk geschrokken was dat ze zich echt niet tot in detail kon herinneren wat hij allemaal had gezegd, dat ze doodsbang was geweest toen hij haar bij haar haar had gegrepen en had gezegd dat als ze ooit zou proberen bij hem weg te lopen hij haar toch wel terug zou vinden en dat hij dan wraak zou nemen op haar dochter?

Marisa wist dat een paar van de Nanouks – ouder, wijzer en in tegenstelling tot Marisa alweer tot rust gekomen – soortgelijke ervaringen met de politie hadden gehad. Dat wist Anne ook en zij had geen besluit willen nemen zonder eerst met de anderen te overleggen. En Marisa had absoluut het advies van haar vriendinnen nodig gehad met betrekking tot de houding die ze moest aannemen.

'Als je het hem vertelt, moet Ted misschien wel naar de gevangenis,' zei Jessica, terwijl ze naar buiten gluurde.

'Of niet,' zei Marisa.

'Hij heeft Tally vermoord.'

'Dat weet ik wel, schattebout.'

'En hij heeft ook gezegd dat hij ons te pakken zou nemen.'

'Precies. Daarom wil ik ook voorzichtig zijn. Het zou weleens verstandiger kunnen zijn om niets over Ted te zeggen.'

'Bedoel je dat de mensen ons misschien niet zullen geloven?'

'Ja,' zei Marisa. Maar ze kon Jessica niet recht in de ogen kijken toen ze dat zei. Omdat ze er niet langer zeker van was. Toen ze net weggelopen waren, was ze zo bang geweest. Een wrak en nog geen schaduw van de vrouw die ze vroeger was geweest. De afgelopen maand had ze vriendschap gesloten met deze fantastische vrouwen en zij hadden haar wel geloofd... stuk voor stuk. En daardoor was Marisa eindelijk weer in zichzelf gaan geloven.

'Wat kan het nou voor kwaad om dat te vertellen?' vroeg Jessica. 'We hebben de Nanouks al verteld hoe we werkelijk heten. We kunnen gewoon naar die politieman toelopen en hem alles vertellen. Dan kan hij Ted arresteren.'

'Hmmm.'

'Dan zouden we weer op bezoek kunnen gaan bij onze vrienden thuis. Tante Sam... Ik zou niet voorgoed uit Cape Hawk weg willen, dan zou ik Rose veel te veel missen. Maar mammie... jij zou het toch ook fijn vinden om weer naar huis te kunnen? Als we dat willen?'

'Ja,' zei Marisa, die haar oude leven zo miste dat het bijna pijn deed.

'Ik ook. Dus laten we nou maar naar hem toe gaan, mammie.'

'Weet je het zeker? Doen we daar wel goed aan?'

Haar dochter keek haar lang en indringend aan. Ze hield haar hoofd schuin en legde haar hand tegen Marisa's wang. Haar ogen stonden smekend en Marisa wist al wat ze zou gaan zeggen voordat de woorden over Jessica's lippen kwamen.

'Jij bent de moeder,' zei ze. 'Dat moet jij beslissen.'

Marisa wist dat ze gelijk had. Ze drukte een kus op het kruintje van haar dochter, zuchtte diep en omdat zij de moeder was, liep ze naar de deur en trok die open.

Het was een lange vlucht geweest en de rit vanaf het vliegveld had een eeuwigheid geduurd, maar tot Lily's verbazing was Rose nog klaarwakker en voelde ze zich prima. De raampjes van Liams truck stonden open en de koele zilte zeelucht van Cape Hawk waaide door de cabine. Lily had haar arm rond Roses schouders en ze snoof de lucht van de sparren en de dennen op.

'Het ruikt net als mijn kussens,' zei Rose.

'Dat klopt,' zei Lily.

'Op die kaart van Jess stond dat ze die in het hotel verkopen,' zei Rose. 'Met foto's van jou en mij erbij.'

'Sjonge,' zei Lily. 'Dat is leuk.'

'Het is nog waar ook,' zei Liam. 'Ze liggen onder een groot bord in de receptie.'

'Kunnen we daar even naar gaan kijken?' vroeg Rose. 'Op weg naar huis?'

'Ach, lieverd... het is al zo laat. We moeten je echt in bed stoppen.'

'Maar ik ben zo opgewonden,' zei Rose. 'Ik wil het graag zien. En jij wilt toch wel even met Anne praten? En met de andere Nanouks? En ze laten zien dat ik nu helemaal in orde ben?'

Lily kneep haar lippen op elkaar. Ze had zelf zo innig naar haar eigen meest geliefde familielid verlangd, de vrouw die ze zo ontzettend had gemist tijdens deze laatste moeilijke periode met Rose. Ze had het heerlijk gevonden dat Liam bij haar was, maar haar oerinstinct had gesnakt naar contact met haar grootmoeder, want die was eigenlijk als een moeder voor haar geweest. En als dat niet kon, dan met de Nanoukmeiden van het Koude Noorden.

Zelfs als er maar een van hen in het hotel was – en ze wist zeker dat Anne aanwezig zou zijn – zou ze het heerlijk vinden om haar in de armen te vallen en haar blijdschap te delen met een van de vriendinnen van wie zij en Rose zoveel steun hadden gekregen. Ze wierp een blik op Liam wiens aandacht volledig op de weg was gericht. Het was alsof haar grootmoeder haar op de schouder had getikt om te zeggen dat ze moesten stoppen.

'Zou je het erg vinden als we daar even langs gingen?' vroeg ze. 'Je zult wel naar huis willen.'

'Lily,' zei hij, 'als jij en Rose daar naartoe willen, ga ik gewoon mee.'

'Dus we gaan?' vroeg Rose toen de truck de brug over de fjord op reed en de lichtjes van Cape Hawk, dat genesteld lag in de vallei tussen twee enorme rotsformaties, in het zicht kwamen.

'We gaan,' zei Lily.

Anne was één brok zenuwen. Je kon haar bijna met stoffer en blik opvegen. Ze was nooit een ster geweest in liegen en bedriegen, zelfs een onschuldig leugentje ging haar niet goed af. Ze kon bijvoorbeeld niet tegen Camille zeggen dat ze er goed uitzag, terwijl ze in werkelijkheid een wandelend wrak leek. Maar ze had gelogen vanaf het moment dat rechercheur Murphy op het toneel was verschenen, en daar was nog steeds geen eind aan gekomen.

Dat ze die arme Marlena had gedwongen om net te doen alsof ze een pension had om haar dan tot in het diepst van haar ziel te beledigen omdat ze een kaassandwich moest opdienen met het aplomb van een cordonbleu-chef! God, de Nanouks zouden haar daar tot in lengte der dagen mee pesten.

Waar had ze de slimheid vandaan gehaald om Marisa apart te nemen en tegen haar te zeggen dat ze Jessica verborgen moest houden, in ieder geval tot Murphy was vertrokken en de kust weer veilig was?

Anne had in ieder geval de touwtjes stevig in handen en dankzij haar snelle besluitvaardigheid had ze ál haar vriendinnen in bescherming kunnen nemen.

Ze had bij wijze van versterking de Nanouks opgetrommeld en natuurlijk was iedereen die van huis kon meteen gekomen: Cindy, Doreen, Alison, Suzanne, Kathy, Paula, Claire en zelfs Marlena, die vlak na Patrick Murphy was aangekomen. Ze stonden allemaal om hem heen en lieten de bekende foto – God, wat was ze toch jong geweest, lachend en onschuldig – de kring rond gaan. Ze hadden allemaal de opdracht gekregen om hetzelfde te zeggen: 'Ze komt me wel bekend voor.'

Een opmerking over haar haar, haar glimlach, haar prachtige, stralende ogen. Ze was zo lief geweest en in verwachting van het meisje van wie ze allemaal zoveel hielden. Alleen die wetenschap – en de reden waarom ze was weggelopen – zorgde er al voor dat Anne tranen in haar ogen kreeg. Ze veegde ze weg, maar ze bleven komen.

'O, lieve hemel,' zei Cindy op gedempte toon.

Anne keek op en zag Camille door de gang hinken die naar de privévertrekken van de familie voerde. Anne maakte een beweging alsof ze haar wilde onderscheppen, maar ze wist dat dat meteen zou opvallen. Ze hield zich met moeite in.

'Goedenavond,' zei Camille met een vreemde blik op Anne. 'Moet je vanavond niet werken?'

'Genny neemt het restaurant voor haar rekening,' zei Anne.

'Ik heb deze meneer al eerder zien aankomen,' zei Camille, terwijl ze naar Patrick toe liep. 'Je stond in de tuin met hem te praten. Waar is Jude? Nog steeds op de boot?'

'Ja,' zei Anne.

'Hallo, Camille,' zei Marlena aan de overkant in de kring. Het was een poging om behulpzaam te zijn, maar Anne begreep meteen dat ze het nu wel konden vergeten.

'Camille Neill?' vroeg Patrick.

'Ja. En wie bent u dan wel?'

'Ik ben Patrick Murphy. Bent u dezelfde Camille Neill over wie in dit artikel wordt geschreven?'

Camille zette haar leesbril op en bekeek het vergeelde knipsel. Ze snakte naar adem en keek naar Patrick op. 'Dit komt uit de krant in

Ard na Mara... het gaat over het gedenkteken voor Frederic. Wat hebt u daarmee te maken? Kende u Frederic?'

'Nee, mevrouw,' zei hij. 'Ik stel een onderzoek in naar de verdwijning van Mara Jameson, nu negen jaar geleden.' Hij pakte Cindy de foto af en overhandigde die aan Camille. 'Herkent u haar?'

Anne voelde de ader in haar hals kloppen. Het was nu alleen nog maar een kwestie van tijd, voordat Camille de hele waarheid eruit zou flappen en Patrick zou weten waar hij moest zoeken. Ze wierp een blik op de deur van het kantoor en verstarde. Marisa en Jessica kwamen net naar buiten en liepen naar hen toe.

Camille schraapte haar keel en wierp een korte blik op Anne. Ze schudde haar hoofd. 'Nee,' zei ze. 'Ik herken haar niet.'

Maar het was te laat. Anne kon haar ogen niet geloven. Ze staarde naar Marisa die een vastberadenheid uitstraalde die ze niet eerder had gezien. Jessica huppelde voor haar uit en ging midden in de kring staan, vlak voor Patrick Murphy. En hij draaide zich om, met een flitsende beweging van zijn lange, slungelige lijf, alsof hij na de aanblik van het negenjarige meisje meteen de moeder wilde zien. Op dat moment ging de voordeur van het hotel open.

Liam, Lily en Rose stonden op de drempel.

Iedereen begon te roepen, te gillen, te lachen en te huilen. De Nanouks holden als één vrouw met de armen wijd door de receptie om Lily en Rose te begroeten. Marisa en Jessica liepen voorop en het viertal omhelsde en kuste elkaar, terwijl de tranen over hun wangen biggelden en ze ingesloten werden door een hele kudde Nanoukmeiden, die hen ook allemaal wilden knuffelen.

Anne had Camilles hand gepakt en liep achter de anderen aan, samen met Patrick Murphy. Camille kneep in Annes hand en Anne gaf haar een kneepje terug.

'Ik heb me altijd een beetje schuldig gevoeld, Anne,' fluisterde Camille. 'Maar ik heb geprobeerd Rose op mijn manier te helpen, financieel.' Ze keek haar trots aan. 'Ook al ben ik geen Nanouk.'

Anne draaide zich snel om en wierp haar schoonmoeder een verbijsterde blik toe. Fluisterend antwoordde ze: 'Na wat je net hebt gedaan maken we je erelid, Camille.'

De vrouwen stonden op een hoopje, terwijl Liam van een afstandje toekeek en toen Anne dichterbij kwam, zag ze dat iedereen zich rond

Rose had geschaard. Ze wilden niet te dichtbij komen, uit angst dat ze haar zouden verdrukken, maar ze wilden haar allemaal even aanraken, haar even strelen om haar te laten weten hoe dankbaar ze waren dat hun kleine meid weer veilig thuis was. Iedereen, met inbegrip van Rose en Lily, nam deel aan de reünie. Anne zag hoe Marisa haar armen stevig om Lily heen sloeg en haar iets in haar oor fluisterde.

Het was zo'n herrie in de receptie door al dat gelach, het gehuil en het gebabbel, plus de Keltische muziek die vanuit de gang naar binnen dreef en Annes hartslag die in haar oren beukte, dat ze zich afvroeg of iemand hem wel zou horen.

'Mara,' riep Patrick Murphy op scherpe toon.

En Marisa en Lily keken allebei op.

25

'Ja?' zei Lily.

Het werd stil in de receptie. Rose klampte zich aan haar hand vast en keek op naar de vreemde man die naar hen toe kwam.

'Ik ben Marisa,' zei Marisa.

'Ik zei *Mara*,' zei de man. Hij wurmde zich door de menigte en keek Lily aan alsof hij haar kende. En dat was nog niet alles, zijn ogen waren vervuld van een mengeling van victorie en ongeloof, alsof hij hiernaartoe was gekomen om haar te vinden en nog steeds niet kon geloven dat zijn zoektocht ten einde was.

'Lily, zeg niets,' zei Anne terwijl ze een stapje naar voren deed. 'Geen woord. Liam, wil jij Jude gaan halen?'

Maar Liam drukte Lily alleen maar steviger tegen zich aan en ze voelde zijn arm om haar schouders glijden. Ze merkte vaag dat haar vriendinnen eigenlijk niet wisten of ze om Lily en Liam moesten glimlachen of bang moesten zijn voor wat er ging gebeuren.

'Ik heb een foto,' zei de man en overhandigde hem aan Lily. 'En een krantenknipsel.'

Ze stond erop neer te kijken. Het waren dingen uit een totaal andere tijd en van een totaal andere plaats, maar toch sprongen de tranen haar in de ogen. Niet zozeer vanwege foto, of van de inhoud van het knipsel, maar bij de aanblik van de datum in dat mooie handschrift in de rechterbovenhoek.

'Ik ben Patrick Murphy,' zei hij. 'Ik zou ook "rechercheur Patrick Murphy" kunnen zeggen, maar in feite ben ik gepensioneerd. Uw zaak was wat mij betreft de zwanenzang van een lange carrière. Heel jammer dat ik die nooit heb kunnen oplossen.'

Lily voelde dat Liam een klein beetje ontspande. Ze besefte ineens dat Liam misschien wel had gedacht dat hij de haai was, haar echtgenoot. Ze bleef naar het handschrift staren en kon nog steeds geen woord uitbrengen.

'Ik neem mijn pet af voor uw vriendinnen hier,' zei Patrick droog. 'Ze herkenden die foto allemaal, hoe kon het ook anders? U bent niets veranderd. Maar ze bleven koel en deden net alsof ze u nooit gezien hadden. Ik ben natuurlijk pas vanmiddag aangekomen. Als ik wat langer had kunnen doorvragen, had ik ze wel klein gekregen.' Iemand, waarschijnlijk Marlena, snoof.

'Ik weet alles van de Nanouks,' zei hij.

'Is het dan een misdaad om lid te zijn van een club?' vroeg Anne.

'Nee,' zei hij, 'helemaal niet. De enige misdaad in dit verband is lang geleden gepleegd. Door iemand die er nooit verantwoording voor heeft hoeven af te leggen.'

Lily kromp in elkaar. Was er een wet tegen weglopen? Ze wist dat er een groot onderzoek had plaatsgevonden, dat de politie er uren werk aan had besteed, en dat had handenvol geld gekost. Lily vroeg zich af welke straf er stond op verdwijnen.

'Ze heeft niets misdaan,' gromde Cindy. 'U kunt van mij een trap onder uw kont krijgen als u dat durft te beweren, ook al bent u een gepensioneerd politieman. U weet niet wat ze heeft doorgemaakt...'

'Cindy,' zei Anne zonder stemverheffing.

'De enige misdaad is begaan door de man die je in elkaar heeft geslagen,' zei Patrick. 'De man die zijn zwangere vrouw aframmelde. Ja, dat klopt... nadat je verdween, hebben we je huis behandeld alsof het de plaats van een misdrijf betrof en we hebben het centimeter voor centimeter afgezocht met luminol. Je had het bloed eens moeten zien dat als bliksemschichten oplichtte. Overal in de keuken. Hij moet je gewond hebben, Mara, dat kan niet anders.'

'Dat is ook zo,' zei Lily, 'maar hij heeft me nooit geslagen.'

'Maar dat bloed...'

'Soms liep hij me gewoon omver,' zei ze. 'En dan zei hij dat het mijn eigen schuld was, omdat ik zwanger was en zo onhandig dat ik hem niet genoeg ruimte gaf. Toen kwam ik met mijn hoofd ergens tegenaan en dat begon meteen te bloeden. Hij zei dat het een ongeluk was.' Ze zweeg even, denkend aan een vorig leven. 'En ik heb hem een hele tijd geloofd...'

'Maar die avond niet?'

'Nee,' zei ze. 'Die avond was alles anders. Zijn woede...' Ze hield zich in en keek neer op Rose. 'Neem me niet kwalijk, maar op dit moment kan ik niet verder met u praten. Ik moet mijn dochter naar bed brengen.'

'Ze is mooi,' zei de roodharige ex-smeris. Om de een of andere reden glansden zijn ogen.

'Ja, natuurlijk,' zei Marlena. 'Ze lijkt sprekend op Lily.'

'Ik wilde net zeggen,' zei Patrick, 'dat ze sprekend op Maeve lijkt.'

'Op oma!' zei Lily, snakkend naar adem.

'Ze mist je, Mara. Welke redenen je ook hebt gehad om te verdwijnen, ze moet er heilig van overtuigd zijn geweest dat het terecht was. Want ik heb nooit iemand gekend die zoveel van een ander hield, en ik weet zeker dat het feit dat ze instemde met je vertrek het grootste offer was dat een grootmoeder ooit heeft moeten maken.'

'Zij had er helemaal niets mee te maken,' zei Lily bevend, omdat ze haar grootmoeder niet in moeilijkheden wilde brengen.

'Nou ja, dat doet er ook niet toe,' zei de ex-smeris. 'Ze gebruikt die Nanouk-brillenkoker die jij voor haar hebt gemaakt iedere dag. En ze heeft het eindelijk opgebracht om mij op dat abonnement op het aquarium te attenderen. Dat heb jij haar gegeven... Waarom eigenlijk? Zodat ze naar de beloega's kon gaan kijken en jou in gedachten voor zich zag?'

'Heeft ze u dat verteld?'

De politieman knikte. 'En ze heeft me dat knipsel gegeven...' Hij wees naar het krantenartikeltje dat Lily in haar hand had, over het ongeluk met de veerboot in Ard na Mara. 'Zal ik je eens vertellen wat ik denk?'

'Nou?' zei Lily terwijl ze haar arm om Rose heen sloeg en nog steeds Liams hand vasthield. Ze wist dat ze hier weg moest... weg uit het hotel, weg bij die ex-smeris, weg bij al dat gepraat over haar grootmoeder. Het werd haar allemaal te veel... Eerst die operatie van Rose, dan haar relatie met Liam en nu dit weer.

'Dat ze gewoon wilde dat ik je zou vinden. Ze heeft me hier naartoe gestuurd, Mara.'

'Dat zou ze nooit doen,' zei Lily. 'Ze wist niet eens waar ik naartoe ben gegaan.'

'Dat is best mogelijk,' zei hij. 'Maar ze wist wel dat ik je zou vinden. Ik denk dat ze het gevoel heeft dat je lang genoeg weg bent geweest. Er is iets aan de hand en ze wil dat je thuiskomt. Denk daar maar eens over na, Mara.'

'Mammie?' zei Rose, die ongerust en moe klonk. Jessica stond naast haar alsof ze de wacht hield. Allie, de dochter van Cindy, stond een metertje verder en zag er al even strijdlustig uit.

'Ik heet Lily,' zei ze. 'Mara is van de aardbodem verdwenen. Begrijpt u wat ik bedoel? Ik wil dat het zo blijft. En nu moet ik eerst mijn dochter naar huis brengen.'

'Als u maar begrijpt dat ik u nog een aantal vragen wil stellen.'

Lily knikte, maar ze zei niets, ze liet het gewoon aan Liam over om haar en Rose naar buiten te brengen en in zijn auto te zetten. Vervolgens lieten ze de lichtjes van Cape Hawk achter zich en reden tussen de donkere, geheimzinnige rotsen en dennen door, die wat Lily betrof al zo lang – en ook nu nog – haar thuis waren.

Maar alleen al het feit dat ze in het gezelschap was geweest van een man die onlangs haar grootmoeder had gesproken, zorgde ervoor dat Lily koude rillingen kreeg en zich stevig aan Rose vast moest klemmen om haar zelfbeheersing niet te verliezen.

Marisa leunde op de balie en keek toe hoe Jessica achter Rose aan de veranda op liep om haar uit te zwaaien. Op hetzelfde moment begonnen alle Nanouks door elkaar te praten.

'Wist jij dat?'

'Ik wist dat ze ergens voor op de vlucht was.'

'Wist je ook waarvoor?'

'Ik kon het wel raden. Ze zag er zo opgejaagd uit toen ze voor het eerst in Cape Hawk opdook.'

'Ze stotterde toen ze voor het eerst haar naam zei,' merkte Cindy op. 'Dat is Alison en mij toen wel opgevallen. We dachten meteen dat "Lily" een schuilnaam was. Maar het was duidelijk dat ze haar identiteit niet prijs wilde geven en dus zijn we er niet over doorgegaan.'

'We zouden er nooit over gepiekerd hebben om haar daarop aan te spreken,' beaamde Doreen.

'Maar hebben jullie het er ook onderling nooit over gehad?' vroeg Marisa.

Anne schudde haar hoofd. 'Niet echt. Het duurde heel lang voordat ik het doorhad. Ze had heel kort haar toen ze hier kwam, ze leek wel een jongetje. Ze droeg eerst ook een bril met een schildpadmontuur en probeerde haar dikke buik te verstoppen onder grote T-shirts. Maar na een poosje liet ze haar haar weer groeien en de bril verdween. Ik denk doordat ze zich veiliger ging voelen.'

'Uiteindelijk begon ze wel te praten over haar slechte huwelijk,' zei Cindy tegen Marisa. 'Op die manier is ze eroverheen gekomen. Door ons in vertrouwen te nemen. Ons kon het niets schelen waar ze vandaan kwam. Dat maakte niets uit. Het enige wat voor ons telde, was dat we haar ervan wilden doordringen dat ze het niet verdiende om op die manier door hem behandeld te worden.'

'Ik wist wie ze was,' zei Marlena rustig. 'Ik heb een schotel, dus ik kan ook plaatselijke nieuwszenders uit de States ontvangen. Haar verhaal maakte zo'n indruk op me... zelfs al voordat ze hier opdook. Een man die iedereen aardig vond, knap en populair, een mooi jong vrouwtje van maar een meter vijftig en zo zwanger als heb ik jou daar, met de breedste glimlach die je ooit hebt gezien.'

'Waarom was je zo geïnteresseerd?' vroeg Marisa.

'Omdat ik wilde weten wat er precies aan de hand was. Waren ze echt zo'n perfect stel of had hij haar vermoord? Had hij de volmaakte misdaad gepleegd?'

'Dat zijn goede vragen,' zei rechercheur Murphy, die hoorde waar ze het over hadden en naar hen toe kwam lopen. 'Heel goede vragen.'

'Had u de leiding over de zaak?' vroeg Marisa.

'Inderdaad,' zei hij. Hij had knalrood haar dat al een beetje grijs werd langs de slapen, een gezicht vol sproeten en een innemende glimlach die Marisa echt overdonderde. Hij scheen helemaal niet kwaad te zijn, wat ze eigenlijk wel had verwacht omdat hij zo lang voor de gek was gehouden.

'Wat was uw idee? Dacht u dat haar man haar vermoord had?'

'Daarvan was ik overtuigd,' zei hij.

'Waarom?' vroeg Marisa. Hij stond haar recht aan te kijken zonder de anderen een blik waardig te gunnen. Het was alsof ze alleen in de receptie stonden.

'Omdat hij niet deugde.'

'Maar hoe weet u dat? U bent er net achter gekomen dat Mara

– Lily – nog in leven is en dat hij haar dus kennelijk niet vermoord heeft. Dus hoe weet u dan dat hij niet deugt?'

Patrick Murphy bleef haar aankijken alsof haar eigen verhaal in haar ogen geschreven stond. Was dat maar waar, dacht ze. Dan zou hij ook denken dat haar man niet deugde.

'Omdat ik het bloed in hun keuken heb gezien.'

'Maar ze zei dat hij haar nooit sloeg.'

Patrick haalde zijn schouders op. 'Ik heb dat bloed gezien,' zei hij. 'Het is daar op de een of andere manier terechtgekomen. En het was een heleboel, alsof ze daar een tijdje heeft liggen bloeden. Hij heeft haar tegen de grond gemept en als hij net deed alsof het een ongeluk was – zodat zij zou denken dat ze niet goed wijs was – maakt dat hem een nog grotere smeerlap. Ik heb dat eerste jaar een heleboel mensen ondervraagd... Mara Jameson nam haar man altijd in bescherming en hing het verhaal op dat ze zo gelukkig getrouwd waren. Maar het was geen gelukkig huwelijk. En hij deugde niet.'

'Is hij nog steeds... vrij?'

Patrick knikte. 'Ja,' zei hij.

Op dat moment kwam Anne aansjouwen met de spullen die ze uit haar kantoor had gehaald: de mand met de dennenkussens voor Rose en de ezel voor het bord met de foto's van Lily en Rose. Samen met Marlena zette ze alles weer bij de balie. Anne had alles weggehaald toen Patrick vragen begon te stellen, omdat ze wist dat hij Lily's foto zou herkennen.

Marisa zag Patrick naar de balie kijken, waar ook stapels cd's, posters en foto's van de Keltische bands lagen die mee zouden doen aan het aanstaande Ceili-festival in Cape Hawk. Een glimlachje speelde rond zijn mond.

'Wat is er?' vroeg Marisa.

'Alleen dat,' zei Patrick met een gebaar naar de stapel cd's. 'Een wereld waarin dat soort muziek wordt gemaakt kan niet alleen maar slecht zijn.'

'Ik speelde fiddle toen ik nog jong was,' zei Marisa starend naar een foto van een van de bands, terwijl ze in gedachten een andere voor zich zag: vier jonge meiden in witte jurken met gitaren en fiddles onder een spandoek met de naam *Fallen Angels*. 'Ik verdiende het geld voor mijn verpleegstersopleiding door vrijdagsavonds in Ierse kroegen te spelen.'

'Misschien komt de muziek wel weer terug,' zei hij.

'Mammie,' zei Jessica die naar hen toe kwam, 'Allie vraagt of ik bij haar mag blijven slapen.'

'Wat mij betreft, is het prima,' zei Cindy.

Een beetje uit het lood geslagen door hun gesprek bedankte Marisa Patrick Murphy en liep toen naar Cindy en Allie toe om alles te regelen. Jessica kon wel een nachtpon van Allie lenen en Cindy zou ervoor zorgen dat ze morgen rond het middaguur weer thuis was. Marisa zei ja. Ze was blij dat Allie Jessica had gevraagd om een nachtje bij haar te logeren, want ze wilde graag alleen zijn. Om na te denken en iets verder uit te zoeken.

Ze kuste haar dochter welterusten, nam afscheid van haar vriendinnen en gaf Patrick Murphy een hand, die hij een fractie van een seconde te lang vasthield. Marisa keek op naar zijn ogen, blauwe ogen met een vleugje bezorgdheid, en zag een vraag. Hij vroeg haar iets waar ze absoluut geen antwoord op kon geven en het was net alsof ze de woorden uit zijn mond hoorde komen: *Is alles in orde?*

Hij was helemaal geen smeris meer, hij was gepensioneerd. En hij had hier trouwens ook niets te vertellen, dat had hij nooit gehad. Marisa deed haar mond open en wenste dat ze hem zelf ook iets zou kunnen vragen. Maar dat leek wel heel erg aanmatigend. Het was zijn probleem niet. En trouwens, Marisa had nooit graag om hulp gevraagd.

'Vergeet die muziek niet,' riep hij haar achterna.

Maar ze liep rechtstreeks naar haar auto, stapte in en reed de met stenen muurtjes omringde parkeerplaats af. Het licht van de sterren twinkelde op de diepzwarte baai. Door haar openstaande raampjes hoorde ze de kreten van nachtvogels. Ze dacht aan hun gouden ogen, waarmee ze haar volgden terwijl ze naar huis reed. Ze leken op schildwachten die alles in de gaten hielden en zorgden dat haar niets kon overkomen. De hoge dennen stonden vlak langs de weg en daarboven ontmoetten hun takken elkaar.

Jessica begon zich al echt thuis te voelen in Cape Hawk. Marisa dacht aan alle fijne dingen die gebeurd waren sinds ze hier waren aangekomen. De liefde voor Rose die Jessica zo fanatiek had gemaakt dat ze de dennenkussentjes en de oorbellen van dennenappeltjes was gaan maken. Marisa was trots dat ze een kind had opgevoed dat zoveel werk kon verzetten voor zo'n goed doel.

Ze zette de autoradio aan. Maar toen ze 'Aurora' van Spirit uit de luidsprekers hoorde komen – het lievelingsliedje van Jessica – stopte ze snel een andere cd in de speler. Weer iets fijns dat bedorven was. Marisa reed verder en vroeg zich af hoeveel mooie dingen in haar leven bedorven waren door iemand van wie ze zoveel had gehouden. Ondanks Patricks opmerkingen over muziek had ze het gevoel dat de noten haar nu alleen ellende brachten.

Omdat Jessica niet bij haar was, liet Marisa haar emoties de vrije loop. Emoties die diep vanbinnen verstopt hadden gezeten, eigenlijk letterlijk in hart en nieren. Ze hadden haar 's nachts wakker gehouden en haar overhoop gegooid alsof het kleine aardbevingen waren. Nu begon ze te huilen, eerst zacht, maar al snel zat ze te brullen. De hoog oprijzende rotsen en de bomen dempten haar gesnik en ze reed gewoon door terwijl ze er alles uitgooide.

De aanblik van Lily met Liam en Rose terwijl haar echte naam en haar voorgeschiedenis bekend werden... dat was precies wat Marisa ook wilde. Ze miste haar moeder. Er waren zoveel dingen die ze had opgegeven toen ze bij Ted wegliep. Maar op dit moment kwam alles neer op één hartenwens: dat ze naar haar moeder zou kunnen gaan.

Ze zette de auto achter het huis, deed het portier open en bleef een minuut gewoon zitten. De geur van de bossen en de zee, gekruid met de lucht van dennen en bessen, zout en verbena, was als zomerwijn, zo koppig dat je er dronken van kon worden. Marisa haalde diep adem en ze wist dat ze niet voor niets hiernaartoe was gekomen. Het feit dat ze Lily en de Nanouks had leren kennen had haar kracht gegeven.

Was ze sterk genoeg voor wat haar nu te doen stond? Dat wist ze niet zeker.

Maar ze sloeg het portier achter zich dicht en lette ondertussen goed op dat er niemand in het struikgewas verstopt zat. Ze mocht dan nog zo ver van Boston en van Ted af zijn, ze was nog steeds uiterst waakzaam. Daarna liep ze alleen haar huis binnen.

Zodra de waarheid bekend was en ze besefte dat er voor haar vriendin geen gevaar dreigde en dat ze ook niet in de problemen zou komen, slaagde Anne er toch in om nog een kamer voor Patrick in het hotel te vinden. Hij zei dat hij haar niets kwalijk nam en hij zei tegen Marlena dat hij het jammer vond dat hij het ontbijt bij haar thuis zou mislopen. De Keltische band speelde nog steeds, prachtige en indringende muziek, precies waar Patrick zoveel van hield.

'Waarom ga je niet mee om even naar hen te luisteren?' vroeg Anne. 'Dan kun je mij en Jude helpen bij het beoordelen van de band. We zijn al bezig met de voorbereidingen voor het Ceili Festival van deze zomer, compleet met een wedstrijd voor de beste band. Kom gezellig bij ons zitten.'

Patrick aarzelde, maar schudde zijn hoofd. Hij was nog te opgefokt om stil te zitten. In plaats daarvan ging hij naar zijn kamer, helemaal aan het eind van de gang op de begane grond, en gooide zijn tas op het bed. Een douche leek de beste oplossing en hij bleef er een hele tijd onder staan, tot zijn zenuwen weer tot rust waren gekomen. Hij kon er nog steeds niet over uit dat hij Mara – of Lily – had gevonden. Hij wist niet precies hoe hij haar nu moest noemen.

Nadat hij uit de douche stapte, sloeg hij een handdoek om zijn middel en probeerde opnieuw Maeve te bereiken. Maar hij kreeg weer haar antwoordapparaat en hij moest zich inhouden om niet een stel willekeurige boodschappen achter te laten: 'Je raadt het nooit, Maeve, maar ik heb je kleindochter gevonden. Toch jammer dat ik als enige dacht dat ze verdwenen was!' Of: 'Hoi, Maeve... Mara is nog in leven en het gaat goed met haar. Bedankt dat je dat geheim hebt gehouden. In ieder geval werd ik gewoon doorbetaald terwijl ik naar haar op zoek was.'

Hij verbrak de verbinding en gooide de telefoon op het bed. Het was moeilijk om dolblij te zijn – ook al was dat wel degelijk het geval – terwijl hij tegelijkertijd zo'n bitter gevoel had. Over gemengde gevoelens gesproken.

Wie zou hij nu kunnen bellen? Sandra... hij zou haar kunnen bellen om haar te vertellen dat de misdaad officieel opgelost was en, tussen twee haakjes, het was eigenlijk helemaal geen misdaad. Mocht hij nou weer thuiskomen? Hij kon gewoon horen hoe ze hem uitlachte. Hun huwelijk had schipbreuk geleden door een misdaad die geen misdaad was. De grote detective was al die tijd echt in topvorm geweest.

Hij kon Angelo bellen. Angelo die zowel op zijn boot als op zijn hond paste, zou nu wel op de *Probable Cause* aan dek zitten te luisteren naar het verslag van de Yanks en in het gezelschap van een fantastische, trouwe en liefhebbende hond zitten te kijken hoe boven Silver Bay de maan opkwam. Angelo was misschien niet het soort vriend dat je meteen 'zie je nou wel' naar je hoofd slingerde, maar aan de andere kant misschien ook weer wel. Patrick had geen zin om dat risico te nemen. Hij voelde zich, om met de mevrouw van het huwelijksadviesbureau te spreken bij wie hij samen met Sandra een paar keer langs was geweest en toen ook te horen had gekregen dat ze van plan was om bij hem weg te gaan, 'kwetsbaar'.

'De pot op met kwetsbaar,' zei hij hardop terwijl hij zich in een broek en een shirt hees. Wat maakte het uit dat hij zijn huwelijk op de klippen had laten lopen en een puinhoop had gemaakt van zijn carrière? Wat maakte het uit dat hij uitgerangeerd en gepensioneerd was en zich bij de neus had laten nemen – want laten we wel wezen, dat tochtje naar Rose Gables was alleen de slagroom op de taart – door een clubje psychopathische dames die voor een deel de overgang al achter de rug hadden of er net tegenaan hikten?

Patrick Murphy ging een wandelingetje maken richting de haven. Daar zou hij mannen en vissersboten aantreffen. En ook vast wel iemand die hem een biertje wilde aanbieden. Patrick Murphy had al acht jaar lang geen drank meer aangeraakt, maar vanavond leek een mooie gelegenheid om weer eens uit de band te springen. Hij voelde de vloeibare ontspanning al van de alcohol die zijn keel schroeide en zich als een lopend vuurtje door zijn lijf verspreidde.

Hij had net de deurknop in zijn hand toen de telefoon ging. Het was niet zijn mobiel dus het kon Maeve niet zijn. Nee, dit was de hoteltelefoon. Hij pakte op en hoorde een vrouwenstem vragen: 'Rechercheur Murphy?'

'Niet officieel meer,' zei hij wrang. 'Ik ben gepensioneerd.'

'Goed, gepensioneerd rechercheur Murphy dan?'

'Ja?'

'U spreekt met Marisa Taylor. Ik heb u vanavond ontmoet.'

'Dat klopt... de mevrouw die fiddle speelde. U hebt een dochter. Hebt u daar allemaal hartelijk om gelachen... dat ik dat negenjarige meisje van u zag en dacht dat ze het kind van Mara moest zijn?'

Ze bleef even stil. Toen: 'Nee. Dat hebben we niet gedaan.'

Patrick hield wel een minuut lang zijn mond en gedurende die stilte werd er in zijn hoofd een knop omgezet. Het ging helemaal niet om hem. Mara had zich niet verborgen gehouden om hem dwars te zitten. En in Marisa's stem hoorde hij ook de angst die, zoals hij wist, voor Mara aanleiding was geweest om weg te lopen. Zijn maag kromp samen.

'Wat is er aan de hand, Marisa?' vroeg hij.

'Er is iets dat ik u graag wil laten zien. Ik weet dat het uw werk niet meer is, maar ik zou u toch graag om advies willen vragen. Zou u hierheen willen komen?'

'Ja, hoor,' zei hij.

Ze gaf hem een routebeschrijving – hij moest onder andere over een kettingbrug rijden, linksaf slaan bij een kloof en langs een houtzagerij – allemaal heel toepasselijke plekjes in een omgeving waar een vrouw naartoe was gekomen om onder te duiken. Patrick was in een stroomversnelling geraakt sinds hij in Cape Hawk was aangekomen en het einde leek nog niet in zicht.

Hij knoopte zijn overhemd dicht, gespte een enkelholster om en deed nog een poging om Maeve te bereiken. Als ze morgen nog niet opnam, zou hij ongerust worden. Daarna liep hij de deur uit. Wat ook de reden was dat Marisa hem gebeld had, Patrick was blij dat hij weer als speurder aan de slag kon.

De weg leek regelrecht afkomstig uit een fantasy verhaal. Hij kronkelde omhoog door grillige rotsformaties en was omzoomd door hoge bomen die een raar soort oerbos vormden. Patrick zag een groepje elanden dat naar de weg stond te staren. Een stukje verder sjokte een zwarte beer naar de overkant. Hij hoorde het gekras van uilen en toen stortte iets zich met een snoekduik op een prooi. Er klonken verschrikkelijke kreten en toen werd het weer stil.

Patrick vond het eigenlijk geruststellend. Na al die jaren dat hij voor de afdeling zware criminaliteit had gewerkt, wist hij dat mensen tot veel grotere wreedheden in staat waren dan de gevaarlijkste roofdieren in de natuur. Hij kon best begrijpen waarom een mishandelde vrouw in deze omgeving troost vond. Het was ver verwijderd van de beschaafde wereld – die in Amerika meestal 'suburbia' werd genoemd – waarin iedereen zich netjes kleedt, netjes praat en zich keurig gedraagt. Patrick had gezien wat zich afspeelde achter de gesloten deuren van een aantal van die 'keurige' huizen, met inbegrip van dat van Mara Jameson.

Hij reed Marisa's oprit in en zag haar in de deuropening staan. Haar lichaam was een silhouet in het licht dat er van achteren op viel en haar wijde katoenen blouse wapperde in het zomerse briesje. Patrick prentte zichzelf in dat ze zijn hulp als smeris had ingeroepen.

'Hoi,' zei ze, toen hij naar haar toe liep.

'Hoi,' zei hij.

'Ik vind het eigenlijk een beetje raar dat ik u zomaar heb gebeld,' zei ze terwijl ze haar armen over elkaar sloeg. Ze leek behoorlijk nerveus toen ze naar hem opkeek.

'Waarom?' vroeg hij. Ze had prachtige ogen, fluwelig bruin, zacht en intelligent. Ze bleek hem aankijken.

'Omdat ik een keer een straatverbod heb aangevraagd. Niemand geloofde me en mijn verzoek werd afgewezen.'

'Dat spijt me voor u,' zei hij voorzichtig. Hij had er nooit behoefte aan om zijn medewetshandhavers af te vallen. Maar hij kende een paar gevallen van huisvredebreuk, voornamelijk bij echtparen die hoog op de maatschappelijke ladder stonden, met succesvolle, goed van de tongriem gesneden mannen. Tegen de tijd dat de vrouw zover was dat ze om hulp durfde te vragen, voelde ze zich vaak een halve gek en zo klonk ze ook. Omdat hij haar gek had gemaakt en zij hem zo lang in bescherming had genomen.

'Mijn dochter is vanavond niet thuis,' zei Marisa. 'Ik dacht dat ik misschien even met u zou kunnen praten. En ik wil u iets voorleggen.'

'Prima,' zei Patrick. Ze was lang en slank en bewoog zich gracieus maar aarzelend, alsof ze al een hele tijd onzeker was. Patrick zag dat ze even naar hem omkeek alsof ze probeerde te raden wat hij dacht en wat hij zou gaan doen.

Toen ze door de zitkamer liepen, wierp ze hem een verontschuldigende blik toe. 'Mijn computer staat in de slaapkamer,' zei ze.

'Dat is geen probleem,' zei hij. Hij wist dat ze pas gerustgesteld zou zijn als ze zeker wist dat hij geen verkeerde conclusies trok.

Ze knikte en liep voor hem uit naar het bureau. Haar computer was een oud beestje. Het toetsenbord zag er afgeragd uit en de monitor was gigantisch. Aan de zijkant zat een sticker van Johns Hopkins.

'Hebt u daar een opleiding gehad?' vroeg hij.

'Als verpleegkundige,' beaamde ze. 'Toen ik in april uit huis ging, was dit een van de weinige dingen die ik meenam. Het was heel belangrijk voor me om internet en e-mail te hebben en op die manier in contact te kunnen blijven met een aantal mensen van wie ik hield. Mijn moeder...'

'Waarom bent u het huis uit gegaan?'

'Om dezelfde reden als Lily. Mara.'

'Dat spijt me,' zei Patrick.

'Dank u wel,' zei ze, terwijl ze hem aankeek alsof ze wist dat hij het meende. Moest hij haar nu vertellen dat ze zich daar niet voor hoefde te schamen en dat ze zich ook niet vervelend moest voelen, omdat het haar schuld niet was? Zou ze dat al weten? En zou ze ook weten dat dergelijke mannen vaak slachtoffers maakten onder vrouwen die in de zorgsector werkten? Maar eigenlijk hield Patrick helemaal niet van statistieken. In dit geval werd al geen rekening gehouden met mensen als Lily – als ze zichzelf zo wilde noemen, zou hij zijn best doen om op die manier aan haar te denken. Hij keek naar Marisa die achter haar computer was gaan zitten, met haar magere schouders opgetrokken tot aan haar oren, en vroeg zich af hoe lang ze al onder dit soort spanningen gebukt ging.

'Gaat u weleens online?' vroeg ze. 'Bent u bekend met het internet?'

'Ik ben gepensioneerd.' Hij glimlachte. 'Dat is een van mijn manieren om de tijd te verdrijven. Vissen, de Yankees en research via het net.'

'Dat doe ik ook,' zei ze. 'Research. Toen ik bijvoorbeeld hoorde dat Rose Tetralogie van Fallot had, heb ik dagenlang de website van het ziekenhuis waar ik ben opgeleid doorgespit.'

'Tetralogie van wat?'

'Fallot,' zei Marisa. 'Dat is een complexe hartkwaal.'

Patrick knikte en voelde een steek in zijn hart. In gedachten zag hij Lily weer met haar dochter in de deuropening van het hotel staan. En toen herinnerde hij zich ook dat Anne het bord met de oproep terug had gezet. Zo'n bord dat precies hetzelfde was als die oproepen om mee te doen aan inzamelacties die je in een kleine stad bij restaurantjes en stomerijen kon zien staan, ten bate van een kind uit de buurt dat medische hulp nodig had. Dat was weer iets nieuws dat Maeve moest zien te verwerken... Het feit dat haar kleindochter een hart-kwaal had. Daardoor moest Patrick weer aan Maeve denken, maar op dit moment was zijn aandacht toch voornamelijk op Marisa geconcentreerd.

'Maar goed,' zei Marisa, 'er is een band die ik erg leuk vind. Spirit.'

'Iedereen houdt van Spirit,' zei Patrick en hij neuriede het begin van 'Lonesome Daughter'.

'Niet gek,' zei Marisa en schonk hem voor het eerst sinds zijn komst een oprechte glimlach.

'Speel je hun muziek ook op je fiddle?'

'Af en toe. Maar daar gaat het nu niet om...'

'Waarom dan wel?'

Ze keek weer naar de computer en haar glimlach verdween als sneeuw voor de zon. 'Nou, er is een website voor Spiritfans. Ik vind het wel een beetje gênant, maar ik moet bekennen dat ik die af en toe bezoek. Dat doe ik al een paar jaar. Spiritfans zijn meestal... nou ja, een beetje zoals de band ook is. Intelligent en speels, maar met veel maatschappelijk bewustzijn. Het type mensen waar ik van hou.'

Intelligent, speels en maatschappelijk bewust. Patrick liep het rijtje langs en knikte. Nou ja, misschien niet zo erg intelligent. Maar hij zou toch graag het type mens willen zijn dat deze vrouw met haar bruinfluwelen ogen aardig vond.

'Daarnaast wordt er ook een levendige handel gedreven in cd's en concertregistraties die nergens anders te krijgen zijn. Ik bedoel... nou ja, ik weet dat u een politieman bent en ik bezondig me er zelf niet aan, maar op het board worden ze wel aangeboden... bootlegs.'

Patrick knikte en deed zijn best om er niet al te streng uit te zien.

'Maar toen ik onlangs de ingezonden mededelingen op het board zat te lezen, drong het ineens tot me door dat iemand de boel oplichtte.'

'Oplichtte? Hoezo?'

'Door net te doen alsof zijn zus haar huis door een wervelstorm was kwijtgeraakt. Hij vertelde aan iedereen dat wervelstorm Catherina haar huis met de grond gelijk had gemaakt en dat haar zoon daar zwaargewond bij was geraakt. En de Spiritfans sprongen en masse bij. Hij noemt zichzelf Secret Agent. Ik heb een paar van zijn inzendingen geprint...' Ze gaf ze aan Patrick die ze door begon te lezen.

Hij doorzag de opzet meteen... het lokaas waarin gehapt kon worden. Hij schudde zijn hoofd. Jaren geleden had hij samengewerkt met de FBI aan een geval van internetfraude. Chatrooms en messageboards waren ideale jachtvelden voor oplichters en roofdieren op zoek naar prooi. Het waren de ideale plekken voor de Dr. Jekylls van deze wereld. Niemand kon door het scherm heen kijken om tot de ontdekking te komen dat ze in werkelijkheid zaten te chatten met Mr. Hyde.

'U ziet zelf hoeveel mensen reageerden. Op een gegeven moment ging Secret Agent een staatje bijhouden van het totaalbedrag dat de mensen hadden gestuurd. Op dit moment is de stand zevenduizend dollar. Het lijkt een beetje op die inzamelacties waarbij een thermometer wordt gebruikt... "Als u helpt, kunnen wij ons doel bereiken". In dit geval wilde hij de tienduizend halen.'

'Kijk eens naar al die mensen die hun steun betuigden,' zei Patrick, verbijsterd door de goede wil en de onschuld van al die vreemden. Hij moest opnieuw denken aan dat FBI-geval waaraan hij had gewerkt, samen met Joe Holmes, een agent die getrouwd was met een vrouw uit Hubbard's Point, Tara O'Toole. Samen hadden ze een echtpaar opgespoord dat gepensioneerden overhaalde om al hun spaarcentjes te investeren in laag genoteerde aandelen. De gepensioneerden waren al hun geld kwijtgeraakt.

'We zijn nogal goed van vertrouwen,' zei Marisa.

'Spiritfans?'

'Mensen in het algemeen,' zei ze. 'Ik heb deze man zelf ook vertrouwd.'

'Hebt u geld gestuurd voor zijn zus?'

Ze schudde haar hoofd en tranen van boosheid sprongen in haar ogen. 'Ik ben met hem getrouwd geweest,' zei ze.

'Is Secret Agent uw man?' vroeg hij.

'Mijn ex-man,' verbeterde ze. 'Ik geloof het wel. Ik weet dat hij vaak naar messageboards surfte... Af en toe controleerde ik zijn computer om te zien of hij misschien vreemdging. Iets aan de manier waarop deze oproepen zijn geformuleerd – ernstig en grappig tegelijk – geeft me het idee dat het om Ted gaat.'

'Waarom zou hij het Spiritboard hebben gekozen?'

'Hij weet dat ik een fan ben. Ik denk dat hij hoopte me online te treffen. "Secret Agent" is de titel van het enige Spirit-nummer dat hij echt leuk vindt. Maar het punt is, dat ik tot voor kort eigenlijk nooit iets ingezonden heb om te vermijden dat hij me zou vinden.'

'Dat is mooi,' zei Patrick. 'Heel goed.'

'Dit zijn mijn enige inzendingen,' zei ze. 'Onder het pseudoniem White Dawn.'

Patrick las het eerste bericht waarin stond dat zijn zus recht had op overheidssteun als ze in een rampgebied woonde. Daarna las hij het tweede: 'Pas op', en glimlachte. Vervolgens het derde: 'Homestead is helemaal niet getroffen door Catherina. De wervelstorm is naar het noorden weggedraaid, eikel. Als je mensen geld uit de zak wilt kloppen, doe je er verstandig aan om eerst de baan van de storm te controleren via de website van de NOAA, het meteorologisch instituut.'

'Hebt u dat geschreven?' vroeg hij grinnikend.

'Ja.'

'Sjonge,' zei hij, toen hij de storm van boze reacties las die op het board waren verschenen. 'En toen brak de pleuris uit.'

'Dat klopt. Heeft hij gefraudeerd? Kan hij daarvoor opgepakt worden?'

'Tja,' zei Patrick terugdenkend aan het FBI-onderzoek. 'Iedere keer dat je online gaat, laat je een spoor achter. Op elke website laat je je IP-nummer achter en dat is net zoiets als een vingerafdruk.' Hij pakte zijn mobiele telefoon om te zien of het nummer van Joe Holmes nog steeds in het telefoonboek stond. 'Ik denk dat de kans groot is dat we hem in de kraag kunnen vatten,' zei hij.

'Wie gaat u bellen?' vroeg ze.

'De FBI,' zei hij. 'Maar vindt u het goed dat ik eerst even probeer om iemand anders te bereiken? Alleen maar om haar te vertellen waarop een ander onderzoek is uitgedraaid?'

'Lily's grootmoeder?' vroeg Mara glimlachend. 'Ga uw gang.'

Patrick drukte op redial en de telefoon ging opnieuw over zonder dat er opgenomen werd. Zijn maag kromp samen. Het was inmiddels tien uur en Maeve moest gewoon thuis zijn. Maar voordat hij zich echt zou gaan afvragen waar ze uithing, moest hij dat geval met Secret Agent afwerken. Hij liep zijn telefoonnummers door tot hij dat van Joe Holmes had gevonden. Voordat hij het nummer belde, keek hij Marisa even aan. 'Wat is de echte naam van uw ex-man?' vroeg hij.

'Ted,' zei ze. 'Ted Hunter.'

Patrick liet de telefoon bijna uit zijn handen vallen. 'Wat zegt u?'

'Ted Hunter.'

'Oftewel...' Dat was onmogelijk. 'Hoe luidt zijn volledige naam? De naam die op zijn rijbewijs staat?'

'Edward Hunter.'

Patrick moest echt even gaan zitten.

26

Liam had nu een gezin. Zo voelde dat tenminste, nu hij voor Lily en Rose moest zorgen. Na die toestand in het hotel vond hij hen veel te kwetsbaar om terug te gaan naar hun eigen huis, dus had hij ze meegenomen naar de heuvel, naar zijn eigen huis. Lily leek opgelucht, alsof ze op de vlucht was en al zo lang zelf beslissingen had moeten nemen dat ze vanavond alleen nog maar behoefte had aan rust.

Liam was vastbesloten om haar dat te geven toen hij door de poort aan het begin van zijn landgoed reed en de lange rondlopende oprit volgde. Hij woonde in een sparrenbos, in een groot stenen huis dat vroeger van de eigenaar van een steengroeve was geweest. Hij wist dat het huis, omdat het vanaf de weg niet zichtbaar was, voor de kinderen uit de buurt een soort magisch slot was geworden, de woonplaats van Kapitein Haak. Hij keek even naar Rose en hoopte dat ze niet bang zou zijn. Maar ze sliep half en ze had nog steeds een glimlach op haar gezicht uit blijdschap dat ze terug was in Cape Hawk.

Liam pakte haar op en ze liepen met hun drieën door de voordeur naar binnen. Zijn hart bonsde van opwinding, van zenuwen en van trots. Dat Rose en Lily hier nu hier waren, betekende alles voor hem.

'Dat is lang geleden,' zei Lily met een vermoeide glimlach.

'Kun je je nog de eerste keer dat je hier kwam herinneren?' vroeg hij.

'Toen Rose een week of drie oud was,' zei ze. 'Ze had koorts, het stormde, de telefoon deed het niet en er lag een grote eik dwars over mijn weg, zodat ik nergens heen kon. Ik ben hiernaartoe gelopen om je te vragen of jij me kon helpen.'

'En heeft hij dat gedaan?' vroeg Rose.

'Hij heeft altijd geholpen,' zei Lily zacht.

Liam glimlachte dankbaar. Hij deed het licht aan en hoopte dat ze zich niet zouden storen aan zijn vrijgezellenleven. Overal slingerden vaktijdschriften naast stapels boeken en foto's van haaien die andere zeedieren aanvielen, bandjes en video's met ooggetuigenverslagen van haaien die mensen hadden aangevallen. Hij had stevig eiken meubilair, een stapel rode kussens, een groot Tabriz-kleed – een familiestuk dat hij een keer van Camille had gekregen – een hoop boekenkasten waar nog geen pocketboekje meer bij kon, en ergens in een hoek stond een tv-toestel, alsof het daar bij wijze van toeval terecht was gekomen.

'Wat gezellig is het hier,' zei Rose.

'Vind je dat echt?' vroeg hij terwijl hij naast haar neerknielde. 'Daar ben ik blij om.'

'Ik snap alleen niet waarom we hiernaartoe zijn gegaan in plaats van naar ons eigen huis,' zei ze.

Liam keek Lily even aan, omdat hij liever wilde dat zij daarop zou reageren.

'Komt het door die man in het hotel?' vroeg Rose verder.

'Ja, schat,' zei Lily. 'Hij is... hij kent iemand die ik lang geleden heb gekend. Maar dat is nu niet belangrijk. Het enige dat we nu nog moeten doen is jou in bed leggen.'

Liam droeg Rose naar boven, naar een van de logeerkamers. Lily keek de overloop rond en zag dat er een andere lege slaapkamer naast lag. Liam pakte schone lakens uit de linnenkast in de gang en legde die op het lits-jumeaux. Rose scheen hem aandachtiger te bestuderen dan ze gewoonlijk deed. Iedere keer dat hij opkeek, zag hij dat ze strak naar hem bleef kijken. Lily legde Roses medicijnen op het bureau en ging een glas water halen.

'Wat is er aan de hand, Rose?' vroeg ze.

'Dit is wat ik gewenst heb,' zei ze. 'Op mijn verjaardag.'

'Dat je hier zou logeren?' vroeg hij.

Maar Rose was te moe om te praten, of ze had besloten dat ze al genoeg had gezegd. Lily kwam terug met het water en daarna moest Rose een hele verzameling medicijnen innemen. Vervolgens stopten Lily en Liam haar onder de wol en Lily vertelde dat ze in de kamer ernaast zou slapen.

'En waar blijft dr. Neill dan?' wilde Rose weten.

'Mijn kamer is beneden. Maar ik kan het wel horen als een van jullie beiden iets nodig heeft.'

'Dank u wel,' zei Rose en ze sloeg haar armen om zijn nek om hem welterusten te kussen. Dat dit kind nu bij hem thuis was, na alles wat ze had meegemaakt, raakte Liam tot in het diepst van zijn ziel.

Toen Rose in bed lag, liep hij samen met Lily naar beneden. Nadat hij de ketel op het gas had gezet draaide hij zich om en keek haar aan. Ze leunde tegen het aanrecht en haar gitzwarte haar glansde in het licht van de lamp. Hij liep naar haar toe, tilde haar gezicht op en kuste haar zoals hij haar de hele dag al had willen kussen.

Ze verlangden naar elkaar... op een manier die Liam nog nooit had ervaren. Het was net alsof het leven van alledag niet meer bestond, alsof ze volledig opgingen in wat er tussen hen groeide. Maar de werkelijkheid was onuitwisbaar, dus Liam wist dat hij zich in moest houden.

'Is alles oké?' vroeg hij.

'Ik denk het wel. Ik weet alleen niet precies hoe het nu verder moet. De operatie van Rose was juist zo goed gegaan en om dan bij mijn thuiskomst geconfronteerd te worden met... met mijn verleden...'

'Hoe heeft hij je kunnen vinden?' vroeg Liam.

Lily glimlachte en knipperde terwijl ze haar ogen neersloeg. Liam had verwacht dat ze overstuur en misschien zelfs volledig over haar toeren zou zijn, maar dat leek helemaal niet het geval. 'Mijn grootmoeder,' zei ze.

'Wist zij het dan?'

Lily knikte. 'Ze wist niet waar ik naartoe ging, maar ik kon niet zomaar weglopen zonder iets tegen haar te zeggen. Dat kon ik haar gewoon niet aandoen. Je kent haar niet, Liam, maar ze is de intelligentste en meest ongelooflijke vrouw van de hele wereld. Dankzij haar opvoeding ben ik zo sterk geworden. Ik dacht dat ik alles aankon.'

Liam luisterde en zag vonken in de blauwe ogen waarvan hij zoveel hield.

'Maar dat was dus niet zo. Niet Edward... niet terwijl ik op het punt stond een kind te krijgen. Ik wist dat hij me nooit zou laten gaan en ik wilde mijn dochter onder geen voorwaarde aan hem blootstellen.'

'Je wist dat het een meisje was,' zei Liam. 'Ik kan me dat nog herinneren van de avond waarop ze is geboren. Voordat ik je dat kon vertellen stak je je armen uit en zei: "Geef haar aan mij."'

'Ja, dat wist ik. Er waren een heleboel echo's van me gemaakt. Ik heb je al verteld dat hij me vaak omver liep. En dan net deed alsof het mijn schuld was. Hij probeerde me wijs te maken dat ik zelf zo lomp was. Hij noemde me een koe.'

'Ik draai hem zijn nek om,' zei Liam en dat meende hij. Hij voelde een mengeling van haat en woede in zijn binnenste kolken en dat was hem nooit eerder overkomen. Zelfs voor die ene haai had hij, toen hij nog jong was en niet begreep waarom haaien zich als roofdieren gedroegen, nooit deze kille haat gevoeld.

'Ik kon niet toestaan dat hij deel zou gaan uitmaken van Roses leven,' zei Lily. 'Als ik had gewacht tot na haar geboorte zou de voogdijkwestie hebben meegespeeld. Niet dat hij haar wilde, want dat was niet zo. Daar liet hij geen twijfel over bestaan. Maar ik wist gewoon zeker dat hij haar gebruikt zou hebben om mij te kwetsen. Hij zou ons allebei gepijnigd hebben en dat woord gebruik ik niet zomaar. Pijn veroorzaken was Edwards lust en leven.'

'Maar wat is dat dan voor iemand?'

'Iemand zonder geweten en zonder mededogen,' zei Lily rustig. 'En dat is nog niet alles. Edward is een moordenaar.'

'Wat bedoel je?'

'Dat vertel ik je een andere keer,' zei ze. 'Vanavond niet, maar binnenkort.'

'En dat wist je grootmoeder ook?'

Lily knikte. 'Het meeste wel. Genoeg om mij te helpen bij mijn vlucht.'

'Heeft ze je ook geholpen bij het vinden van Cape Hawk? Als plek waar je kon onderduiken?'

'Nee,' zei Lily. 'Dat heb ik zelf gevonden. Het blijkt dat ik een band heb met Camille en dat zij weer een band heeft met Edward.'

'Mijn tante? Camille Neill?'

'Ja,' zei Lily. 'Mijn ouders kwamen om bij hetzelfde ongeluk met de veerboot dat Frederic het leven kostte. Ik had alle knipsels daarover verzameld en op een gegeven moment ontdekte ik dat Camille het geld voor een gedenksteen had gedoneerd. Daar was ik haar zo dankbaar voor.'

'Dat zal ze heel fijn vinden om te horen,' zei Liam.

Lily glimlachte. 'Daar ben ik blij om. Ik weet dat ze beschadigd is, net als ik. Om iemand op die manier te verliezen is gewoon verschrikkelijk. Dat maakt je kwetsbaar... Ik denk dat ik daardoor ook een gemakkelijker prooi was voor Edward. Ik was een wees en dat ik al dertig was, maakte niets uit. Ik voelde me nog steeds verlaten.'

'Wat heeft Edward dan voor band met Camille?' vroeg Liam verward.

'Hij had een oude ingelijste foto aan de muur hangen. Daarop stond een oude walvisvaarder die in de winter aan een kade lag. Heel mooi en spookachtig, met alle masten en tuigage bedekt met ijs. Hij vertelde aan iedereen die het wilde horen dat zijn overgrootvader kapitein van een walvisvaarder was geweest. Dat was gelogen, net als het verhaal dat hij aan Harvard had gestudeerd, maar hij had het al zo vaak verteld dat hij het volgens mij zelf ook was gaan geloven.'

'Hoe heette dat schip?' vroeg Liam.

'De *Pinnacle*,' zei Lily met glanzende ogen.

'Het schip van mijn betovergrootvader,' zei hij rustig. 'De eerste Tecumseh Neill.'

'Ik weet het,' zei Lily. 'Ik zat vaak naar die foto te staren en dan had ik het gevoel dat het ijs in mijn hart op die foto te zien was. Mijn bevroren aderen en de kilte die ik vanbinnen voelde omdat ik met Edward samenleefde. Het enige dat hem aantrok in die foto was dat hij hem kon gebruiken om mensen ervan te overtuigen dat hij afstamde van een kapitein. Maar ik vond de omgeving mateloos boeiend. De kliffen, de bevroren fjord en de winterse kou zagen er zo grimmig uit. Precies zoals ik me vanbinnen voelde.'

'Hoe kwam je erachter waar die foto genomen was?'

'De plaats van herkomst was gemakkelijk te achterhalen. Het was een originele afdruk van een bekende fotograaf. Sepiatinten, een zilver-gelatineafdruk, vrij kostbaar. Het stempel van de galerie stond op de achterkant en ik heb hen gebeld om ernaar te vragen. En toen bleek dat de foto ooit eigendom was geweest van Camille.'

'Ze heeft een behoorlijk grote collectie maritieme kunstwerken uit deze buurt,' zei Liam verbaasd over die toevalligheid.

'Ik kan me nog herinneren dat ik het betalingsbewijs zag en schrok toen ik besefte dat het de vrouw was die de gedenksteen van de ramp met de veerboot had geschonken. Ik weet nog dat ik toen al vond dat ze zo'n aparte naam had. Camille Neill. Ik had nooit verwacht dat ik haar zou ontmoeten.'

'Dus daarom kwam je hiernaartoe?' vroeg Liam. 'Vanwege die twee redenen?'

'Gedeeltelijk,' zei ze. 'De connectie met mijn ouders stond me wel aan en ik vond dat ik nog nooit een plek had gezien die zo mooi was als Cape Hawk. En het gaf me een klein beetje een gevoel van wraak dat ik naar een plaats zou gaan waar Edward letterlijk iedere dag tegenaan keek. De foto die hij gebruikte ter ondersteuning van de leugens over zijn doorluchtige voorvader. Hij vertelde iedereen dat het Newfoundland was, omdat hij geen flauw idee had.'

'Dat is een goeie, Lily,' zei hij en sloeg zijn armen om haar heen.

'En ook omdat het zo ontzettend ver weg was.'

'Van Edward.'

Lily knikte. 'En dat was geweldig. Maar tegelijkertijd vreselijk, omdat het ook voor mijn grootmoeder gold. Ze wilde dat ik zo ver mogelijk weg zou gaan... Ze gaf me geld en hielp me om mijn spoor te verbergen. En ik weet zeker dat ze tegen de politie heeft gelogen.'

'Patrick Murphy,' zei Liam. Toen alle anderen druk bezig waren met het begroeten van Rose en zich om Lily schaarden, had Liam de blik in ogen van de smeris gezien. Hij was blij geweest om de vrouw die hij Mara noemde te zien, maar tegelijkertijd triest. En bedrogen. Liam had met hem meegevoeld.

'Ja,' zei Lily. 'Denk je dat het waar is wat hij vertelde? Dat mijn grootmoeder wilde dat hij me zou vinden?'

'Ik dacht dat ze wist waar je was. Waarom heeft ze niet gewoon gebeld?'

'Ze wist niet waar ik naartoe zou gaan. Volgens ons was dat de enige manier om Rose en mij in bescherming te nemen. Ik heb haar in het geheim kleine dingetjes gestuurd. Het knipsel, een brillenkoker – waarmee ze tegelijkertijd erelid werd van de Nanouks – en een abonnement op een plaatselijk aquarium. Ik dacht dat als Nanny mij en Rose zoveel blijdschap bezorgde, haar familieleden ons op de een of andere manier in contact konden brengen met Maeve.'

'Waarom bel je je grootmoeder niet gewoon?' vroeg Liam, als reactie op het feit dat Lily over Nanny begon. Hij wilde haar niet laten merken hoe ongerust hij was over de plaats waar ze zich bevond en de gegevens over haar tocht, want ze zwom nog steeds naar het zuiden en de laatste keer dat hij had gekeken leek ze voedsel te zoeken in de wateren rond Block Island.

'Dat zou ik wel willen doen,' zei Lily. 'Maar ik ben er niet helemaal van overtuigd dat we veilig zijn. Als Edward erachter komt dat ik nog steeds in leven ben, zal hij ongetwijfeld Rose opeisen. En misschien heb ik hem door te verdwijnen wel het recht gegeven om de voogdij over te nemen. En stel je nou voor dat hij probeert Rose te krijgen, Liam?'

'Ik meende echt wat ik net heb gezegd,' zei Liam stellig. Hij meende het serieuzer dan alles wat hij ooit had gezegd. Hij wist zeker dat als Edward Hunter – of iemand anders – ooit zou proberen om Lily of Rose kwaad te doen, hij hem zonder pardon zou vermoorden. Na alles wat die man Lily had aangedaan, zou hij zo'n kans niet voorbij laten gaan.

Lily leunde tegen hem aan en ging op haar tenen staan om hem een kus te geven. Liam had het gevoel dat de vlammen hem uitsloegen. Hij had zijn gevoelens voor Lily en Rose zo lang verborgen moeten houden, gewoon omdat hij wist dat ze zich helemaal had afgesloten en dat hij nooit tot haar zou kunnen doordringen. Misschien wist hij ook wel dat hetzelfde voor hem gold.

Maar nu ze elkaar in zijn keuken stonden te kussen terwijl Rose boven lag te slapen, voelde Liam alle muren afbrokkelen. Ze waren in elkaars bolwerk doorgedrongen en stonden samen sterk. Zij had haar beide armen stijf om hem heen geslagen en Liam klemde haar al even stevig vast, met alles wat hij had. Met zijn hele hart. Hij wilde haar overal aanraken, iedere vierkante centimeter huid, op dit moment. Zo weten mensen dat het leven goed is, dacht hij. Door elkaar vreugde te schenken, want waar dient het leven anders voor? Zowel hij als Lily had al zo lang zoveel moeten missen. Maar vanavond niet... Nooit meer, dacht hij en kuste de vrouw van wie hij hield.

Joe Holmes lag al op één oor in zijn huis in Hubbard's Point. De ramen stonden open en een koel windje streek over zijn blote rug. Het voerde de geuren mee van duingras, het strand en de tuin van zijn vrouw Tara. Joe had avonddienst gehad bij een geval van managementsfraude waarvoor hij constant de telefoon van een bankier in

Stamford had moeten afluisteren. Dus toen zijn mobiele telefoon overging, sliep hij er eerst dwars doorheen. Toen het toestel opnieuw rinkelde, vervloekte hij de beller. Daarna ging de huistelefoon over en Tara schudde hem wakker.

'Het is Patrick Murphy, lieverd,' zei ze. 'Je weet wel, die gepensioneerde agent van de staatspolitie. Die de zaak van Mara behandelde.'

'Hmmm,' zei Joe en pakte de telefoon aan. 'Holmes.'

'Hallo, Joe. Met Patrick Murphy. Het spijt me dat ik je wakker heb gemaakt, maar ik ben iets groots op het spoor.'

'Met betrekking tot een zak van een bankier uit Stamford, hoop ik?'

'Nee, over Edward Hunter.'

'De man van Mara Jameson?'

'Ja.'

'Ben je iets nieuws te weten gekomen? Over Mara?'

'Ja,' zei Patrick. 'Daar kom ik zometeen op terug, maar eerst dit. Jij bent bekend met het verschijnsel internetfraude. Weet jij iets over oplichters die mensen via messageboards proberen geld af te zetten? Door bijdragen te vragen voor niet-bestaande liefdadige doelen?'

'Ja. Moeilijk te bewijzen en moeilijk te vervolgen. Meestal omdat die oplichters zulke gladde jongens zijn. Ze bedenken een truc, incasseren het geld en verdwijnen weer. Ze veranderen om de haverklap van schuilnaam en als niemand eraan denkt om hun IP-adres te controleren voordat ze weer in lucht opgaan is het vrijwel onmogelijk om ze op te sporen.'

'En als iemand nou eens afdrukken heeft gemaakt van de hele oplichterij?'

Joe was inmiddels klaarwakker en kwam overeind, steunend op een elleboog. Hij moest toch over een uur weer opstaan en hij rook dat Tara al aan het koffiezetten was.

'Dan kunnen we daar volgens mij wel op ingaan,' zei hij. 'Als het niet te laat is en die vent heeft nog niet de benen genomen, dan zijn we misschien in staat om zijn IP-link te vinden en aan de hand daarvan het adres waarop hij woont. Maar zou je me nu willen vertellen wat dit met Mara te maken heeft?'

'Voorlopig alleen dit, Joe... De vent om wie het gaat, zou Edward Hunter kunnen zijn.'

'Ik zou die verdomde arrogante klerelijer maar wat graag in de kladden willen pakken,' zei Joe.

'Wat dacht je dan van mij?' zei Patrick. Joe kon horen dat hij diep ademhaalde, waarschijnlijk al opgewonden bij het idee dat ze Edward eindelijk voor iets konden oppakken, ook al konden ze hem niets maken met betrekking tot de verdwijning van Mara. Joe gaapte en knipperde met zijn ogen.

'Ik vind het toch al zo triest voor Maeve,' zei hij.

'Voor Maeve?'

'Ja,' zei Joe. 'Tara zei dat ze twee dagen geleden zag dat er een ambulance voor de deur stond. Clara Littlefield heeft haar verteld dat Maeve een soort beroerte heeft gehad en naar het Shoreline General is gebracht. Ik hoop dat ze erdoor komt... Ik weet zeker dat ze het geweldig zou vinden als we Edward het vuur na aan de schenen konden leggen. De slijmbal.'

'Bedankt, Joe,' zei Patrick.

'Graag gedaan,' zei Joe. 'Hoor eens...'

Maar Patrick had de verbinding al verbroken. Joe staarde naar de telefoon en luisterde hoofdschuddend naar de ingesprektoon. Er werd gezegd dat Patrick de oude niet meer was en dat hij in emotioneel opzicht veel te betrokken was geraakt bij de zaak-Jameson. Maar Joe was niet van plan om mee te huilen met de wolven in het bos – mensen waren mensen, zelfs smerissen. Hij had veel respect voor Patrick Murphy en hij had medelijden met hem gehad toen hij hoorde dat zijn huwelijk op de klippen was gelopen. Joe wist zeker dat hij het nooit zover zou laten komen, hij had met Tara te veel te verliezen.

Hij wreef de slaap uit zijn ogen, rook de geur van koffie, stapte uit bed en ging naakt en wel op zoek naar zijn vrouw om haar een kus te geven.

Het kostte heel wat moeite, maar uiteindelijk slaagde Patrick er toch in om Marisa zover te krijgen dat ze hem vertelde waar Lily woonde. Ze was dolgelukkig omdat hij zijn vriend bij de FBI had gebeld en te horen had gekregen dat de kans bestond dat Ted zou worden opgepakt. Maar daarna raakte ze volkomen in de war doordat Patrick haar duidelijk probeerde te maken dat 'Edward Hunter' – Teds officiële naam – ook de naam was van de man met wie Lily getrouwd was geweest.

'Dat is onmogelijk,' zei ze.

'Waarom?' vroeg hij. 'Hij heeft gewoon lange tentakels.'

'Maar dat Lily en ik dan allebei hier terechtkomen, in dezelfde plaats, zo ver weg van huis...'

'Ik durf te wedden dat als je daar met Lily over gaat praten jullie tot de ontdekking komen dat er iets is dat jullie ertoe heeft aangezet om voor Cape Hawk te kiezen. Een identieke reden.'

'Wat mij betreft, was het gedeeltelijk rancune,' zei Marisa terwijl ze terugdacht aan de foto van de walvisvaarder van Teds betover-grootvader, zo majestueus met die beijzelde masten en de hoog op-rijzende kliffen van Cape Hawk op de achtergrond. 'Dat durf ik best toe te geven. Ik wilde gewoon een beetje wraak nemen voor al die vernederingen die hij me heeft laten ondergaan.'

'Ik wed dat Mara – Lily – met een soortgelijk verhaal zal aanko-men. Dat ze deze plek heeft uitgekozen met de gedachte dat die klootzak die haar het huis uit heeft gejaagd in de stront kon zakken. Ik bied mijn excuses aan voor dat vulgaire taalgebruik.'

'Dat begrijp ik best,' zei Marisa. 'Het is al laat en we zijn dood-moe. Luister... ik begrijp dat er iets mis is met Lily's grootmoeder en dat ze dat moet weten. Maar ze heeft net een zware tijd achter de rug met Rose. Haar dochter heeft vorige week een openhartoperatie ondergaan en ik wil echt niet dat ze vanavond wordt lastiggevallen. Kom morgenochtend maar terug, dan zal ik u naar hen toe brengen. Dat beloof ik.'

Patrick Murphy stond in de deuropening en keek op haar neer als-of hij er nog niet uit was of hij haar wel kon vertrouwen. Marisa wist dat hij alle reden had om argwanend te zijn. Vrouwen als Marisa en Lily waren heel slim en sluw geworden als het erom ging zichzelf in bescherming te nemen. Hun huwelijk met een man die hen mishan-delde, had hen geleerd om net te doen alsof er niets aan de hand was terwijl ze ondertussen in gedachten al stiekem bezig waren met plan-nen om ervandoor te gaan.

Om hem duidelijk te maken dat ze het echt meende, pakte Marisa hem bij de hand. Hij had diepe kraaienpootjes rond zijn ogen, en zijn hand zat vol eelt. Zijn vingers sloten zich stevig om de hare en Marisa kon gewoon voelen dat hij behoefte had aan vaste grond onder de voeten en de wetenschap dat hij in een veilige haven was beland. Ze keek hem ernstig aan, zonder een spoor van een glimlach.

'Ik wil dat je me gelooft,' zei ze. 'Dus zal ik je iets vertellen, waaruit blijkt dat je me kunt vertrouwen. En daarna wil ik dat je het meteen weer vergeet. Oké?'

'Oké,' zei hij. Zijn stem klonk gebarsten, alsof hij een oude, uitgerangeerde bokser was.

'Mijn echte naam is Patricia.'

'Patricia,' zei hij.

'En mijn dochter heet in werkelijkheid Ellie.'

'Patricia en Ellie,' zei hij.

'Zo heetten we nog toen we bij Ted waren,' zei ze. 'En wat er ook gebeurt, we zijn andere mensen geworden. Nu zijn we Marisa en Jessica en dat blijven we. Voor altijd. Oké?'

'Oké,' zei hij. Ze kneep even in zijn hand en ze zag zijn vermoeide ogen oplichten.

'Tot morgenochtend,' zei ze. 'Zorg maar dat je hier om negen uur bent, dan neem ik je mee naar Lily.'

'Tot dan,' zei hij. Terwijl hij naar zijn auto liep, keek Marisa hem na en hoopte dat hij had begrepen dat hij zich geen zorgen hoefde te maken. Hij kon gewoon gaan slapen in de wetenschap dat ze niet voor hem weg zou lopen.

27

Lily wist aanvankelijk niet waar ze was toen ze wakker werd in Liams huis. Het zonlicht dat door de bomen viel en de brede blauwe baai onder zijn raam leken gewoon een droom. Ze had de hele nacht vrijwel geen oog dichtgedaan en was een paar keer naar Roses kamer gelopen om er zeker van te zijn dat ze regelmatig ademde en lekker lag te slapen. Halverwege de nacht had ze gevoeld hoe Liam naast haar kwam liggen in het lits-jumeaux in zijn logeerkamer.

De roestige oude spiraal kraakte onder zijn gewicht en hij was tegen haar rug aangekropen. Het was een warme nacht, zelfs hier, waar de wind constant vanaf de Golf van St. Lawrence blies. Liams regelmatige hartslag en zijn adem in haar nek ontspanden haar zo dat ze uiteindelijk toch in slaap viel. Maar ze bleef onrustig en werd geplaagd door nare dromen tot de zon eindelijk opkwam. Toen ging ze met een ruk rechtop zitten en zei: 'Oma.'

'Lily,' fluisterde Liam.

Ze keek om zich heen en probeerde zich te oriënteren. De stenen muren, de glas-in-loodramen, de donkergroene verf... Ze was helemaal niet in Hubbard's Point. Toen klaarde haar hoofd op en ze besefte dat ze van het strand had gedroomd. En dat ze de rozentuin van haar grootmoeder in was gelopen met zanderige voeten, die haar grootmoeder had afgespoeld met water uit de gieter. In gedachten zag ze het kringetje van schelpen en stukjes glas voor zich die ze in het cement had gedrukt.

'Blijf nog even liggen,' drong Liam aan. 'Je hebt nauwelijks rust gehad. En waarschijnlijk heb je een lange dag voor de boeg.'

Op de een of andere manier wist Lily dat hij bedoelde dat ze de vragen van de politieman zou moeten beantwoorden en haar best moest doen om Rose weer te laten wennen aan het leven buiten het ziekenhuis, maar Lily dacht alleen aan haar grootmoeder en voelde een warm briesje door het raam naar binnen komen. Ze kon bijna zweren dat het naar de rozen uit Hubbard's Point rook. Ze stapte uit bed en ging weer bij Rose kijken. Haar inwendige alarmsysteem stond op code rood.

Daarna kroop ze terug in Liams armen, deed haar ogen dicht en probeerde te ontspannen. Haar lichaam was zo gespannen dat haar rug hol trok. Liam streelde haar schouder en wreef over haar rug. Alleen al het besef dat hij bij haar was, stelde haar zo gerust dat ze haar gedachten vrij baan gaf. Ze was nog een beetje overstuur van haar droom. De laatste tijd had ze het gevoel gehad dat haar grootmoeder bij haar was. Dat was begonnen op de avond voordat ze naar Boston gingen, en het was net alsof Maeve haar riep. In de zomerlucht had ze haar stem gehoord.

De drang om naar het zuiden van New England te gaan was toen heel sterk. Maar Lily was zo gefixeerd op de gedachte dat Rose beter moest worden, dat ze al die dingen uit haar hoofd had gezet. Vannacht was de droom echter zo intens geweest dat Lily niet langer om haar gevoelens heen kon. Ze staarde in het donker tot haar hoofd omliep.

Haar grootste angst was altijd Edward geweest en wat hij haar, haar grootmoeder en nu ook Rose zou kunnen aandoen. Negen jaar aan deze grimmige rotsachtige Canadese kust had Lily harder gemaakt, maar dat gold ook voor het moederschap. Toen ze Rose het leven had geschonken was niet alleen Lily, maar de hele wereld veranderd. Op het moment dat Liam Rose in haar armen legde, was Lily een tijgerin geworden. Om haar baby te beschermen zou ze vechten tot de dood.

Nu ze naast Liam lag, vroeg Lily zich af wat ze moest doen. Ze beschouwde het als een soort queeste op leven of dood met als inzet vrijheid voor haar en Rose. Als ze maar dapper en oprecht was en deed wat haar hart haar ingaf, dan zou die vrijheid haar beloning zijn. Dan zouden ze kunnen gaan en staan waar ze wilden en zich nooit meer zorgen hoeven te maken om Edward.

Na alles wat er was gebeurd was ze uiteindelijk op dit punt aanbeland. Als Lily nu eens gewoon de confrontatie met Edward aanging? Dan was het uit met dat verstoppertje spelen en dan hoefde ze Maeve ook niet meer te missen. Dan kon ze eindelijk terug naar huis en Rose kennis laten maken met haar overgrootmoeder.

'Waarom kun je niet slapen?' vroeg Liam een paar minuten later.

'Ik lig te denken,' zei ze, 'aan mijn oude huis.'

'Je gaat weg, hè?'

'Liam,' fluisterde ze.

Hij gaf geen antwoord, maar drukte haar nog vaster tegen zich aan. Lily wist niet wat ze moest doen, dus ze wist ook niet wat ze moest zeggen. Ze vlocht haar vingers door de zijne en bukte zich om de rug van zijn hand te kussen.

Ze deed verder geen oog meer dicht. Toen ze hoorde dat Rose wakker werd, stond ze op en liep naar de kamer ernaast zodat Rose haar meteen zou zien als ze wakker werd. Rose kwam moeizaam overeind, want ze was gedurende de nacht stijf geworden. Haar linkerhand gleed instinctief naar haar hals om haar hart te beschermen. Lily hielp haar opstaan en zorgde ervoor dat ze haar slofjes aandeed.

Daarna liepen ze naar beneden, waar Liam in de keuken bezig was en koffiezette en sinaasappelsap in de glazen schonk.

'Goedemorgen, Rose,' zei hij. 'Heb je lekker geslapen?'

'Ik heb nog nooit zo lekker geslapen,' zei ze lachend.

Ze gingen aan de ronde eiken tafel zitten en toen zag Lily wat ze de avond ervoor in het donker niet had opgemerkt: de foto's en de tekeningen aan de muur en op de koelkast. Schoolfoto's van Rose in lijstjes aan de muur en een paar van haar oude tekeningen – nog van de kleuterschool en uit de eerste groep – op de koelkast. Lily kon zich vaag herinneren dat Rose erop had gestaan om naar de overkant van de gang te lopen waar Liam in zijn kantoor zat om hem die tekeningen te geven.

'Hebt u die bewaard?' vroeg Rose.

'Natuurlijk,' zei hij. 'Dacht je soms dat ik ze zou weggooien?'

'Ja, dat dacht ik inderdaad,' zei ze.

Liam grinnikte, maar toen Lily zag dat hij zijn laptop aanzette, wist ze dat hij wilde controleren waar Nanny was. Ze keek even naar Rose om te zien of zij dat ook in de gaten had, maar Rose zat naar de hechtingen onder haar nachtpon te gluren.

'Hoe zien ze eruit?' vroeg Lily.

'Goed,' zei Rose.

Lily boog zich naar haar over om dat te controleren, maar het zag eruit alsof alles goed genas. De randen van de lange snee zaten nog keurig tegen elkaar, er was geen vocht of pus te bekennen en ook geen spoor van infectie.

'Je hebt gelijk,' zei Lily. 'Mooi.'

Ze deden cornflakes in een kom en toen kwam Liam bij hen zitten om te ontbijten. Wat hij op het scherm had gezien was een mysterie, want hij zei er geen woord over. Lily's moed zakte in haar schoenen, ze had het gevoel dat ze daaruit kon opmaken dat Nanny nog verder naar het zuiden was gezwommen. Waarom bestond er niet alleen blijdschap? Waarom konden mensen niet gewoon krijgen wat hun hartje begeerde, met inbegrip van de mensen van wie ze hielden? En het liefst nog allemaal tegelijk.

Ze dacht aan de innige liefde die ze nog maar vierentwintig uur geleden had gevoeld, toen ze in Boston waren en haar hele wereld leek te bestaan uit haar pas ontdekte liefde en haar inmiddels gezonde dochter. Ze had zich al jaren geleden neergelegd bij haar beslissing om uit Hubbard's Point te vertrekken en dat deel van haar leven af te sluiten. Maar nu, een dag later, lag haar hele wereld weer overhoop door het idee dat haar grootmoeder haar nodig had.

Lily staarde door het raam in Liams keuken naar de brede, wonderbaarlijk blauwe Golf van St. Lawrence. Toen ze zich omdraaide, zag ze dat Liam naar haar zat te kijken. Hij had een treurige blik in zijn ogen, alsof hij haar gedachten kon lezen.

Maar omdat Rose erbij was, konden ze er niet over praten. Ze richtten hun aandacht op hun ontbijt, hoewel Lily en Liam geen hap door de keel kregen en alleen maar met hun lepel in de cornflakes zaten te roeren.

Toen er op de deur werd geklopt, ging Liam opendoen. Lily haalde diep adem. Nog voordat hij terugkwam, wist ze al dat het Patrick Murphy was. En dat klopte, maar tot verrassing van Lily was Marisa er ook bij. Lily zag meteen aan hun gezicht dat Rose de keuken uit moest, zodat ze niet zou horen wat er gezegd werd.

Ze zette Rose in het zonnetje op de veranda met een boek en een tas met borduurwerk. Rose was op school met een werkstuk begonnen, maar nu voelde ze zich voor het eerst weer goed genoeg om ermee verder te gaan. Nadat ze Rose een kus op haar kruin had gegeven, liep Lily terug naar de keuken. De uitdrukking in Patrick Murphy's ogen gaf haar het gevoel dat hij op het punt stond haar te arresteren.

'Wat is er aan de hand?' vroeg ze. 'Ga je me in de boeien slaan?'

'Dat zou hij jou of mij nooit aandoen,' zei Marisa. 'Wij hebben niets verkeerds gedaan. Maar Edward wel.'

'Edward?' zei Lily, die ineens het gevoel had dat haar nekharen overeind gingen staan.

'Ted,' zei Marisa.

'Ted... jouw man, bedoel je.'

Ted, Edward, schoot haar door het hoofd toen ze plotseling het doffe verdriet in de ogen van Marisa zag. Dat kon niet waar zijn.

'Nee,' zei Lily.

'Waarom ben jij naar Cape Hawk gegaan?' vroeg Patrick Murphy.

'Dat is een lang verhaal,' zei Lily. 'Ik denk dat je het in grote lijnen al weet. Je hebt dat krantenknipsel over de gedenksteen voor het ongeluk met de veerboot. De rest is een voortvloeisel van een leugen die mijn man vaak vertelde om mensen wijs te maken dat hij afstamde van een scheepskapitein.'

'De kapitein van de walvisvaarder,' zei Marisa. 'Met de ijsafzetting op de tuigage. En de kliffen van de fjord op de achtergrond.'

'Zeg dat het niet waar is,' zei Lily die voelde dat het bloed uit haar gezicht wegtrok. 'Ben jij getrouwd geweest met Edward Hunter?'

Marisa knikte.

'Wist je dan niet dat hij ervan werd verdacht dat hij zijn vrouw had vermoord?' fluisterde Lily.

'Nee,' zei Marisa. 'Tot gisteravond had ik daar geen flauw idee van. Je werd al negen jaar vermist. Toen het gebeurde heb ik waarschijnlijk het hele verhaal gemist omdat ik zwanger was van Jessica... Ze is een week na Rose geboren, maar het was een moeilijke zwangerschap en ik moest naar het ziekenhuis. Ik kan me vaag herinneren dat ik wel iets gehoord heb over een zwangere vrouw die in Connecticut vermist werd, maar ik wilde echt niets over dat geval weten, Lily. Ik stond op het punt om zelf een baby te krijgen en ik werd gewoon naar van het idee aan wat jij allemaal had moeten meemaken.'

'Jessica en Rose zijn bijna gelijk jarig.'

'Ja, dat klopt. Als ik er nu aan denk,' zei Marisa terwijl ze Lily's handen vastpakte, 'vraag ik me af of dat misschien een deel van de aantrekkingskracht vormde. Ted – Edward – kende mijn man van de golfbaan. Hij had wat aandelen voor ons verkocht en gekocht en hij wist alles over de samenstelling van ons gezin, met inbegrip van de verjaardagen. Mijn man mocht hem graag. Dus toen Paul overleed, bleef ik gewoon contact hebben met Ted. Hij had het beheer over de nalatenschap, en nu ik terugdenk aan onze eerste ontmoeting schiet me te binnen dat hij iets over de verjaardag van Jessica zei.'

'O ja?'

Marisa knikte. 'Hij vertelde me dat iemand om wie hij heel veel had gegeven rond dezelfde tijd een baby had gekregen... En dat dat voor hem bijna een heilige gebeurtenis was geweest.'

'Een heilige gebeurtenis!' Lily ontplofte bijna.

'Dat zei hij.'

'Hij heeft je belazerd,' zei Lily. Ze hapte naar adem terwijl ze Marisa's hand pakte en haar vrije arm om haar heen sloeg. Ze voelde dat ze daar samen stonden te beven, de beide echtgenotes van Edward Hunter. 'Precies zoals hij mij heeft belazerd.'

'En we hadden hem bijna te pakken,' zei Marisa. 'Patrick belde een van zijn vrienden bij de FBI en we zaten Ted echt op de hielen bij een van zijn oplichterijen op internet. Maar vanmorgen belde die agent Patrick terug om te zeggen dat hij zijn account heeft opgeheven en dat het messageboard geen berichten opslaat.'

'Dat klopt,' zei Patrick, 'dus we moeten hem op een andere manier te pakken krijgen. Mara... Lily...'

'Lily,' zei ze. 'Alsjeblieft. Mara hoort bij een andere tijd en een andere plaats. Ik wil niet meer aan haar denken.'

'Misschien zul je dat toch moeten,' zei hij. 'Ik moet je iets naars vertellen.'

'Wat dan?' vroeg Liam die naast Lily ging staan en bij wijze van steun zijn arm om haar heen sloeg.

'Het gaat om je grootmoeder,' zei Patrick. 'Ik heb vanmorgen met Clara Littlefield gesproken en Maeve heeft drie dagen geleden thuis een beroerte gehad. Ze is met een ambulance naar het Shoreline General gebracht en ze ligt in coma.'

'O, oma,' zei Lily terwijl de tranen over haar wangen biggelden. 'Dat kan niet waar zijn!'

'Het spijt me,' zei Patrick.

Lily kroop huilend weg tegen Liams borst. Had ze tijdens die reis naar Boston nu maar naar haar hart geluisterd. Iets had haar verteld dat ze naar huis moest, terug naar Hubbard's Point. Ze had het gevoel van zich afgezet omdat ze dacht dat het gewoon haar oude heimwee was dat de kop opstak omdat ze weer in New England was. Maar het was Maeve geweest die haar had geroepen. Hoe had Lily kunnen denken dat ze het eeuwige leven had en maar gewoon zou wachten tot het moment dat Lily zich veilig genoeg voelde om weer naar huis te komen?

'Waarom heb ik zo lang gewacht?' huilde Lily. 'Ze had me nodig en ik was er niet.'

'Je moest aan Rose denken,' zei Liam terwijl hij een kus op haar hoofd drukte. 'Je had een goede reden om verborgen te blijven.'

'Maeve houdt van je,' zei Patrick. 'Het moet een fijn gevoel voor haar zijn geweest dat ze je heeft geholpen om weg te komen. Ze zou nooit hebben gewild dat jou iets overkwam.'

'Patrick heeft me verteld dat ze altijd de geborduurde brillenkoker bij zich heeft die jij voor haar hebt gemaakt,' zei Marisa.

'Ik heb haar erelid van de Nanouks gemaakt,' zei Lily snikkend.

'De Nanouks zullen altijd achter je staan,' zei Marisa. 'Waar je ook naartoe gaat en wat je ook doet. Dat weet je best.'

'Ja, dat is zo,' zei Lily met een tikje tegen haar wang. 'En hetzelfde geldt voor jou. Ze hebben mij het leven gered toen ik hier net was.'

'En jij hebt het mijne gered,' zei Marisa.

'Wat ga je nou doen?' vroeg Patrick.

'Ik zou naar haar toe kunnen gaan,' zei Lily. 'En dat hoeven we niet per se aan Edward te vertellen.'

'Maar misschien komt hij er wel achter,' zei Patrick. 'En dan kunnen wij je helpen om het tegen hem op te nemen.'

'Dan zou hij alles over Rose te weten komen,' fluisterde Lily. Haar bloed veranderde in ijswater. Ze wist dat ze bij een eventuele terugkeer naar Connecticut de harde waarheid omtrent de man die ze had verlaten onder ogen zou moeten zien. Hij was de vader van haar dochter. Ze was heel lang bang voor hem geweest, maar plotseling begreep ze dat sommige gevoelens belangrijker waren dan angst.

'Maeve heeft je nodig,' zei Patrick.

'Je moet naar haar toe,' zei Liam.

'O God,' fluisterde Lily. Ze klemde zijn hand vast en keek hem diep in de ogen. Ze stonden even ernstig en verdrietig als zij zich voelde. Nu het met Roses hart de goede kant op ging, kreeg ze het gevoel dat het hare in gruzelementen lag. Stel je voor dat haar grootmoeder ernstig ziek was? Dan moest Lily blijven en voor haar zorgen. Er was zoveel wat ze Maeve wilde vergoeden: al die verloren jaren, de verjaardagen en de vakanties die ze had gemist. Maeve had Rose zelfs nog nooit gezien. En ze zou voor Rose net zo'n fantastische grootmoeder zijn als ze voor Lily altijd was geweest. Edward had hen dat soort dingen al veel te lang ontnomen.

'Liam,' zei ze terwijl ze hem aankeek. Hoe kon ze bij hem weggaan, juist nu ze elkaar hadden gevonden? 'Ik kan je niet alleen laten.'

'Nanny wijst je de weg,' zei hij. 'Dat weet je, hè?'

'Waar heb je het over?'

Hij pakte haar hand, trok haar mee naar de computer en liet haar zien waar ZZ122 zich op dat moment bevond. Ze zwom in de Long Island Sound, vlak voor de kust van Hubbard's Point. Lily kon haar ogen niet geloven... Het leek het bewijs voor een nieuw wonder. Mocht ze dat in twijfel trekken?

'Ze wijst je de weg naar huis,' zei Liam.

'Ik ben hier thuis,' zei ze.

'Lily,' zei Liam. 'Ik begrijp best dat je bang bent. Maar kijk nu eens, kijk naar wat er gebeurt. Weet je wel hoe bijzonder het is dat een beloega helemaal langs de oostkust naar het zuiden zwemt, tot aan Hubbard's Point?'

'Maar hoe kan dat nou?' vroeg Lily. Ze had het gevoel dat haar keel werd dichtgeknepen.

'Het gebeurt gewoon,' zei hij. 'Dat is het bewijs waaruit blijkt dat het kan. Het is de werkelijkheid.'

Lily sloot haar ogen. Toen ze weer opkeek, zag ze een foto boven Liams bureau hangen. Tecumseh Neill, de patriarch van de familie, stond voor zijn schip, de walvisvaarder *Pinnacle*. Daarnaast hing een kopie van een brief die hij aan zijn vrouw, thuis in Cape Hawk, had geschreven.

'Ik zit al een tijd achter één walvis aan,' schreef hij in een elegant en sierlijk handschrift. 'Ze zingt 's nachts, als er behalve de wind in de tuigage verder geen geluid te horen is. Toen ze bij het aanbreken van de dag boven water uit sprong, was ze bloedrood... een aanblik die iedereen angst aanjoeg. Maar toch stond iedere man aan boord vol ontzag en eerbied naar haar te kijken... Dat zo'n schepsel kon bestaan! Ik blijf haar volgen, mijn liefste, maar ik heb beloofd dat ik weer thuis zal komen, bij jou, en aan die belofte zal ik me houden...'

'Liam,' zei Lily terwijl ze zich omdraaide en hem aankeek, 'wil jij met ons meegaan naar Connecticut? Je hebt tegenover Rose een belofte afgelegd...'

'Die geldt ook voor jou,' zei hij.

'Dus dat betekent ja?' vroeg Lily. Haar hart klopte in haar keel. Haar polsslag, het ritme van het leven. Bloed, zuurstof en die andere, vitale essence vermengden zich in haar lichaam. Haar Rose zat op de veranda in het zonnetje te lezen. Liam pakte haar hand.

Achter hem stonden de ramen wijd open. Vanaf dit punt op de heuvel kon je tot in de eindeloze verte staren... min of meer, tenminste. Ver weg in de Golf van St. Lawrence zag Lily walvissen spelen. Ze sprongen als zilveren raketten uit het ijzige blauwe water op en landden met uitbundig, torenhoog gespetter.